Ο ΤΣΕ ΓΚΕΒΑΡΑ ΜΙΛΑΕΙ ΣΤΟΥΣ ΝΕΟΥΣ

Ο ΤΣΕ ΓΚΕΒΑΡΑ
ΜΙΛΑΕΙ ΣΤΟΥΣ ΝΕΟΥΣ

ৡ

Πρόλογος: Αρμάντο Χαρτ Ντάβαλος

Εισαγωγή: Μέρι-Άλις Γουότερς

Διεθνές Βήμα
2004

Ο Τσε Γκεβάρα μιλάει στους νέους
ISBN: 960-88214-1-X

Τίτλος πρωτοτύπου: Che Guevara habla a la juventud και Che Guevara Talks to Young People, 2000
Πρώτη ελληνική έκδοση, Διεθνές Βήμα, 2004
copyright © 2000,2004 Pathfinder Press, Aleida March/Archivo Personal del Che.

Η στοιχειοθέτηση του εξωφύλλου έγινε στο ΄Υψιλον με βάση το σχέδιο του ΄Εριχ Σίμπσον.

Διάθεση

Διεθνές Βήμα
Μαμάη 2 κα Αχαρνών 67
Αθήνα, 10440
τηλ. 210 88 33 002
diethnesvima@yahoo.com

Pathfinder Press
306 W. 37th Street, 10th floor.
New York, NY 10018, USA
WWW.pathfinderpress.com
pathfinder@pathfinderpress.com

Pathfinder Distributors Ltd.
47 The Cut, London SE1 8LF, England
Tel/fax: ++44-20-7261 1354
admin@pathfinderbooks.co.uk

ΠΕΡΙΕΧΟΜΕΝΑ

Ερνέστο Τσε Γκεβάρα   9
Πρόλογος του Αρμάντο Χαρτ Ντάβαλος   13
Εισαγωγή της Μέρι- Άλις Γουότερς   19
Σχετικά με τις ομιλίες   31

Κάτι καινούριο στην αμερικανική ήπειρο
Στην έναρξη του Πρώτου Συνεδρίου
Λατινοαμερικανικής Νεολαίας, Αβάνα, 28 Ιούλη 1960   33

**Για να γίνεις επαναστάτης γιατρός,
πρέπει πρώτα να κάνεις μια επανάσταση**
Προς φοιτητές ιατρικής και εργαζόμενους
στον τομέα της υγείας, Αβάνα, 19 Αυγούστου 1960   59

**Στην Κούβα ο ιμπεριαλισμός πιάστηκε στον ύπνο,
αλλά τώρα πια έχει ξυπνήσει**
Αποχαιρετισμός προς τις διεθνείς μπριγάδες
εθελοντικής εργασίας, Αβάνα, 30 Σεπτέμβρη 1960   79

**Το πανεπιστήμιο πρέπει να βαφτεί με το χρώμα των μαύρων,
των μιγάδων, των εργατών και των αγροτών**
Στο Κεντρικό Πανεπιστήμιο του Λας Βίγιας
Σάντα Κλάρα, 28 Δεκέμβρη 1959   97

**Ο ρόλος του πανεπιστημίου
στην οικονομική ανάπτυξη της Κούβας**
Στο Πανεπιστήμιο της Αβάνας
Αβάνα, 2 Μάρτη 1960   107

Ποτέ μην ξεχνάτε ότι η τεχνολογία είναι ένα όπλο
Στο κλείσιμο της Πρώτης Διεθνούς Συνάντησης Φοιτητών
Αρχιτεκτονικής, *Αβάνα, 29 Σεπτέμβρη 1963*   123

Πώς πρέπει να είναι ένας νέος κομμουνιστής
Ομιλία στη δεύτερη επέτειο της ενοποίησης των επαναστατικών
οργανώσεων νεολαίας, *Αβάνα, 20 Οκτώβρη 1962*   141

Η νεολαία πρέπει να βαδίζει στην πρωτοπορία
Από το κλείσιμο του σεμιναρίου που διοργάνωσε το Υπουργείο
Βιομηχανίας με τίτλο «Η νεολαία και η επανάσταση»,
Αβάνα, 9 Μάη 1964   165

Ο Τσε και οι άνδρες του φτάνουν ως ενισχύσεις
Ο Φιντέλ Κάστρο αποτείνει φόρο τιμής στον Τσε
και τους συντρόφους του, *Σάντα Κλάρα, 17 Οκτώβρη 1997*   185

Γλωσσάριο   203
Προτεινόμενη βιβλιογραφία   227
Ευρετήριο   231

ΕΡΝΕΣΤΟ ΤΣΕ ΓΚΕΒΑΡΑ

Ο Ερνέστο «Τσε» Γκεβάρα γεννήθηκε στην πόλη Ροσάριο της Αργεντινής, στις 14 Ιούνη του 1928. Αποφοίτησε από την ιατρική σχολή το 1953. Πριν την αποφοίτησή του, καθώς και ύστερα από αυτήν, ταξίδεψε σε πολλές περιοχές της Λατινικής Αμερικής. Το 1954 ο Τσε ζούσε στη Γουατεμάλα. Εκεί, μαζί με άλλους αγωνιστές, αντιτάχθηκε στην επιχείρηση της CIA για την ανατροπή της κυβέρνησης του Χακόμπο Άρμπενζ. Μετά την ανατροπή του Άρμπενζ, ο Γκεβάρα, όπως και χιλιάδες άλλοι, πέρασε τα σύνορα και μπήκε στο Μεξικό. Εκεί, το καλοκαίρι του 1955, γνωρίστηκε με τον Φιντέλ Κάστρο. Ο Τσε και ο Ραούλ Κάστρο ήταν τα πρώτα δύο μέλη που επέλεξε ο Φιντέλ για το εκστρατευτικό σώμα, το οποίο οργάνωνε το κουβανικό Επαναστατικό Κίνημα της 26ης Ιούλη, για να ανατρέψει τον δικτάτορα Φουλχένσιο Μπατίστα.

Στα τέλη του Νοέμβρη του 1956, ογδόντα δύο μαχητές αποπλέουν από το λιμάνι Τούσπαν του Μεξικού για την Κούβα, με το μικρό πλοίο *Γκράνμα*. Οι αντάρτικες δυνάμεις αποβιβάστηκαν στις 2 Δεκέμβρη στη νοτιοανατολική ακτή της Κούβας στην επαρχία Οριέντε, με στόχο να ξεκινήσουν τον επαναστατικό πόλεμο από τα βουνά της Σιέρα Μαέστρα. Αρχικά ο Γκεβάρα ήταν ο γιατρός των αντάρτικων δυνάμεων. Τον Ιούλη του 1957 προβιβάστηκε σε διοικητή της δεύτερης φάλαγγας του Αντάρτικου Στρατού (4η Φάλαγγα). Στα τέλη Αυγούστου του 1958, τέθηκε επικεφαλής της όγδοης φάλαγγας, η οποία πήρε το όνομα του

9

Σίρο Ρεδόντο. Η Φάλαγγα Σίρο Ρεδόντο κατευθύνθηκε προς την επαρχία Λας Βίγιας, στην κεντρική Κούβα. Η επιχείρηση του Λας Βίγιας αποκορυφώθηκε με την κατάληψη της πόλης Σάντα Κλάρα. Η Σάντα Κλάρα είναι η τρίτη μεγαλύτερη πόλη της Κούβας και η κατάληψή της σφράγισε τη μοίρα της δικτατορίας.

Μετά την πτώση του Μπατίστα, την 1η Γενάρη του 1959, ο Γκεβάρα συμμετείχε στη νέα επαναστατική κυβέρνηση αναλαμβάνοντας διάφορα καθήκοντα, ως επικεφαλής του Τμήματος Εκβιομηχάνισης του Εθνικού Ιδρύματος Αγροτικής Μεταρρύθμισης (INRA), ως πρόεδρος της Εθνικής Τράπεζας της Κούβας και υπουργός Βιομηχανίας, συνεχίζοντας ταυτόχρονα να εκτελεί τα καθήκοντά του ως αξιωματικός, αρχικά του Αντάρτικου Στρατού και μετά των Επαναστατικών Ενόπλων Δυνάμεων. Συχνά αντιπροσώπευσε την Κούβα διεθνώς. Για παράδειγμα, στη συνάντηση που έγινε στην Πούντα ντελ Έστε της Ουρουγουάης το 1961, υπό την αιγίδα του Οργανισμού Αμερικανικών Κρατών, στα Ηνωμένα Έθνη τον Δεκέμβρη του 1964, και σε άλλους διεθνείς οργανισμούς. Ως ένας από τους ηγέτες του Κινήματος της 26ης Ιούλη, συνέβαλε στη συγχώνευση του Κινήματος της 26ης Ιούλη, του Λαϊκού Σοσιαλιστικού Κόμματος και του Επαναστατικού Διευθυντηρίου της 13ης Μάρτη, δημιουργώντας μία ενιαία πολιτική οργάνωση –μια διαδικασία που είχε ως τελικό αποτέλεσμα την ίδρυση του Κομμουνιστι-κού Κόμματος της Κούβας τον Οκτώβρη του 1965.

Ύστερα από εννιά χρόνια πολύτιμης υπηρεσίας στην ηγεσία της επανάστασης –και τηρώντας μια παλιά συμφωνία με τον Φιντέλ Κάστρο– τον Μάρτη του 1965 ο Γκεβάρα παραιτήθηκε από τις θέσεις που κατείχε στην κυβέρνηση και στο κόμμα, καθώς και από τα στρατιωτικά αξιώματα και τα καθήκοντά του, και έφυγε από την Κούβα για να συνεχίσει τον αγώνα κατά του ιμπεριαλισμού «σε άλλες χώρες». Μαζί με έναν αριθμό διεθνιστών Κουβανών εθελοντών, μερικοί εκ των οποίων θα είναι μαζί του αργότερα και στη Βολιβία, ο Γκεβάρα πήγε πρώτα στο Κονγκό για να βοηθήσει το κίνημα που είχε ιδρύσει ο Πατρίς Λουμούμπα, ηγέτης του κονγκολέζικου αγώνα για την ανεξαρτησία από το Βέλγιο. Από τον Νοέμβρη του 1966 μέχρι τον Οκτώβρη του 1967, ο Τσε ηγήθηκε ενός αντάρτικου αγώνα στη Βολιβία κατά της στρατιωτικής δικτατορίας εκεί, ενώ ταυτόχρονα προσπαθούσε να συνδεθεί με τους επαναστατικούς αγώνες των εργατών και αγροτών σε όλη την περιοχή. Στις 8 Οκτώβρη του 1967, στη χαράδρα Γιούρο, τραυματίστηκε και συνελήφθη από τον βολιβιανό στρατό, σε μια επιχείρηση που οργανώθηκε από κοινού με τη CIA. Δολοφονήθηκε την επόμενη μέρα στην πόλη Λα Ιγκέρα.

ΠΡΟΛΟΓΟΣ

Για μένα είναι τιμή και ταυτόχρονα αποτελεί μια πραγματική πρόκληση η συγγραφή ενός προλόγου στο βιβλίο *Ο Τσε Γκεβάρα μιλάει στους νέους* –ένα βιβλίο που ως επίλογο έχει την ομιλία του Φιντέλ μπροστά στο μνημείο το οποίο χτίστηκε στο κέντρο του νησιού για να στεγάσει τα ιερά οστά του ήρωα, μαζί με εκείνα των αξέχαστων συντρόφων του.

Θα προσπαθήσω να μοιραστώ με τον νέο σε ηλικία αναγνώστη –στον οποίο, κατά κύριο λόγο, απευθύνεται το βιβλίο αυτό– κάποιες, σύντομες αναγκαστικά, σκέψεις γι' αυτή την εξαιρετική φυσιογνωμία της αμερικανικής ηπείρου και της σύγχρονης παγκόσμιας ιστορίας.

Είναι αλήθεια ότι ο Τσε θα μιλούσε διαφορετικά σήμερα στους νέους ανθρώπους –οι οποίοι βιώνουν πολύ διαφορετικές συνθήκες– απ' ό,τι μιλούσε τρεις και πλέον δεκαετίες νωρίτερα. Ξαναδιαβάζοντας, ωστόσο, αυτές τις ομιλίες, εκπλήσσεται κανείς από το πόσο εξαιρετικά επίκαιρες είναι. Οι ομιλίες αυτές επιβεβαιώνουν ότι πράγματι ο Τσε είναι ένας άνθρωπος του παρόντος.

Στις αρχές της δεκαετίας του 1990 λεγόταν ότι όλα τα μοντέλα αλλαγής του κόσμου είχαν πλέον εκλείψει, και μαζί τους κάθε πιθανότητα να βρεθούν νέα. Η εικόνα, όμως, του Ηρωικού Αντάρτη προβάλλει σαν ένα φάντασμα που πλανάται σε όλον τον δυτικό κόσμο. Το φάντασμα αυτό μεγαλώνει και θα συνεχίσει να γιγαντώνεται, θα δυναμώνει και θα μεγαλώνει ο πλούτος των ιδεών του στον βαθμό που αγγίζει τους νέους ανθρώπους και εκείνοι κάνουν κτήμα τους την ουσία των πράξεων και των οραμάτων του Τσε.

13

Ο Χοσέ Κάρλος Μαριάτεγκι, ένας από τους πιο σημαντικούς επαναστάτες στοχαστές της Λατινικής Αμερικής, μελέτησε και κατέδειξε την αναγκαιότητα των μύθων. Επισήμανε ότι οι λαοί που κατάφεραν πολλά, χρειάστηκε να δημιουργήσουν μύθους μεταξύ των μαζών. Εάν θέλουμε να είμαστε επαναστάτες με την αυστηρή έννοια του όρου, πρέπει να μελετήσουμε τα αίτια και τους παράγοντες που κάνουν τον Τσε να ζει στις καρδιές της αμερικανικής ηπείρου και να εκφράζει με χίλιους δυο τρόπους τους πόθους και τα οράματα της πιο ριζοσπαστικής νεολαίας *κάθε ηπείρου.* Τριάντα και πλέον χρόνια από τότε που πέρασε στην αθανασία στη χαράδρα του Γιούρο, η μορφή του αντηχεί στις πλατείες και στους δρόμους, ξαναζωντανεύοντας την κραυγή «Πάντα μπροστά ως τη νίκη!» [Hasta la victoria siempre]. Ο καλύτερος τρόπος να είμαστε συνεπείς προς τις ιδέες του σοσιαλισμού και προς τις δυνατότητες μιας επαναστατικής αλλαγής της κοινωνίας είναι να εντοπίσουμε τους λόγους που βρίσκονται πίσω από αυτό το γεγονός.

Τα διδάγματα και το παράδειγμα της θυσίας του Τσε στις ζούγκλες της Βολιβίας έχουν χαράξει για πάντα στο μυαλό των νέων γενιών μια αίσθηση ηρωισμού και ηθικών αξιών στην πολιτική και στην ιστορία. Και αφού ο ηθικός παράγοντας είναι αυτό που λείπει από την πολιτική, και η έλλειψη αυτή έχει οδηγήσει ακόμα και σε επαναστάσεις, υπάρχει μια πεποίθηση του Τσε που έχει με δραματικό τρόπο επιβεβαιωθεί: δεν μπορεί να υπάρξει επανάσταση χωρίς τον ηθικό παράγοντα.

Ο Τσε μίλησε επίσης με ευγλωττία, βάθος και σφρίγος για την ανάγκη ενός νέου τύπου ανθρώπου στον εικοστό πρώτο αιώνα. Η ίδια η ζωή έχει υποχρεώσει έναν τέτοιο άνθρωπο να διαμορφωθεί στον εικοστό αιώνα. Η αναγνώριση του τεράστιου ρόλου της κουλτούρας και των ηθικών αξιών στην ιστορία των πολιτισμών και τα πρακτικά συμπεράσματα που βγαίνουν από την αναγνώριση αυτή είναι το σημαντικότερο μήνυμα του *comandante* (διοικητή) Ερνέστο Τσε Γκεβάρα προς τους νέους ανθρώπους. Το ζήτημα αυτό έχει μια προϊστορία. Ο πολιτισμός δεν ανέλυσε ποτέ με το απαιτούμενο βάθος και από επιστημονική σκοπιά τον ρόλο των ηθικών και πνευματικών αξιών στο πέρασμα της Ιστορίας. Αυτή είναι η πιο σημαντική πνευματική πρόκληση που έχει κληροδοτήσει στη νεολαία ο εικοστός αιώνας.

Η δυτική και χριστιανική κουλτούρα στην Ευρώπη εξελίσσεται από το έτος 1000 και νωρίτερα, για να καταφέρει –με τον Μαρξ και τον Ένγκελς– να φτάσει στο υψηλότερο επίπεδο της φιλοσοφικής γνώσης, στους τομείς των κοινωνικών και οικονομικών επιστημών. Στη Λατινική Αμερική και την Καραϊβική, στο μεταξύ, αποκρυσταλλωνόταν ένας τρόπος σκέψης –με σύμβολα τον Μπολιβάρ και τον Μαρτί– ο οποίος, σε επιστημονική βάση, τόνιζε τη δύναμη του ανθρώπου και τον ρόλο της εκπαίδευσης, του πολιτισμού και της πολιτικής. Η πρωτοτυπία του Ερνέστο Τσε Γκεβάρα – όπως και της κουβανικής επανάστασης– συνίσταται στο εξής: εμπνευσμένος από την πνευματική κληρονομιά της Δικής μας Αμερικής και με αφετηρία την αφοσίωσή του στις ηθικές αξίες, υιοθέτησε τις ιδέες του Μαρξ και του Ένγκελς και υποστήριξε τη χρήση των λεγόμενων υποκειμενικών παραγόντων στην κινητοποίηση και την καθοδήγηση της επαναστατικής δράσης των μαζών και της κοινωνίας συνολικά.

Αυτό που είναι πολύτιμο και ενδιαφέρον από τη σκοπιά του μαρξισμού είναι ότι, από την άποψη που μόλις ανέφερα, ο Τσε βρέθηκε κατά βάθος πιο κοντά στον Μαρξ, απ' ό,τι άλλες ερμηνείες των ιδεών του συγγραφέα του *Κεφαλαίου*, οι οποίες κυριάρχησαν κατά τη διάρκεια του δεύτερου μισού του εικοστού αιώνα.

Η τριτοκοσμική προοπτική των διεθνιστών ανταρτών που έπεσαν στη Βολιβία ήταν ένα σιωπηρό κάλεσμα προς τους σοσιαλιστές, να προσανατολίσουν αποφασιστικά τις ενέργειές τους προς τον Τρίτο

Κόσμο. Η σοφία μιας τέτοιας ηθικής και πολιτικής προοπτικής δεν έγινε κατανοητή και δεν υποστηρίχθηκε στον καιρό της, από εκείνους που μπορούσαν και όφειλαν να το κάνουν.

Γι' αυτόν τον λόγο, ο κόσμος άλλαξε κατά τρόπο που να ευνοεί την πιο αντιδραστική δεξιά, καταλήγοντας σε ένα μεταμοντέρνο χάος. Σε μια ομιλία του Τσε στο Αλγέρι, στις 24 Φλεβάρη του 1964, αυτό το κάλεσμα προσέλαβε δραματικές διαστάσεις και χαρακτήρα έντονης αντιπαράθεσης. Κατά τραγικό τρόπο, η ιστορία θα απέδειχνε ποιος είχε δίκιο. Το πιο θλιβερό πράγμα για τους επαναστάτες είναι ότι η θέση του Τσε σχετικά με τον ρόλο των χωρών που παλαιότερα ήταν αποικίες ή νέο-αποικίες βρισκόταν πολύ κοντά στα όσα είχε προβλέψει αρκετές δεκαετίες νωρίτερα ο Λένιν, εφιστώντας την προσοχή στη σημασία των απελευθερωτικών κινημάτων τα οποία ξεπρόβαλλαν τότε στην Ανατολή. Υπάρχουν πολλά πολύτιμα βιβλία γραμμένα από τον άνθρωπο που σφυρηλάτησε την Οκτωβριανή Επανάσταση, τα οποία θα έπρεπε να μελετήσουμε ξανά σήμερα.

Η ανεπάρκεια των κοινωνικών επιστημών στο κυρίαρχο σύστημα απορρέει από το γεγονός ότι αρνούνται να αντικρίσουν μια αποφασιστικής σημασίας πραγματικότητα: τη φτώχεια που εξαπλώνεται σήμερα και η οποία αποτελεί, μαζί με την καταστροφή της φύσης, τη ρίζα των δεινών και της αγωνίας του σύγχρονου ανθρώπου.

Η σπουδαιότερη πρόκληση για τον άνθρωπο, καθώς χαράζει ο εικοστός πρώτος αιώνας, είναι να ξεπεράσει την κατάσταση αυτή. Από επιστημονική σκοπιά, το να θέτει κανείς ένα τέτοιο ζήτημα –αντί να υποκρίνεται ότι δεν υπάρχει– είναι ο ακρογωνιαίος λίθος ενός ηθικού συστήματος το οποίο φιλοδοξεί να θέσει γερά θεμέλια για το μέλλον. Η περιφρόνηση του ανθρώπινου πόνου είναι το μεγαλύτερο έγκλημα των κοινωνικών συστημάτων που υπάρχουν στις μέρες μας. Να είμαστε ρεαλιστές, αλλά να βλέπουμε την πραγματικότητα του ανθρώπου συνολικά και σφαιρικά, όχι αποσπασματικά, με μικροπρέπεια, όπως την αντιλαμβάνονται τα σημερινά κυρίαρχα συμφέροντα.

Ο Τσε έβλεπε και αποτιμούσε την πραγματικότητα από μια ηθική σκοπιά –με σκοπό να τη βελτιώσει. Εδώ εντοπίζεται η δύναμη του μύθου που μας άφησε.

Οι ιδέες του συνδυάζουν την πιο εξελιγμένη εκδοχή της ευρωπαϊκής φιλοσοφικής σκέψης –τον Μαρξ και τον Ένγκελς– με το ουτοπικό όραμα της Δικής μας Αμερικής –τον Μπολιβάρ και τον Μαρτί.

Το σφάλμα όσων αποκηρύσσουν την ουτοπία είναι ότι δεν λαμβάνουν υπόψη τους τις πραγματικές ανάγκες όπως προκύπτουν από τα γεγονότα που βρίσκονται κάτω από την επιφάνεια. Γι' αυτόν το λόγο, δεν είναι ικανοί να συλλάβουν τις αλήθειες του αύριο.

Η πεμπτουσία του λατινοαμερικανικού πολιτισμού που βρίσκεται στην επαναστατική συνείδηση του Τσε συνίσταται στο εξής: έβλεπε την πραγματικότητα και την πράξη ως απαραίτητα στοιχεία για την κατανόηση της αλήθειας και για τον μετασχηματισμό του κόσμου ώστε να υπερισχύσει η δικαιοσύνη, ενώ την ίδια στιγμή έπαιρνε την αίσθηση της ουτοπίας που έχει ο Νέος Κόσμος και τη μετέτρεπε σε κίνητρο για τη διαμόρφωση της πραγματικότητας του αύριο. Ο Τσε δεν αποκήρυξε, λοιπόν, ούτε την πραγματικότητα ούτε την ελπίδα. Ήταν ένας επαναστάτης της επιστήμης και της συνείδησης, απαραίτητα στοιχεία και τα δύο για να ανταποκριθεί στην πρόκληση του επόμενου αιώνα η αμερικανική ήπειρος, αλλά και ο κόσμος.

Εμβαθύνετε σε αυτά τα κείμενα του Τσε, είτε είστε φοιτητές είτε νέοι άνθρωποι γενικά, και θα βρείτε σημαντικά διδάγματα για το παρόν όσο και για το μέλλον.

Αρμάντο Χαρτ Ντάβαλος
Δεκέμβρης 1999

ΕΙΣΑΓΩΓΗ

Όλα τα μέλη της κουβανικής κυβέρνησης –παρόλο που ήταν νέα στην ηλικία, νέα στον χαρακτήρα και νέα στις αυταπάτες που έτρεφαν– ωρίμασαν, σπουδάζοντας στο εξαίρετο σχολείο της εμπειρίας και της ζωντανής επαφής με τον λαό, με τις ανάγκες και τις προσδοκίες του.

Ερνέστο Τσε Γκεβάρα
28 Ιούλη 1960

Το βιβλίο *Ο Τσε Γκεβάρα μιλάει στους νέους* δεν αποτελεί «εγχειρίδιο για αρχάριους» πάνω στον Τσε. Ο θρυλικός επαναστάτης που γεννήθηκε στην Αργεντινή και συνέβαλε στην ηγεσία της πρώτης σοσιαλιστικής επανάστασης της αμερικανικής ηπείρου και στην εγκαινίαση της ανανέωσης του μαρξισμού, κατά τη δεκαετία του 1960, μιλάει σε ισότιμη βάση με τους νέους ανθρώπους της Κούβας και του κόσμου. Δεν χαμηλώνει ποτέ το επίπεδο της συζήτησης. Δίνει το παράδειγμα, καθώς παροτρύνει τους νέους ανθρώπους να φτάσουν το επίπεδο εκείνο επαναστατικής δράσης και επιστημονικής σκέψης που απαιτείται ώστε να αντιμετωπιστούν και να επιλυθούν οι ιστορικές αντιφάσεις του καπιταλισμού που απειλούν την ανθρωπότητα.

Τους προκαλεί να δουλέψουν –οργανικά και διανοητικά. Να μάθουν να είναι πειθαρχημένοι. Να γίνουν επαναστάτες της δράσης που παίρνουν χωρίς φόβο τη θέση τους στην πρωτοπορία της πρώτης γραμμής κάθε αγώνα, μικρού ή μεγάλου. Τους παροτρύνει, καθώς μεγαλώνουν

19

και αλλάζουν μέσα από τις εμπειρίες τους, να διαβάζουν πλατιά και να μελετούν με σοβαρότητα. Να απορροφήσουν και να κάνουν κτήμα τους τα επιστημονικά και πολιτιστικά επιτεύγματα όχι μόνο του λαού τους, αλλά και κάθε άλλου πολιτισμού. Να φιλοδοξούν να γίνουν επαναστάτες μαχητές, με τη γνώση ότι μια διαφορετική κοινωνία μπορεί να γεννηθεί μόνο μέσα από τους αγώνες ανδρών και γυναικών που είναι διατεθειμένοι να αφιερώσουν τη ζωή τους και τα χρόνια που έχουν μπροστά τους σε αυτό. Τους προτρέπει να πολιτικοποιούν τη δουλειά των οργανώσεων και των θεσμών στους οποίους συμμετέχουν, και στην πορεία να πολιτικοποιούν τους εαυτούς τους· να γίνουν διαφορετικοί άνθρωποι καθώς πασχίζουν από κοινού με τον εργαζόμενο λαό κάθε χώρας να αλλάξουν τον κόσμο. Και σε αυτή τη γραμμή πλεύσης, τους ενθαρρύνει να ανανεώνουν και να χαίρονται διαρκώς τον αυθορμητισμό, τη φρεσκάδα, την αισιοδοξία και τη χαρά τού να είσαι νέος.

«Ο Τσε ήταν πραγματικός κομμουνιστής», είπε ο Κουβανός πρόεδρος, Φιντέλ Κάστρο, στην επίσημη συγκέντρωση που έγινε στην πόλη Σάντα Κλάρα στις 17 Οκτώβρη του 1997, κατά την ταφή της σωρού του Γκεβάρα και έξι συντρόφων του στον χώρο μνημείου που είχε ανεγερθεί προς τιμή τους, τριάντα χρόνια από τότε που έπεσαν στα πεδία των μαχών της Βολιβίας. Ο Τσε στηριζόταν σε αντικειμενικούς νόμους, υποστήριξε ο Κάστρο, τους νόμους της ιστορίας, και είχε μια χωρίς όρους εμπιστοσύνη στη δυνατότητα που έχουν οι άνθρωποι, οι απλοί εργαζόμενοι, να αλλάξουν τη ροή της ιστορίας. Κατά τη διαδικασία της πραγματοποίησης μιας σοσιαλιστικής επανάστασης στο κατώφλι του γιάνκικου ιμπεριαλισμού, επέμενε ο Τσε, οι εργάτες και οι αγρότες της Κούβας θα αλλάξουν τους εαυτούς τους σε κοινωνικά όντα με μια νέα συνείδηση, ένα νέο σύστημα αξιών, μια νέα κοσμοθεωρία, και με τις μεταξύ τους σχέσεις μεταμορφωμένες. Θα δώσουν το παράδειγμα για όλους.

Ο Αρμάντο Χαρτ, προλογίζοντας τις ομιλίες αυτές, τονίζει ότι στο ζήτημα αυτό όπως και σε αρκετά άλλα, ο Γκεβάρα –και η κουβανική επανάσταση στην οποία μετείχε– βρισκόταν «ριζικά πιο κοντά στον Μαρξ» από τους περισσότερους ανθρώπους που κατά το δεύτερο ήμισυ του 20ού αιώνα διατείνονταν ότι μιλούσαν στο όνομα του κομμουνισμού.

«Αν η επανάσταση αυτή είναι μαρξιστική» –έλεγε ο Γκεβάρα απευθυνόμενος στους εννιακόσιους σύνεδρους του Πρώτου Συνεδρίου Λατινοαμερικανικής Νεολαίας το καλοκαίρι του 1960– είναι «γιατί ανακάλυψε, με τις δικές της μεθόδους, τον δρόμο που υπέδειξε ο Μαρξ».

Πατώντας γερά στην ιστορία, στον πολιτισμό και στην πολιτική εμπειρία της λατινοαμερικανικής του πατρίδας, ο Γκεβάρα προσκόμισε στην κοινωνική αυτή πραγματικότητα και τις αγωνιστικές της παραδόσεις μια επιστημονική αντίληψη των παγκόσμιων νόμων που διέπουν την ιστορία των ταξικών κοινωνιών. Συνδύασε την ανανέωση της μαρξιστικής ορθοδοξίας στη θεωρία με το παράδειγμα του φυσικού και ηθικού θάρρους που του προσέδωσε αξιωματικά τον τίτλο του Ηρωικού Αντάρτη.

Στις σελίδες που ακολουθούν, ο Γκεβάρα συχνά αντλεί παραδείγματα από τη δική του εμπειρία για να εξηγήσει τους λόγους για τους οποίους η εικόνα του μοναχικού ήρωα που αυτοθυσιάζεται –μια εικόνα βάσει της οποίας αργότερα πολλοί επιχείρησαν να αναπλάσουν τον ίδιο τον Τσε– δεν είναι τίποτα άλλο από εκθειασμός του αστικού ατομικισμού, δηλαδή η άλλη όψη του νομίσματος του νόμου της ζούγκλας που διέπει την καπιταλιστική πραγματικότητα. Είναι το αντίθετο της συνεργατικής πορείας των ανθρώπων του μόχθου, της πορείας που κατέστησε την κουβανική επανάσταση εφικτή.

Απευθυνόμενος σε ομάδα φοιτητών ιατρικής και νοσηλευτές τον Αύγουστο του 1960, ο Γκεβάρα περιγράφει πώς ο νεανικός του ιδεαλισμός, κατά τη διάρκεια των ιατρικών του σπουδών, τον έκανε να ονειρεύεται ότι μια μέρα θα γινόταν διάσημος ερευνητής και ότι, όπως λέει, «θα δούλευα ακούραστα για να κατορθώσω κάτι που θα ήταν πραγματικά χρήσιμο για την ανθρωπότητα, αλλά που ταυτόχρονα θα συνιστούσε και έναν προσωπικό θρίαμβο για μένα. Ήμουν, όπως όλοι μας, ένα προϊόν του περιβάλλοντός μου».

Ταξιδεύοντας, όμως, στην αμερικανική ήπειρο, και βιώνοντας από κοντά την οικονομική, κοινωνική και πολιτική πραγματικότητα της ιμπεριαλιστικής κυριαρχίας, κατέληξε στο συμπέρασμα ότι μια τέτοια προοπτική είναι μάταιη. «Η απομονωμένη προσπάθεια, η ατομική προσπάθεια, η αγνότητα των οραμάτων, η προθυμία να θυσιάσει κανείς όλη του τη ζωή για τα πιο υψηλά ιδανικά –όλα αυτά πάνε χαμένα εάν η προσπάθεια γίνεται μεμονωμένα, μοναχικά, σε κάποια γωνιά της Λατινικής Αμερικής, σε έναν αγώνα απέναντι σε εχθρικές κυβερνήσεις και κοινωνικές συνθήκες που δεν επιτρέπουν την πρόοδο».

«Μια επανάσταση –λέει ο Γκεβάρα– απαιτεί αυτό που έχουμε εδώ στην Κούβα: την κινητοποίηση ενός ολόκληρου λαού που είναι εκπαιδευμένος στη χρήση των όπλων και στην πρακτική της ενότητας στη μάχη».

Πριν μπορέσει να γίνει ένας επαναστάτης γιατρός, έπρεπε να γίνει μια επανάσταση. Από τη στιγμή που χάραξε την πορεία αυτή, ο Γκεβάρα δεν πισωγύρισε ποτέ.

Ως ένας νέος εξεγερμένος φοιτητής που τον τραβούσαν οι επαναστατικές ιδέες, ο Γκεβάρα –όπως και άλλοι μεγάλοι κομμουνιστές ηγέτες πριν από αυτόν, ξεκινώντας από τον ίδιο τον Μαρξ και τον Ένγκελς– προσεταιρίστηκε από τη λαϊκή επαναστατική πρωτοπορία η οποία πάλευε με τα όπλα στο χέρι για την απελευθέρωση από την καταπίεση, την εκμετάλλευση και όλα τα προσβλητικά για την ανθρώπινη αξιοπρέπεια συνακόλουθά τους. Ακολουθώντας την τροχιά αυτή, της επαναστατικής δράσης από μέρους των ανθρώπων του μόχθου, σε συνδυασμό με τη συστηματική, πειθαρχημένη σκληρή δουλειά και μελέτη, ο Γκεβάρα αναδείχθηκε σε έναν από τους εξέχοντες προλεταριακούς ηγέτες της εποχής μας.

Το άνοιγμα της πρώτης σοσιαλιστικής επανάστασης στην αμερικανική ήπειρο, όπου ο Γκεβάρα συνέβαλε στην εξασφάλιση της νίκης, το παράδειγμα του διεθνισμού που δόθηκε από ολόκληρη την ηγεσία της επανάστασης, και οι συμβολές του ίδιου του Γκεβάρα, όπως αποτυπώνονται στις ομιλίες και στα γραπτά που μας έχει αφήσει, εγκαινίασαν μια ανανέωση του μαρξισμού που δεν περιορίζεται στην αμερικανική ήπειρο.

Καθοδηγούμενος με συνέπεια από τις θεωρητικές κατακτήσεις του Μαρξ, του Ένγκελς και του Λένιν, χρησιμοποιώντας ως σημείο αναφοράς τα πρώτα χρόνια που ακολούθησαν την επανάσταση του Οκτώβρη 1917, ο Γκεβάρα εργάστηκε για να βάλει τα θεμέλια που θα συνέβαλαν στην καθοδήγηση της κουβανικής επανάστασης προς μια μοίρα διαφορετική από εκείνη που υπέστησαν τα καθεστώτα της Ανατολικής Ευρώπης και της Σοβιετικής Ένωσης. Δεν είναι τυχαίο ότι το όνομα και το παράδειγμά του συνδέθηκαν τόσο πολύ με αυτό που ονομάστηκε στην Κούβα «Διαδικασία Επανόρθωσης των Λαθών», τις πολιτικές δηλαδή που εγκαινιάστηκαν από τον Κουβανό πρόεδρο Φιντέλ Κάστρο το 1986 (πολύ πριν «χαλάσει η μαρέγκα» στην Ανατολική Ευρώπη, όπως λένε οι Κουβανοί), πολιτικές που δυνάμωσαν τον εργαζόμενο λαό στην Κούβα και χάραξαν μια πορεία που επέτρεψε στην επανάσταση να επιβιώσει μέσα στη σκληρή δοκιμασία της πολιτικής απομόνωσης και της οικονομικής κακουχίας στη δεκαετία του 1990, γνωστή ως Ειδική Περίοδος.

Η βαθιά γνώση του μαρξισμού που είχε ο Τσε Γκεβάρα διαποτίζει κάθε σελίδα του βιβλίου αυτού. «Στο πιο βασικό επίπεδο –είπε στη διεθνή συνάντηση φοιτητών αρχιτεκτονικής που έγινε στην Αβάνα τον Σεπτέμβρη του 1963– στη χώρα μας υπάρχει αυτό που επιστημονικά ονομάζεται δικτατορία του προλεταριάτου, και αυτή την πτυχή, την κρατική πτυχή της δικτατορίας του προλεταριάτου, δεν επιτρέπουμε να την αγγίξει ή να τη θίξει κανένας. Όμως, μέσα στο πλαίσιο της δικτατορίας του προλεταριάτου, μπορεί να υπάρχει ένας τεράστιος χώρος για συζήτηση και για έκφραση ιδεών».

Όπως παρατηρεί ο Αρμάντο Χαρτ, ο Γκεβάρα έδινε το παράδειγμα και διαπαιδαγωγούσε ακούραστα όσους ήταν κοντά του, ιδιαίτερα τους νέους, σχετικά με την αναγκαιότητα η σοσιαλιστική επανάσταση να κατακτήσει και να κρατήσει το ηθικό προβάδισμα απέναντι στις παλιές άρχουσες τάξεις που διατείνονται ότι μιλούν στο όνομα της ελευθερίας, της δικαιοσύνης, της ομορφιάς, της αλήθειας. Με μια διεισδυτική αίσθηση του χιούμορ, βοηθούσε τους συνεργάτες του να κατανοούν τον ταξικό χαρακτήρα κάθε τέτοιου ζητήματος.

Ανάμεσα στα όμορφα στιγμιότυπα που θα συναντήσει ο αναγνώστης στις ομιλίες που ακολουθούν είναι το μάθημα που δίνει ο Γκεβάρα σχετικά με τη στενή πρακτική σχέση που υπάρχει ανάμεσα στα ταξικά θεμέλια της ηθικής και της αισθητικής. Απευθυνόμενος σε φοιτητές αρχιτεκτονικής το 1963, και εξηγώντας ότι η τεχνολογία είναι ένα όπλο στην υπηρεσία διαφορετικών τάξεων για διαφορετικούς σκοπούς, ο Τσε έδειξε την τοιχογραφία που κοσμούσε την αίθουσα. Παρατήρησε ότι στον τοίχο απεικονιζόταν ένα όπλο, «ένα Γκαράντ Μ-1 φτιαγμένο στις ΗΠΑ. Αυτό το όπλο, στα χέρια των ανθρώπων του Μπατίστα, όταν έφτυνε μολύβι πάνω μας, ήταν ανείπωτα άσχημο. Όμως, αποκτούσε μια ασυνήθιστη ομορφιά όταν το κατακτούσαμε, όταν το παίρναμε από κάποιον στρατιώτη, όταν το ενσωματώναμε στο οπλοστάσιο του λαϊκού στρατού. Στα χέρια μας, το όπλο ενσάρκωνε την αξιοπρέπεια».

Ένα παρόμοιο νήμα επιστημονικής διαύγειας και ασυμβίβαστου διαλεκτικού υλισμού πάνω σε ζητήματα όπως η εκπαίδευση και η ανθρώπινη φύση, συνδέει τον Γκεβάρα με τα θεμελιακά γραπτά του Μαρξ, όπως είναι οι «Θέσεις για τον Φόυερμπαχ» που έγραψε το 1845.

Ασκώντας κριτική στον μηχανιστικό υλισμό που διέκρινε ορισμένες αστικές προοδευτικές δυνάμεις της εποχής, ο Μαρξ έγραφε: «Η υλιστική διδασκαλία για τη μεταβολή των περιστάσεων και την αγωγή ξεχνά πως οι άνθρωποι αλλάζουν τις περιστάσεις και πως ο παιδαγωγός πρέπει και ο ίδιος να διαπαιδαγωγηθεί». Η ανθρώπινη φύση δεν είναι ένα αμετάβλητο χαρακτηριστικό των ανθρώπων, μια αφαίρεση που υπάρχει στο απομονωμένο άτομο, έλεγε. Αντίθετα είναι, συγκεκριμένα, «το σύνολο των κοινωνικών σχέσεων».

Στις παρατηρήσεις που έκανε κατά τον αποχαιρετισμό των διεθνών μπριγάδων εθελοντικής εργασίας, ο Γκεβάρα ρωτά: «Μήπως ο λαός αυτός έκανε επανάσταση επειδή την έχει στο αίμα του;»

«Σίγουρα όχι», απαντά.

«Αυτός ο λαός είναι έτσι όπως είναι επειδή βρίσκεται στη δίνη μιας επανάστασης». Μέσα από τις πράξεις τους σφυρηλατούν διαφορετικές κοινωνικές σχέσεις και μια διαφορετική αντίληψη του εαυτού τους και του κόσμου –έτσι γίνονται διαφορετικά άτομα, δημιουργώντας μια διαφορετική «ανθρώπινη φύση» στην πορεία, που τους οδηγεί να γίνουν σοσιαλιστικοί άνθρωποι, άνδρες και γυναίκες.

«Μάθαμε να σεβόμαστε τον χωρικό», έλεγε ο Γκεβάρα μιλώντας προς το Συνέδριο Λατινοαμερικανικής Νεολαίας τον Ιούλη του 1960. «Μάθαμε να σεβόμαστε την αίσθηση ανεξαρτησίας που έχει, την αφοσίωσή του· να αναγνωρίζουμε την προαιώνια λαχτάρα του για τη γη που του έχουν αρπάξει και να εκτιμούμε την πείρα που έχει αποκτήσει βαδίζοντας στα χιλιάδες μονοπάτια που διασχίζουν τα βουνά.

«Και από εμάς, οι χωρικοί έμαθαν πόσο πολύτιμος μπορεί να είναι ένας άνθρωπος όταν έχει ένα τουφέκι στο χέρι του, και όταν είναι διατεθειμένος να πυροβολήσει ενάντια σε κάποιον άλλον άνθρωπο, άσχετα από το πόσα όπλα διαθέτει αυτός ο άλλος. Οι χωρικοί μάς μετέδωσαν τις γνώσεις τους –συνέχισε ο Γκεβάρα– και εμείς μεταδώσαμε στους φτωχούς αγρότες την αίσθηση της ανταρσίας. Και από εκείνη τη στιγμή μέχρι σήμερα, και για πάντα, οι φτωχοί αγρότες της Κούβας και οι αντάρτικες δυνάμεις της Κούβας –η σημερινή κουβανική επαναστατική κυβέρνηση– έχουν πορευτεί αδιάρρηκτα ενωμένοι.»

Η νεολαία πρέπει να είναι στην πρωτοπορία, τονίζει ο Γκεβάρα σε όλα αυτά τα κείμενα, αναλαμβάνοντας τα πιο δύσκολα καθήκοντα σε κάθε προσπάθεια. Αυτός είναι ο μόνος δρόμος που οδηγεί τους νέους να γίνουν ηγέτες άλλων ανδρών και γυναικών –όπως ακριβώς κέρδιζαν τα «γαλόνια» τους οι αξιωματικοί του Αντάρτικου Στρατού στα πεδία των μαχών. Οι νέοι άνθρωποι πρέπει να μάθουν όχι μόνο να ηγούνται των συνομηλίκων τους αλλά επίσης και επαναστατών που είναι μεγαλύτεροι στην ηλικία. Πρέπει να γίνετε πρότυπα «για τους μεγαλύτερους και τις μεγαλύτερες σε ηλικία άνδρες και γυναίκες που έχουν χάσει λίγο από τον νεανικό τους ενθουσιασμό, που έχουν χάσει λίγη από την πίστη τους στη ζωή και που πάντα ανταποκρίνονται θετικά στο καλό παράδειγμα», έλεγε ο Γκεβάρα προς τους ηγέτες της Ένωσης Νέων Κομμουνιστών [Union de la Juventud Communista – UJC] τον Οκτώβρη του 1962.

Πάνω από όλα πρέπει να είστε πολιτικοί άνθρωποι. «Όταν είναι κανείς απολίτικος, γυρίζει την πλάτη του σε όλα τα κινήματα του κόσμου», λέει απευθυνόμενος στη διεθνή συνάντηση φοιτητών αρχιτεκτονικής.

Προς τους νέους που εργάζονταν στο Υπουργείο Βιομηχανίας – του οποίου ήταν επικεφαλής το διάστημα αυτό– ο Γκεβάρα εξηγούσε την ανάγκη «πολιτικοποίησης του υπουργείου». Αυτός, τους έλεγε, είναι ο μόνος τρόπος να παλέψεις για να το αλλάξεις, να πάψει να είναι «ένας πολύ ψυχρός χώρος, ένας πολύ γραφειοκρατικός χώρος, μια φωλιά βαρετών και σχολαστικών γραφειοκρατών, από τον υπουργό και κάτω, που βασανίζονται αδιάκοπα με συγκεκριμένα καθήκοντα προκειμένου να βρουν νέες σχέσεις και νέες συμπεριφορές».

Μόνο προσκομίζοντας τις ευρύτερες δυνατές παγκόσμιες και ταξικές προοπτικές –και την πιο ασυμβίβαστη αποδοχή των νόμων που διέπουν τη σύγχρονη ιστορία– στην ενασχόληση με τα πιο ρουτινιάρικα ζητήματα θα μπορέσεις να αντισταθείς στις πιέσεις της καθημερινής ζωής που οδηγούν στην αποπολιτικοποίηση και τη γραφειοκρατία και που υπονομεύουν το ηθικό, την αυτοπεποίθηση και τη μαχητικότητα ακόμα και των καλύτερων επαναστατών μαχητών.

Κανείς δεν μπορεί να γίνει ηγέτης, είπε ο Γκεβάρα στα στελέχη της UJC, αν «σκέπτεται για την επανάσταση μόνο τη στιγμή της αποφασιστικής θυσίας, τη στιγμή της μάχης, της ηρωικής περιπέτειας, σε στιγμές που ξεφεύγουν από το συνηθισμένο, ενώ στη δουλειά του είναι μέτριος ή χειρότερο από μέτριος. Πώς μπορεί να συμβαίνει αυτό;».

Εάν το ένα κομμάτι της απάντησης που δίνει είναι «να πολιτικοποιήσουμε το υπουργείο», το άλλο κομμάτι είναι η εθελοντική εργασία. «Γιατί επιμένουμε τόσο στην εθελοντική εργασία;» ρωτά ο Γκεβάρα. «Από οικονομικής άποψης, δεν προσφέρει σχεδόν τίποτα». Είναι όμως «σημαντικό γιατί κάποιος παραχωρεί ένα μέρος της ζωής του στην κοινωνία χωρίς να περιμένει αντάλλαγμα, χωρίς την οποιουδήποτε είδους αμοιβή. [...] Είναι το πρώτο βήμα στον μετασχηματισμό της εργασίας σε αυτό που τελικά θα γίνει αργότερα, με την πρόοδο της τεχνολογίας, με την ανάπτυξη της παραγωγής και την ανάπτυξη των σχέσεων παραγωγής: θα φτάσει σε ένα ανώτερο επίπεδο, θα μετατραπεί σε κοινωνική ανάγκη», την οποία θα αποζητούμε όπως σήμερα περιμένουμε την κυριακάτικη αργία. Σε αυτή τη γραμμή πλεύσης, «θα γίνετε αυτόματα η πρωτοπορία της νεολαίας», έλεγε ο Γκεβάρα προς τα μέλη της UJC στο Υπουργείο Βιομηχανίας. Δεν θα έχετε ποτέ ανάγκη να κάνετε θεωρητικές συζητήσεις για το τι θα έπρεπε να κάνει η νεολαία. «Να μην πάψετε να είστε νέοι, να μην μετατραπείτε σε γέρους θεωρητικούς ή σε θεωρητικολόγους. Να διατηρήσετε τη φρεσκάδα και τον ενθουσιασμό της νιότης».

❖

Η ταυτόχρονη έκδοση του βιβλίου *Ο Τσε Γκεβάρα μιλάει στους νέους* στα αγγλικά και στα ισπανικά στάθηκε δυνατή λόγω της ευρείας συνεργασίας με την Casa Editora Abril, του εκδοτικού οίκου της Ένωσης Νέων Κομμουνιστών της Κούβας, ο διευθυντής του οποίου στήριξε το εγχείρημα αυτό με ενθουσιασμό από τότε που προτάθηκε για πρώτη φορά τον Φλεβάρη του 1998. Αφιέρωσε τον χρόνο και τις γνώσεις του, συμβάλλοντας στην επιλογή των κειμένων, καθώς και στην επανεξέταση των επεξηγηματικών σχολίων και του εισαγωγικού υλικού. Η Ραφαέλα Βαλερίνο, επικεφαλής σύνταξης στην Casa Editora Abril, επιθεώρησε την προετοιμασία των ηλεκτρονικών αρχείων των ομιλιών και επιμελήθηκε το κείμενο στο σύνολό του. Ενώ οι προσπάθειες της Casa Editora Abril έχουν κάνει το βιβλίο περισσότερο ακριβές και ευανάγνωστο, πράγμα για το οποίο είμαστε ευγνώμονες, οι εκδόσεις Pathfinder έχουν την πλήρη ευθύνη για όλες τις αποφάσεις σύνταξης και επομένως για τα όποια λάθη παραμένουν.

Πρέπει να εκφράσουμε την ιδιαίτερη εκτίμησή μας προς την Αλείδα Μαρτς, διευθύντρια του Προσωπικού Αρχείου του Τσε, για τη συνεργασία της και τις διεισδυτικές της συμβουλές στην επιλογή των ομιλιών και των φωτογραφιών.

Η πολύτιμη συλλογή φωτογραφικού υλικού διαμορφώθηκε με τη βοήθεια και τις γνώσεις του Ντελφίν Χικιές της εφημερίδας *Granma*, του Μανουέλ Μαρτίνεζ της *Bohemia* και του Χουάν Μορένο της *Juventud Rebelde*.

Όσοι αναγνώστες δεν γνωρίζουν πολλά από τα ονόματα και τα ιστορικά γεγονότα στα οποία γίνεται αναφορά στα κείμενα που ακολουθούν μπορούν να ανατρέξουν στις σημειώσεις που βρίσκονται στο γλωσσάριο καθώς και στη λίστα σχετικών βιβλίων στο τέλος της έκδοσης.

❖

«Για τα πανίσχυρα αφεντικά αντιπροσωπεύουμε ό,τι πιο παράλογο, αρνητικό, ασεβές και διασπαστικό υπάρχει σε αυτή την Αμερική που τόσο περιφρονούν και χλευάζουν», λέει ο Γκεβάρα στους φοιτητές του Πανεπιστημίου της Αβάνας, τον Μάρτη του 1960. Για τη μεγάλη μάζα, όμως, του λαού της αμερικανικής ηπείρου «αντιπροσωπεύουμε ό,τι πιο αξιοπρεπές, τίμιο και μάχιμο».

Σαράντα χρόνια αργότερα τα λόγια αυτά συνεχίζουν να απεικονίζουν την πραγματικότητα. Οι συζητήσεις του Τσε με τους νέους ανθρώπους συνεχίζουν να δείχνουν έναν δρόμο προς τα μπρος –προς την ανάπτυξη επαναστατών μαχητών της υψηλότερης στάθμης και, όπως λέει ο Τσε, «πολιτικούς νέου τύπου».

Μέρι-Άλις Γουότερς
Γενάρης 2000

ΣΧΕΤΙΚΑ ΜΕ ΤΙΣ ΟΜΙΛΙΕΣ

Η συλλογή *Ο Τσε Γκεβάρα μιλάει στους νέους* δημοσιεύθηκε για πρώτη φορά, στα ισπανικά και στα αγγλικά ταυτόχρονα, από τις εκδόσεις Pathfinder το 2000. Όλες οι ομιλίες που περιέχονται στις εκδόσεις αυτές έχουν δημοσιευθεί κατά καιρούς στα ισπανικά στην Κούβα, είτε στην εφημερίδα *Revolución*, έντυπο του Κινήματος της 26ης Ιούλη, είτε στην *Granma*, όργανο της Κεντρικής Επιτροπής του Κομμουνιστικού Κόμματος της Κούβας, είτε σε συλλογές έργων του Τσε Γκεβάρα. Η παρούσα έκδοση του Διεθνούς Βήματος είναι μετάφραση στα ελληνικά της αντίστοιχης συλλογής του Pathfinder.

Οι ακόλουθες ομιλίες του Τσε Γκεβάρα δημοσιεύονται για πρώτη φορά στα ελληνικά: Η ομιλία που δόθηκε τον Αύγουστο του 1960 στο Πανεπιστήμιο της Αβάνας· ο αποχαιρετισμός στους διεθνείς εθελοντές τον Σεπτέμβρη του 1960· η ομιλία στο Πανεπιστήμιο του Λας Βίγιας τον Δεκέμβρη του 1959· η ομιλία στο Πανεπιστήμιο της Αβάνας τον Μάρτη του 1960· η ομιλία προς τους φοιτητές αρχιτεκτονικής τον Σεπτέμβρη του 1963, και στο κλείσιμο του σεμιναρίου στο Υπουργείο Βιομηχανίας τον Μάη του 1964. Η παρούσα συλλογή περιλαμβάνει επίσης την ομιλία με τίτλο «Κάτι καινούριο στην αμερικανική ήπειρο», που είχε προ πολλού εξαντληθεί, καθώς και την ομιλία με τίτλο «Πώς πρέπει να είναι ένας νέος κομμουνιστής». Η ομιλία του Φιντέλ Κάστρο, τον Οκτώβρη του 1997, πρωτοδημοσιεύθηκε στην *Granma* στα ισπανικά και στην εφημερίδα *Militant* των ΗΠΑ στην αγγλική γλώσσα.

31

❖

Στην πραγματοποίηση της ελληνικής έκδοσης συνέβαλαν εθελοντικά οι: Κώστας Αθανασίου, Πάνος Αναγνωστόπουλος, Μίνα Κυρτάτου, Ζωρζ Μεχραμπιάν, Θόδωρος Μισαηλίδης, Νατάσα Ντεμίρη, Χριστίνα Ντεμίρη, Ειρήνη Παθιάκη, Κώστας Παπαδόπουλος, Μαρία Πλέσσα, Γιώργος Σιμόπουλος και Γιώργος Σκιανής, τους οποίους ευχαριστούμε θερμά. Τη συνολική ευθύνη για την επιμέλεια της έκδοσης είχαν ο Μπάμπης Μισαηλίδης και η Νατάσα Τερλεξή.

Κάτι καινούριο στην αμερικανική ήπειρο

Στην έναρξη του Πρώτου Συνεδρίου
Λατινοαμερικανικής Νεολαίας
28 Ιούλη 1960

Εννιακόσιοι περίπου νέοι συγκεντρώθηκαν στην Αβάνα, το καλοκαίρι του 1960, για να συμμετάσχουν στο Πρώτο Συνέδριο Λατινοαμερικανικής Νεολαίας, εμπνευσμένοι από το παράδειγμα της κουβανικής επανάστασης, η οποία, ενάμιση χρόνο νωρίτερα, είχε ανατρέψει την υποστηριζόμενη από τις ΗΠΑ δικτατορία του Φουλχένσιο Μπατίστα και είχε εγκαταστήσει μια κυβέρνηση που υπερασπίζεται τα συμφέροντα των Κουβανών εργατών και αγροτών. Στο συνέδριο παρευρέθηκαν αντιπρόσωποι και παρατηρητές από οργανώσεις νεολαίας, εργατικές και πολιτικές οργανώσεις, οργανώσεις αλληλεγγύης από κάθε λατινοαμερικανικό έθνος, καθώς επίσης από τις ΗΠΑ, τη Σοβιετική Ένωση, την Κίνα και πολλές άλλες χώρες.

Η επίσημη έναρξη του συνεδρίου, στα βουνά της Σιέρα Μαέστρα στις 26 Ιούλη, ήταν μέρος της εθνικής γιορτής για την έβδομη επέτειο της επίθεσης κατά των στρατοπέδων του δικτατορικού καθεστώτος στη Μονκάδα και στο Μπαγιαμό υπό την ηγεσία του Φιντέλ Κάστρο. Αυτή η παράτολμη πράξη, το 1953, σήμανε την αρχή του επαναστατικού αγώνα ενάντια στο καθεστώς του Μπατίστα. Στη συνέχεια, οι σύνεδροι συνήλθαν στην Αβάνα στις 28 Ιούλη για να ξεκινήσουν τις εργασίες του συνεδρίου, το οποίο κράτησε συνολικά δύο εβδομάδες. Ο Ερνέστο Τσε Γκεβάρα μίλησε στην πρώτη ολομέλεια.

Το συνέδριο πραγματοποιήθηκε σε μια κρίσιμη καμπή για την επανάσταση.

Η εχθρότητα της Ουάσιγκτον απέναντι στις ενέργειες που αναλάμβαναν οι εργαζόμενοι και οι αγρότες της Κούβας κλιμακωνόταν

33

Πάνω: Περισσότεροι από ένα εκατομμύριο Κουβανοί καθώς και προσκεκλημένοι από όλο τον κόσμο συρρέουν στο Λας Μερσέδες, στους πρόποδες της οροσειράς Σιέρα Μαέστρα για τον γιορτασμό της 26ης Ιούλη όπου και έγινε το επίσημο άνοιγμα των εργασιών του Συνεδρίου Λατινοαμερικανικής Νεολαίας. **Κάτω:** Οι σύνεδροι συμμετέχουν σε μαζικό συλλαλητήριο στην Αβάνα, 7 Αυγούστου του 1960, όπου εγκρίθηκε διά βοής το κυβερνητικό διάταγμα που εθνικοποιούσε τις βορειοαμερικανικής ιδιοκτησίας εταιρείες.

«Όταν η κουβανική επανάσταση μιλάει, μπορεί να κάνει κάποιο λάθος, αλλά ποτέ δεν θα πει ψέματα.»

από τον Μάη του 1959, όταν η επαναστατική κυβέρνηση έθεσε σε εφαρμογή μία από τις βασικές αρχές του προγράμματος που είχε διατυπώσει ο Φιντέλ Κάστρο από το εδώλιο του κατηγορουμένου για την επίθεση στη Μονκάδα: την αγροτική μεταρρύθμιση.

Ο νόμος, που εφαρμόστηκε από τους αγρότες και τους εργάτες γης οι οποίοι κινητοποιήθηκαν υπέρ του κυβερνητικού ψηφίσματος, απαλλοτρίωνε τις τεράστιες φυτείες που είχαν στην κατοχή τους εταιρείες των ΗΠΑ και Κουβανοί μεγαλογαιοκτήμονες. Έδινε τίτλους γης δωρεάν σε 100.000 πακτωτές, γεωμόρους ή επίμορτους καλλιεργητές και καταληψίες γης και διαμόρφωνε συνεταιριστικά αγροκτήματα που προσέφεραν σταθερή εργασία καθ' όλη τη διάρκεια του χρόνου, σε εκατοντάδες χιλιάδες εργάτες γης.

Αν και η Ουάσιγκτον δεν επιδίωξε να συζητήσει με την Κούβα κάποιον τρόπο πληρωμής, ο νόμος καθόριζε την αποζημίωση των ιδιοκτητών γης που προέρχονταν από τις ΗΠΑ με κουβανικά κρατικά ομόλογα, πληρωτέα σε είκοσι χρόνια, από τις εισπράξεις των πωλήσεων της κουβανικής ζάχαρης στις ΗΠΑ.

Τον Ιούνη του 1960, τρία από τα μεγαλύτερα ιμπεριαλιστικά τραστ πετρελαίου στην Κούβα εξήγγειλαν ότι αρνούνται να διυλίσουν πετρέλαιο που η Κούβα είχε αγοράσει από τη Σοβιετική Ένωση. Σε απάντηση, η κουβανική κυβέρνηση πήρε τον έλεγχο των διυλιστηρίων που κατείχαν οι εταιρείες Τέξακο, Στάνταρτ Όιλ και Σελ. Τότε ο Αμερικανός πρόεδρος Ντουάιτ Ντ. Αϊζενχάουερ διέταξε μια δραστική μείωση, 95%, στο ποσοστό της ζάχαρης που η Ουάσιγκτον είχε ήδη συμφωνήσει να αγοράσει από την Κούβα. Σε όλο το νησί, οι Κουβανοί ανταποκρίθηκαν με το σύνθημα «*Sin cuota pero sin bota*» [χωρίς την ποσόστωση, αλλά και χωρίς την μπότα].

Οι νέοι άνθρωποι που συμμετείχαν στο Συνέδριο πήραν μέρος και σε ένα μαζικό συλλαλητήριο που έγινε στις 7 Αυγούστου τα ξημερώματα, όπου ο Φιντέλ Κάστρο διάβασε το ψήφισμα το οποίο είχε μόλις υιοθετήσει η επαναστατική κυβέρνηση, απαλλοτριώνοντας τα «περιουσιακά στοιχεία και τις επιχειρήσεις που βρίσκονται σε εθνικό έδαφος... και τα οποία ανήκουν σε κατοίκους και υπηκόους των ΗΠΑ». Οι μέρες και οι νύχτες που ακολούθησαν έμειναν γνωστές στην Κούβα ως Εβδομάδα Εθνικού Πανηγυρισμού. Δεκάδες χιλιάδες Κουβανοί, μαζί με πολλούς νέους και νέες που παρακολουθούσαν το Συνέδριο, γιόρτασαν διαδηλώνοντας στους δρόμους της Αβάνας, κουβαλώντας φέρετρα που συμβόλιζαν τις επιχειρήσεις των ΗΠΑ, όπως η Γιουνάιτεντ Φρουτ Κόμπανι, η Ιντερνάσιοναλ Τέλεφον εντ Τέλεγκραφ και η Στάνταρντ Όιλ, τα οποία και έριξαν στη θάλασσα. Τους επόμενους τρεις μήνες, εκατομμύρια Κουβανοί εργάτες και αγρότες κινητοποιήθηκαν για να υπερασπίσουν την επανάστασή τους, με τη νέα τους κυβέρνηση να τους στηρίζει και να τους οργανώνει. Κατέλαβαν εργοστάσια και γαιοκτησίες και ενίσχυσαν τις εθελοντικές πολιτοφυλακές τους. Μέχρι τα τέλη του Οκτώβρη, κυριολεκτικά όλες οι τράπεζες και οι βιομηχανίες που βρίσκονταν στην κατοχή των ιμπεριαλιστών, καθώς και οι μεγαλύτερες γαιοκτησίες και εταιρείες της καπιταλιστικής τάξης της Κούβας, είχαν απαλλοτριωθεί από την εργατοαγροτική κυβέρνηση. Είχαν γίνει ιδιοκτησία της Κούβας. Αυτός ο μετασχηματισμός των ιδιοκτησιακών σχέσεων στην πόλη και στην ύπαιθρο σήμανε την έναρξη της πρώτης σοσιαλιστικής επανάστασης στην αμερικανική ήπειρο.

Οι αντιπρόσωποι στο Συνέδριο Λατινοαμερικανικής Νεολαίας εργάστηκαν σε τρεις επιτροπές μέχρι τις 8 Αυγούστου. Συζήτησαν και αποφάσισαν, μεταξύ άλλων, να διευρύνουν την υποστήριξή τους στην επαναστατική Κούβα, να καλέσουν σε διεθνή αλληλεγγύη ενάντια στον ιμπεριαλισμό των γιάνκηδων, να στηρίξουν την ένταξη της Λαϊκής Δημοκρατίας της Κίνας στα Ηνωμένα Έθνη, να απαιτήσουν να δοθεί τέλος στις φυλετικές διακρίσεις και να δημιουργηθούν θέσεις εργασίας και οικονομικές ευκαιρίες για τους νέους και τις νέες σε όλη την αμερικανική ήπειρο.

❖

Συναγωνιστές της αμερικανικής ηπείρου και ολόκληρου του κόσμου, Θα χρειαζόταν πολύς χρόνος ώστε να απευθύνω χαιρετισμό, εκ μέρους της χώρας μου, χωριστά στον καθέναν από σας και σε κάθε χώρα που εκπροσωπείται εδώ. Παρ' όλα αυτά, θέλουμε να δώσουμε ιδιαίτερη προσοχή σε όσους εκπροσωπούν χώρες που έχουν υποφέρει από φυσικές καταστροφές ή καταστροφές που έχει προκαλέσει ο ιμπεριαλισμός.

Θα θέλαμε να απευθύνουμε ιδιαίτερο χαιρετισμό απόψε στον αντιπρόσωπο του λαού της Χιλής, Κλοτάριο Μπλεστ, [*χειροκρότημα*] του οποίου τη νεανική φωνή ακούσατε λίγο πριν.[1] Η ωριμότητά του μπορεί να αποτελέσει παράδειγμα και οδηγό για τους συντρόφους μας εργαζόμενους από αυτή την άτυχη γη, η οποία ερημώθηκε εξαιτίας ενός από τους πιο φοβερούς σεισμούς στην ιστορία.[2]

Θα θέλαμε επίσης να απευθύνουμε ιδιαίτερο χαιρετισμό στον Χακόμπο Άρμπενζ, [*χειροκροτήματα*] πρόεδρο του πρώτου λατινο-αμερικανικού έθνους [Γουατεμάλα], το οποίο άφοβα ύψωσε τη φωνή του ενάντια στην αποικιοκρατία και εξέφρασε τις ενδόμυχες επιθυμίες του αγροτικού πληθυσμού μέσα από μια βαθιά και τολμηρή αγροτική μεταρρύθμιση. Θα θέλαμε να εκφράσουμε την ευγνωμοσύνη μας σε εκείνον και στο παράδειγμα που μας έδωσε η δημοκρατία που κατέρρευσε στη χώρα του, επειδή μας έδωσε τα εφόδια να κάνουμε μια

1. Πολλά από τα πρόσωπα και τα γεγονότα που αναφέρονται σε αυτές τις ομιλίες υπάρχουν στο Γλωσσάριο, στο τέλος του βιβλίου.

2. Μια σειρά από σεισμούς και παλιρροιακά κύματα χτύπησε τη νότια Χιλή, από τις 21 ως τις 29 Μάη, σκοτώνοντας πάνω από 5.000 ανθρώπους.

σωστή αποτίμηση όλων των αδυναμιών, τις οποίες εκείνη η κυβέρνηση στάθηκε ανήμπορη να ξεπεράσει.[3] Με αυτόν τον τρόπο, μπορέσαμε να αντιληφθούμε την ουσία της υπόθεσης και να αποπέμψουμε μια και έξω όλους όσους ήταν στην εξουσία και όσους τους υπηρετούσαν πιστά.

Θα θέλαμε επίσης να χαιρετίσουμε δύο από τις αποστολές που εκπροσωπούν τις χώρες οι οποίες έχουν υποφέρει μάλλον πιο πολύ στην αμερικανική ήπειρο. Πρώτα απ' όλα, το Πουέρτο Ρίκο, [χειροκροτήματα] το οποίο ακόμα και σήμερα, 150 χρόνια από τότε που ανακηρύχτηκε για πρώτη φορά η ελευθερία στην αμερικανική ήπειρο, συνεχίζει να μάχεται για να κάνει το πρώτο –και ίσως το πιο δύσκολο– βήμα προς την εξασφάλιση, τουλάχιστον τυπικά, μιας ελεύθερης κυβέρνησης. Και θα ήθελα η αντιπροσωπεία του Πουέρτο Ρίκο να μεταφέρει τους δικούς μου χαιρετισμούς, καθώς και τους χαιρετισμούς ολόκληρης της Κούβας, στον Πέδρο Αλμπίσου Κάμπος. [Χειροκροτήματα] Θα θέλαμε να μεταφέρετε στον Πέδρο Αλμπίσου Κάμπος τον βαθύτατο σεβασμό μας, την ευγνωμοσύνη μας για το παράδειγμα που μας έχει προσφέρει με τη γενναιότητά του, και τα αδελφικά μας αισθήματα, ως ελεύθεροι άνθρωποι, απέναντι σε έναν άνθρωπο που είναι ελεύθερος, παρόλο που βρίσκεται σε ένα μπουντρούμι της λεγόμενης δημοκρατίας των ΗΠΑ. [Από το ακροατήριο ακούγεται το σύνθημα «Να φύγει!»]

Παρόλο που θα φανεί παράδοξο, θα ήθελα επίσης να απευθύνω χαιρετισμό στην αποστολή που εκπροσωπεί ό,τι πιο αγνό υπάρχει στον λαό της Βόρειας Αμερικής. [Επευφημίες] Θα ήθελα να τους απευθύνω χαιρετισμό όχι μόνο γιατί ο λαός της Βόρειας Αμερικής δεν ευθύνεται για τη βαρβαρότητα και την αδικία εκείνων που τον κυβερνούν, αλλά

---

3. Βλ. σχετικά στο Γλωσσάριο: Γουατεμάλα, πραξικόπημα (1954).

επίσης γιατί είναι τα αθώα θύματα της οργής όλων των λαών του κόσμου, οι οποίοι μερικές φορές συγχέουν ένα κοινωνικό σύστημα με έναν λαό.

Επομένως, θα ήθελα να απευθύνω τους προσωπικούς μου χαιρετισμούς στα διακεκριμένα άτομα και στις αντιπροσωπείες των αδελφών λαών που έχω αναφέρει. Όλοι στην Κούβα, μαζί με μένα, έχουν ανοίξει την αγκαλιά τους για να σας υποδεχτούν και να σας δείξουν τι είναι καλό εδώ και τι είναι κακό, τι έχει κατορθωθεί και τι μένει ακόμη να επιτευχθεί, τον δρόμο που έχουμε διανύσει και τον δρόμο που έχουμε ακόμη μπροστά μας. Επειδή, αν και όλοι σας ήρθατε σε αυτό το Συνέδριο Λατινοαμερικανικής Νεολαίας, εκπροσωπώντας τις χώρες, σας για να συζητήσετε, είμαι σίγουρος ότι ο καθένας σας είναι γεμάτος περιέργεια να μάθει τι ακριβώς είναι αυτό το φαινόμενο που γεννήθηκε σε ένα νησί της Καραϊβικής και ονομάζεται κουβανική επανάσταση.

Πολλοί από σας, από ποικίλες πολιτικές τάσεις, θα αναρωτηθούν, όπως κάνατε χθες και όπως, πιθανόν, να κάνετε και αύριο: Τι είναι η κουβανική επανάσταση; Ποια είναι η ιδεολογία της; Και την ίδια στιγμή, θα τεθεί το ερώτημα, όπως πάντα συμβαίνει σε αυτές τις περιπτώσεις, ανάμεσα σε υποστηρικτές και αντιπάλους: Είναι η κουβανική επανάσταση κομμουνιστική; Μερικοί λένε ναι, ελπίζοντας η απάντηση να είναι ναι ή ότι έχει πάρει αυτό τον δρόμο. Άλλοι, μάλλον απογοητευμένοι, επίσης θα νομίζουν ότι η απάντηση είναι ναι. Θα υπάρχουν και εκείνοι οι απογοητευμένοι άνθρωποι, οι οποίοι νομίζουν ότι η απάντηση είναι όχι, καθώς επίσης εκείνοι που ελπίζουν η απάντηση να είναι όχι.

Μπορεί να μου κάνετε την ερώτηση αν η επανάσταση που έχουμε μπροστά στα μάτια μας είναι μια κομμουνιστική επανάσταση. Μετά τις συνήθεις εξηγήσεις για το τι είναι ο κομμουνισμός (δεν θα αναφερθώ στις χιλιοειπωμένες κατηγορίες που μας απευθύνει ο ιμπεριαλισμός καθώς και οι αποικιακές δυνάμεις, κατηγορίες που μόνο σύγχυση προξενούν), θα απαντήσω ότι αν αυτή η επανάσταση είναι μαρξιστική –και ακούστε καλά που λέω 'μαρξιστική'– είναι γιατί ανακάλυψε, με τις δικές της μεθόδους, τον δρόμο που υπέδειξε ο Μαρξ. [*Χειροκροτήματα*]

Πρόσφατα, σε μια πρόποση που έκανε προς τιμήν της κουβανικής επανάστασης μία από τις ηγετικές φυσιογνωμίες της Σοβιετικής Ένωσης, ο αντιπρόεδρος Αναστάς Μικογιάν [*χειροκροτήματα*], ένας πιστός μαρξιστής, είπε ότι αυτό είναι ένα φαινόμενο το οποίο ο Μαρξ δεν είχε προβλέψει. [*Χειροκροτήματα*] Παρατήρησε, στη συνέχεια, ότι η ζωή διδάσκει περισσότερα απ' ό,τι τα πιο σοφά βιβλία και οι πιο εμβριθείς στοχαστές. [*Χειροκροτήματα*]

Η κουβανική επανάσταση προχώρησε μπροστά, χωρίς να νοιάζεται για ετικέτες, και χωρίς να κοιτά τι λένε οι άλλοι γι' αυτήν. Προχώρησε διερευνώντας συστηματικά τι θέλουν οι Κουβανοί από αυτήν. Και γρήγορα διαπίστωσε ότι όχι μόνο είχε πετύχει, ή ότι βρισκόταν στον σωστό δρόμο ώστε να πετύχει την ευτυχία του λαού της, αλλά και ότι είχαν στραφεί επάνω της τα διερευνητικά μάτια φίλων και εχθρών ταυτόχρονα –ελπιδοφόρα μάτια από μια ολόκληρη ήπειρο και λυσσασμένα μάτια από τον βασιλιά των μονοπωλίων.

Όλα αυτά, όμως, δεν συνέβησαν μέσα σε μία νύχτα. Επιτρέψτε μου να σας εξιστορήσω μερικά περιστατικά από την προσωπική μου εμπειρία –μια εμπειρία που μπορεί να βοηθήσει πολλούς ανθρώπους σε παρόμοιες περιστάσεις να καταλάβουν πώς διαμορφώθηκε η επαναστατική μας σκέψη. Γιατί αν και υπάρχει φυσικά συνέχεια, η κουβανική επανάσταση που βλέπετε σήμερα δεν είναι η κουβανική επανάσταση του χθες, ακόμα και μετά τη νίκη της· ακόμα λιγότερο η κουβανική εξέγερση πριν τη νίκη, τότε που ογδόντα δύο νέοι διέσχισαν με δυσκολία τον Κόλπο του Μεξικού μέσα σε μια τρύπια βάρκα για να φτάσουν στις ακτές της Σιέρα Μαέστρα.[4] Ανάμεσα σε εκείνους τους νέους και τους τωρινούς αντιπροσώπους της Κούβας, υπάρχει μια απόσταση που δεν μπορεί να μετρηθεί σε χρόνια –ή τουλάχιστον δεν μπορεί να μετρηθεί με ακρίβεια σε χρόνια με εικοσιτετράωρες μέρες και εξηντάλεπτες ώρες.

Όλα τα μέλη της κουβανικής κυβέρνησης –παρόλο που ήταν νέα στην ηλικία, νέα στον χαρακτήρα και νέα στις αυταπάτες που έτρεφαν– ωρίμασαν, σπουδάζοντας στο εξαίρετο σχολείο της εμπειρίας και της ζωντανής επαφής με τον λαό, με τις ανάγκες και τις προσδοκίες του. Η ελπίδα όλων μας ήταν να αποβιβαστούμε μια μέρα κάπου στην Κούβα, και ύστερα από μερικές κραυγές, μερικές ηρωικές πράξεις, μερικούς θανάτους, και μερικές ραδιοφωνικές εκπομπές, να πάρουμε την εξουσία και να διώξουμε τον δικτάτορα Μπατίστα. Η ιστορία μάς έδειξε ότι ήταν πολύ πιο δύσκολο να ανατρέψουμε μια ολόκληρη κυβέρνηση που είχε τη στήριξη ενός στρατού δολοφόνων –δολοφόνοι οι οποίοι συμμετείχαν στην κυβέρνηση και είχαν την υποστήριξη της ισχυρότερης αποικιακής δύναμης στη γη.

Με αυτό τον τρόπο, λίγο λίγο, όλες οι ιδέες μας άλλαξαν. Εμείς, τα παιδιά των πόλεων, μάθαμε να σεβόμαστε τον χωρικό. Μάθαμε να σεβόμαστε την αίσθηση της ανεξαρτησίας που έχει, την αφοσίωσή του· να αναγνωρίζουμε την προαιώνια λαχτάρα του για τη γη που του έχουν αρπάξει και να εκτιμούμε την πείρα που έχει αποκτήσει βαδίζοντας στα χιλιάδες μονοπάτια που διασχίζουν τα βουνά. Και από εμάς, οι χωρικοί έμαθαν πόσο πολύτιμος μπορεί να είναι ένας άνθρωπος όταν έχει ένα τουφέκι στο χέρι του, και όταν είναι διατεθειμένος να πυροβολήσει ενάντια σε κάποιον άλλον άνθρωπο, άσχετα από το πόσα όπλα διαθέτει

---

4. Βλ. σχετικά στο Γλωσσάριο: *Granma*.

αυτός ο άλλος. Οι χωρικοί μάς μετέδωσαν τις γνώσεις τους και εμείς τους μεταδώσαμε την αίσθηση της ανταρσίας. Και από κείνη τη στιγμή μέχρι σήμερα, και για πάντα, οι χωρικοί της Κούβας και οι αντάρτικες δυνάμεις της Κούβας –σήμερα η κουβανική επαναστατική κυβέρνηση– έχουν πορευτεί αδιάρρηκτα ενωμένοι.

Η επανάσταση συνέχισε να προοδεύει, και έτσι διώξαμε τα στρατεύματα του δικτατορικού καθεστώτος από τις απότομες πλαγιές της Σιέρα Μαέστρα. Έπειτα, ήρθαμε πρόσωπο με πρόσωπο με μια άλλη πραγματικότητα της Κούβας: τον εργαζόμενο –της υπαίθρου και των βιομηχανικών κέντρων. Μάθαμε επίσης και από αυτόν, ενώ του δείξαμε ότι την κατάλληλη στιγμή ένας εύστοχος πυροβολισμός στο σωστό πρόσωπο είναι πολύ πιο ισχυρός και αποτελεσματικός από την πιο δυναμική και αποτελεσματική ειρηνική διαδήλωση. [Χειροκροτήματα] Εμείς μάθαμε την αξία της οργάνωσης, ενώ δείξαμε και πάλι την αξία της ανταρσίας. Και από αυτό, προέκυψε μια οργανωμένη ανταρσία παντού, σε ολόκληρη την επικράτεια της Κούβας.

Από τότε είχε περάσει αρκετός καιρός. Πολλοί θάνατοι σημάδεψαν τον δρόμο προς τη νίκη μας –πολλοί έπεσαν στη μάχη και πολλοί ήταν αθώα θύματα. Οι ιμπεριαλιστικές δυνάμεις άρχισαν να βλέπουν ότι εδώ υπήρχε κάτι περισσότερο από μια ομάδα συμμοριτών στις βουνοκορφές της Σιέρα Μαέστρα, κάτι περισσότερο από μια ομάδα φιλόδοξων δολοφόνων που παρατάσσονταν κατά της κυρίαρχης εξουσίας. Οι ιμπεριαλιστές προσέφεραν γενναιόδωρα τις βόμβες, τις σφαίρες, τα αεροπλάνα και τα τανκς τους στη δικτατορία. Και με αυτά τα τανκς στην πρώτη γραμμή, οι δυνάμεις της κυβέρνησης προσπάθησαν και πάλι, για τελευταία φορά, να ανηφορίσουν τη Σιέρα Μαέστρα.

Ωστόσο, στο μεταξύ, φάλαγγες των δυνάμεών μας είχαν ήδη αφήσει τη Σιέρα για να εισβάλουν σε άλλες περιοχές της Κούβας και είχαν σχηματίσει το Δεύτερο Ανατολικό Μέτωπο «Φρανκ Παΐς», με επικεφαλής τον διοικητή Ραούλ Κάστρο.[5] *[Χειροκροτήματα]* Η απήχησή μας στην κοινή γνώμη είχε πλέον μεγαλώσει –είχαμε γίνει τώρα υλικό για τα πρωτοσέλιδα στις διεθνείς στήλες των εφημερίδων σε κάθε γωνιά του πλανήτη. Όμως, παρ' όλα αυτά, η κουβανική επανάσταση είχε στη διάθεσή της τότε μόνο 200 όπλα –όχι 200 άνδρες, αλλά 200 όπλα– για να αναχαιτίσει την τελευταία επίθεση, για την οποία το καθεστώς είχε συγκεντρώσει 10.000 στρατιώτες και κάθε είδους φονικά όπλα.[6] Η ιστορία που έχει το καθένα από αυτά τα 200 όπλα είναι μια ιστορία θυσίας και αίματος. Ήταν όπλα του ιμπεριαλισμού που οι μάρτυρές μας, με το αίμα και την αποφασιστικότητα τους, είχαν τιμήσει και μετατρέψει σε όπλα του λαού. Έτσι, ξεδιπλώθηκε το τελευταίο στάδιο της μεγαλύτερης επίθεσης του στρατού, που έφερε την ονομασία «περικύκλωση και εξόντωση».

Αυτό που έχω να πω σε σας τους νέους από όλη την αμερικανική ήπειρο που είσαστε φιλότιμοι και έχετε ζήλο για μάθηση, είναι ότι, αν σήμερα εμείς βάλαμε σε εφαρμογή αυτό που αποκαλείται μαρξισμός, είναι γιατί εμείς τον ανακαλύψαμε εδώ. Εκείνο τον καιρό, μετά την ήττα των δικτατορικών στρατευμάτων και έχοντας προκαλέσει 1.000

---

5. Το Δεύτερο Ανατολικό Μέτωπο του Αντάρτικου Στρατού σχηματίστηκε τον Μάρτη του 1958, και έλαβε το όνομα του Φρανκ Παΐς (βλ. Γλωσσάριο).

6. Τον Μάη του 1958, το καθεστώς Μπατίστα εξαπέλυσε μια επίθεση «για να περικυκλώσει και να εξοντώσει» τον Αντάρτικο Στρατό στη Σιέρα Μαέστρα. Παρόλη την τεράστια διαφορά στον αριθμό στρατευμάτων και στον εξοπλισμό, ο στρατός του Μπατίστα ηττήθηκε σε πάρα πολλές συμπλοκές. Μετά την αποφασιστική μάχη στο Ελ Χίγκε στα μέσα Ιούλη, τα στρατεύματα του τυραννικού καθεστώτος αποσύρθηκαν, δίνοντας τη δυνατότητα στον Αντάρτικο Στρατό να περάσει στην επίθεση σε όλη την επικράτεια του νησιού.

απώλειες στις γραμμές τους –αυτό σημαίνει πέντε φορές όσο το σύνολο των δικών μας δυνάμεων– και έχοντας κατασχέσει περισσότερα από 600 όπλα, ένα μικρό φυλλάδιο, γραμμένο από τον Μάο Τσε-Τουνγκ έπεσε στα χέρια μας.

[*Χειροκροτήματα*] Εκείνο το φυλλάδιο, το οποίο πραγματευόταν τα στρατηγικά προβλήματα του επαναστατικού πολέμου στην Κίνα, περιέγραφε τις εκστρατείες που ο Τσανγκ Κάι-σεκ διεξήγαγε ενάντια στις λαϊκές δυνάμεις, τις οποίες ο δικτάτορας αυτός, όπως ακριβώς εδώ, είχε ονομάσει «επιχειρήσεις περικύκλωσης και εξόντωσης».

Όχι μόνο χρησιμοποίησαν στις δύο άκρες του πλανήτη τις ίδιες λέξεις για να περιγράψουν τις εκστρατείες τους, αλλά και οι δύο δικτάτορες κατέφυγαν στον ίδιο τύπο εκστρατείας στην προσπάθειά τους να συντρίψουν τις λαϊκές δυνάμεις. Και οι λαϊκές δυνάμεις εδώ, χωρίς να γνωρίζουν τα εγχειρίδια που είχαν ήδη γραφτεί γύρω από τη στρατηγική και τις τακτικές του ανταρτοπόλεμου, χρησιμοποίησαν τις ίδιες μεθόδους με αυτές που χρησιμοποιήθηκαν στην άλλη άκρη του κόσμου για να αντιμετωπίσουν τις δυνάμεις του δικτατορικού καθεστώτος. Επειδή φυσικά, όταν κανείς αποκτά μια εμπειρία, αυτή η εμπειρία μπορεί να φανεί χρήσιμη και σε κάποιον άλλον. Αλλά επίσης είναι δυνατόν να ζει κανείς μια εμπειρία χωρίς να γνωρίζει ότι κάποιος άλλος έχει ζήσει παρόμοιες καταστάσεις στο παρελθόν.

Εμείς δεν γνωρίζαμε τις εμπειρίες που είχαν συσσωρεύσει τα κινεζικά στρατεύματα στη διάρκεια του εικοσαετούς αγώνα που διεξήγαγαν στην περιοχή τους. Εμείς γνωρίζαμε την περιοχή μας. Γνωρίζαμε τον εχθρό μας και χρησιμοποιήσαμε κάτι που κάθε άνθρωπος έχει στους ώμους του, το οποίο αξίζει πολλά, αν ξέρει πώς να το χρησιμοποιήσει: χρησιμοποιήσαμε το μυαλό μας για να κατευθύνουμε τον αγώνα μας ενάντια στον εχθρό. Ως αποτέλεσμα, τον νικήσαμε.

Αργότερα προελάσαμε προς τα δυτικά,[7] σπάσαμε τις γραμμές επικοινωνίας του Μπατίστα και ολοκληρώθηκε η συντριπτική ήττα της δικτατορίας, όταν κανείς δεν το περίμενε. Τότε ήρθε η 1η Γενάρη, και η επανάσταση –πάλι χωρίς να σκεφτεί τα όσα είχε διαβάσει στα βιβλία, αλλά ακούγοντας ό,τι της χρειαζόταν από τα χείλη του λαού– αποφάσισε πρώτα απ' όλα να τιμωρήσει τους ενόχους, και το έπραξε.[8] Οι αποικιακές δυνάμεις αμέσως παρουσίασαν την όλη ιστορία στα πρωτοσέλιδά τους σε όλο τον κόσμο ως δολοφονία, και αμέσως προσπάθησαν να κάνουν αυτό που προσπαθούν πάντα να κάνουν οι ιμπεριαλιστές: να ενσπείρουν διχόνοια. «Υπάρχουν εδώ κομμουνιστές δολοφόνοι που σκοτώνουν ανθρώπους», έλεγαν, «αλλά υπάρχει και ένας αφελής πατριώτης με το όνομα Φιντέλ Κάστρο, ο οποίος δεν έχει καμία σχέση με αυτό και μπορεί να σωθεί». [*Χειροκροτήματα*] Με προφάσεις και τετριμμένα επιχειρήματα, προσπάθησαν να ενσπείρουν διχόνοια ανάμεσα σε ανθρώπους που είχαν πολεμήσει για τον ίδιο σκοπό. Συνέχισαν, με αυτή την ελπίδα, για κάμποσο καιρό.

Μια μέρα ανακάλυψαν το γεγονός ότι ο νόμος για την αγροτική μεταρρύθμιση που εγκρίθηκε εδώ ήταν πολύ πιο βίαιος και βαθύτερος

---

7. Κατά το τέλος του 1958, ο Γκεβάρα και ο Καμίλο Σιενφουέγος οδήγησαν τις φάλαγγες του Αντάρτικου Στρατού προς τα δυτικά από τη Σιέρα Μαέστρα ως την επαρχία Λας Βίγιας στην κεντρική Κούβα. Οι δυνάμεις του Μπατίστα εκδιώχθηκαν από τις βασικές πόλεις της επαρχίας, ύστερα από σειρά μαχών, με αποκορύφωμα την κατάληψη της Σάντα Κλάρα από τη φάλαγγα του Τσε Γκεβάρα την 1η Γενάρη του 1959, καθώς ο Μπατίστα εγκατέλειπε τη χώρα.

8. Τις πρώτες μέρες μετά τη νίκη της επανάστασης, εκτελέστηκαν μερικές εκατοντάδες από τους πιο διαβόητους βασανιστές και δολοφόνους του καθεστώτος Μπατίστα. Αυτό το μέτρο είχε τη συντριπτική υποστήριξη του κουβανικού λαού.

απ' ό,τι είχαν συμβουλέψει οι δικοί τους, οι πολύ έξυπνοι, αυτόκλητοι σύμβουλοι.[9] Παρεμπιπτόντως, όλοι αυτοί είναι σήμερα στο Μαϊάμι ή σε κάποια άλλη πόλη των ΗΠΑ· ο Πεπίν Ριβέρο της εφημερίδας *Diario de la Marina* ή ο Μεντράνο της *Prensa Libre*. [*Φωνές και αποδοκιμασίες*] Και υπήρχαν και άλλοι, συμπεριλαμβανομένου και του πρωθυπουργού στην κυβέρνησή μας, ο οποίος συνιστούσε περισσότερη μετριοπάθεια, επειδή «τέτοια πράγματα πρέπει να τα χειρίζεται κανείς με μετριοπάθεια.»[10] «Μετριοπάθεια» είναι άλλη μία λέξη που οι αποικιακές δυνάμεις συνηθίζουν να χρησιμοποιούν. Όλοι εκείνοι που φοβούνται ή που σκέπτονται να προδώσουν με τον έναν ή τον άλλον τρόπο είναι μετριοπαθείς. [*Χειροκροτήματα*] Όσο για τον λαό, με κανέναν τρόπο δεν είναι μετριοπαθής.

Η συμβουλή τους ήταν να μοιραστεί η γη των *μαραμπού* – μαραμπού είναι ένας άγριος θάμνος που τόσο ταλανίζει τα χωράφια μας– και να κόψουν οι χωρικοί τα μαραμπού με *ματσέτες* [Σ.τ.Μ. αγροτικό εργαλείο που χρησιμοποιείται σαν το δρεπάνι] ή αλλιώς να εγκατασταθούν σε κάποιους βάλτους ή να αρπάξουν κάποιο κομμάτι δημόσιας γης, το οποίο με κάποιον τρόπο είχε ξεφύγει από την αδηφαγία

_____

9. Βλ. σχετικά στο Γλωσσάριο: Αγροτική Μεταρρύθμιση, νόμος.

10. Χοσέ Μιρό Καρντόνα. Η πρώτη κυβέρνηση που ήρθε στην εξουσία τον Γενάρη του 1959 συμπεριλάμβανε επαναστατικές δυνάμεις του Κινήματος της 26ης του Ιούλη καθώς και προσωπικότητες της αστικής αντιπολίτευσης. Ανάμεσα στους τελευταίους, ήταν ο νέος πρωθυπουργός Χοσέ Μιρό Καρντόνα, ο οποίος αντικαταστάθηκε από τον Φιντέλ Κάστρο τον Φλεβάρη του 1959, και ο Μανουέλ Ουρούτια, ο οποίος ήταν πρόεδρος από τον Γενάρη του 1959 μέχρι τον Ιούλη του ίδιου χρόνου, οπότε παραιτήθηκε εξαιτίας της αυξανόμενης λαϊκής πίεσης και αντικαταστάθηκε από τον Οσβάλντο Ντορτικός του Κινήματος της 26ης Ιούλη. Από την 1η Γενάρη και μετά, ο Αντάρτικος Στρατός, με επικεφαλής τον Φιντέλ Κάστρο, ήταν η μοναδική και αδιαμφισβήτητη ένοπλη δύναμη μέσα στην Κούβα της οποίας η δημοτικότητα συνεχώς αυξάνοταν.

των μεγαλογαιοκτημόνων. Αλλά το να αγγίξει κανείς την περιουσία των μεγαλογαιοκτημόνων ήταν μια αμαρτία μεγαλύτερη από οτιδήποτε μπορούσαν να φανταστούν ότι είναι δυνατόν να γίνει. Αλλά *ήταν δυνατόν να γίνει.*

Θυμάμαι μια συζήτηση που είχα εκείνες τις μέρες με έναν κύριο ο οποίος μου είπε ότι δεν είχε κανένα πρόβλημα με την επαναστατική κυβέρνηση, επειδή ο ίδιος δεν είχε στην ιδιοκτησία του περισσότερες από εννιακόσιες *caballerias.* Εννιακόσιες *caballerias* μας κάνουν πάνω από δέκα χιλιάδες εκτάρια [Σ.τ.Μ. 900 caballerias = 120.870 στρέμματα].[11]

Αυτός ο κύριος φυσικά και είχε προβλήματα με την επαναστατική κυβέρνηση· η γη του κατασχέθηκε, διαιρέθηκε και παραδόθηκε για καλλιέργεια σε μεμονωμένους χωρικούς. Επιπλέον, δημιουργήθηκαν συνεταιρισμοί σε χωράφια όπου οι εργάτες γης ήταν ήδη συνηθισμένοι να δουλεύουν από κοινού για έναν μισθό.

Εδώ βρίσκεται ένα από τα ιδιαίτερα χαρακτηριστικά της κουβανικής επανάστασης που πρέπει να μελετηθεί. Η επανάσταση αυτή πραγματοποίησε, για πρώτη φορά στη Λατινική Αμερική, μια αγροτική μεταρρύθμιση που δεν έπληξε μόνο τις φεουδαρχικές σχέσεις ιδιοκτησίας, αλλά προχώρησε πιο πέρα. Υπήρχαν ακόμα φεουδαρχικά υπολείμματα στον καπνό και στον καφέ, και σε εκείνες τις περιοχές η γη παραδόθηκε στα άτομα που δούλευαν σε μικρά αγροτεμάχια και ήθελαν τη γη τους. Με δεδομένο, όμως, τον τρόπο που δουλεύονται στην Κούβα το σακχαροκάλαμο, το ρύζι και τα βοοειδή, η εν λόγω γη κατασχέθηκε ως μονάδα και δουλεύτηκε από τους εργάτες –στους οποίους δόθηκε ως κοινή ιδιοκτησία– ως μονάδα. Δεν κατέχουν κάποιο

---

11. Ένα εκτάριο ισούται με 10 περίπου στρέμματα· στην Κούβα μία caballeria ισούται με 134.3 στρέμματα.

μεμονωμένο κομμάτι γης, αλλά μια ολόκληρη και μεγάλη κοινή επιχείρηση που ονομάζεται συνεταιρισμός. Αυτό βοήθησε τη βαθιά αγροτική μας μεταρρύθμιση να εφαρμοστεί ταχύτατα. Ο καθένας από σας θα πρέπει να αφομοιώσει καλά αυτή την αδιαμφισβήτητη αλήθεια, ότι δηλαδή καμία κυβέρνηση, εδώ στη Λατινική Αμερική, δεν μπορεί να αυτοαποκαλείται επαναστατική, αν το πρώτο της μέτρο δεν είναι μια αγροτική μεταρρύθμιση. [Χειροκροτήματα] Επιπλέον, μια κυβέρνηση που λέει ότι πρόκειται να πραγματοποιήσει μια άτολμη αγροτική μεταρρύθμιση δεν μπορεί να αυτοαποκαλείται επαναστατική. Επαναστατική κυβέρνηση είναι αυτή που πραγματοποιεί μια αγροτική μεταρρύθμιση η οποία μετασχηματίζει το σύστημα των σχέσεων ιδιοκτησίας στη γη –όχι μόνο δίνοντας στους αγρότες χέρσα γη, αλλά κυρίως δίνοντας στους αγρότες γη που καλλιεργείται, γη που ανήκε στους μεγαλογαιοκτήμονες, την καλύτερη γη, με τη μεγαλύτερη απόδοση, γη που, εξάλλου, είχε κλαπεί από τους αγρότες σε παλαιότερες εποχές. [Χειροκροτήματα]

Αυτή είναι αγροτική μεταρρύθμιση, και έτσι πρέπει να ξεκινήσει κάθε επαναστατική κυβέρνηση. Με βάση μια αγροτική μεταρρύθμιση, μπορεί να διεξαχθεί η μεγάλη μάχη για την εκβιομηχάνιση μιας χώρας, μια μάχη που δεν είναι τόσο απλή, αλλά αντίθετα πολύ περίπλοκη, και όπου πρέπει κανείς να παλέψει ενάντια σε πολύ σημαντικούς παράγοντες. Θα μπορούσαμε εύκολα να αποτύχουμε, όπως στο παρελθόν, αν δεν υπήρχαν σήμερα πολύ μεγάλες δυνάμεις στον κόσμο, οι οποίες είναι φίλοι των μικρών κρατών όπως το δικό μας. [Χειροκροτήματα]

Θα έπρεπε να σημειώσει κανείς στο σημείο αυτό, για το καλό όλων –και αυτών που τους αρέσει και αυτών που το απεχθάνονται– ότι στην παρούσα χρονική στιγμή χώρες όπως η Κούβα, επαναστατικές χώρες, χώρες που δεν είναι μετριοπαθείς, δεν μπορούν να δώσουν μια χλιαρή απάντηση στο ερώτημα εάν η Σοβιετική Ένωση ή η Λαϊκή Δημοκρατία της Κίνας είναι φίλες μας. Με όλη τους τη δύναμη, πρέπει να απαντήσουν ότι η Σοβιετική Ένωση, η Κίνα και όλες οι σοσιαλιστικές χώρες και πολλές αποικιακές ή ημι-αποικιακές χώρες που κέρδισαν τον αγώνα για την ανεξαρτησία τους, είναι φίλες μας. [*Χειροκροτήματα*] Αυτή η φιλία, η φιλία με αυτές τις κυβερνήσεις σε όλον τον κόσμο, είναι που καθιστά την επανάσταση στη Λατινική Αμερική εφικτή. Γιατί όταν εκείνοι μάς πολεμούσαν χρησιμοποιώντας τη ζάχαρη και το πετρέλαιο, η Σοβιετική Ένωση ήταν παρούσα για να μας δώσει πετρέλαιο και να αγοράσει τη ζάχαρή μας. Αν δεν μας είχε βοηθήσει, θα χρειαζόμασταν όλη μας τη δύναμη, όλη μας την πίστη και όλη την αφοσίωση αυτού του λαού –που είναι τεράστια– για να αντιμετωπίσουμε τις συνέπειες ενός τέτοιου χτυπήματος.[12] Οι διασπαστικές δυνάμεις θα έκαναν τότε τη δουλειά τους, εκμεταλλευόμενες τις επιπτώσεις στο βιοτικό επίπεδο του κουβανικού λαού που θα είχαν τα μέτρα αυτά, εκ μέρους της «δημοκρατίας των ΗΠΑ» ενάντια σε τούτη την «απειλή για τον ελεύθερο κόσμο». [*Χειροκροτήματα*] Μας κυνήγησαν με λύσσα.

Υπάρχουν εδώ στη Λατινική Αμερική κυβερνήσεις που ακόμη μας συμβουλεύουν να γλείψουμε το χέρι που θέλει να μας χτυπήσει και να φτύσουμε το χέρι που θέλει να μας βοηθήσει. [*Χειροκροτήματα*] Εμείς απαντάμε σε αυτές τις κυβερνήσεις οι οποίες, στα μέσα του 20ού αιώνα, μας προτείνουν να σκύψουμε το κεφάλι. Εμείς λέμε, πρώτα απ' όλα, ότι η Κούβα δεν υποκλίνεται σε κανέναν. Και δεύτερον, ότι η Κούβα, από την εμπειρία της, γνωρίζει τις αδυναμίες και τα ελαττώματα των

---

12. Μετά την απόφαση της κυβέρνησης των ΗΠΑ, στις 3 Ιούλη, να σταματήσει ουσιαστικά την εισαγωγή ζάχαρης από την Κούβα, η Σοβιετική Ένωση ανακοίνωσε ότι θα αγόραζε όλη τη ζάχαρη που η Ουάσιγκτον αρνούνταν να αγοράσει από την Κούβα.

κυβερνήσεων που μας προτρέπουν να ακολουθήσουμε μια τέτοια κατεύθυνση –και οι κυβερνήτες αυτών των χωρών το ξέρουν επίσης· το ξέρουν πάρα πολύ καλά. Παρ' όλα αυτά, η Κούβα μέχρι σήμερα δεν καταδέχτηκε ή δεν επέτρεψε στον εαυτό της –ούτε το διανοήθηκε καν– να συμβουλέψει τους κυβερνήτες αυτών των χωρών να στείλουν στο εκτελεστικό απόσπασμα κάθε αξιωματούχο που έχει προδώσει και να εθνικοποιήσουν όλα τα μονοπώλια στις χώρες τους. [*Χειροκροτήματα*] Ο λαός της Κούβας εκτέλεσε τους δολοφόνους του και διέλυσε τον στρατό του δικτατορικού καθεστώτος. Δεν είπε, όμως, σε οποιαδήποτε άλλη κυβέρνηση στη Λατινική Αμερική να στήσει τους δολοφόνους του λαού της μπροστά στο εκτελεστικό απόσπασμα ή να σταματήσει να υποστηρίζει δικτατορίες. Η Κούβα, όμως, γνωρίζει καλά ότι υπάρχουν δολοφόνοι σε καθεμία από αυτές τις χώρες. Μπορούμε να αποδείξουμε το γεγονός αυτό παίρνοντας για παράδειγμα έναν Κουβανό που ανήκει στο δικό μας κίνημα, ο οποίος δολοφονήθηκε σε φιλική χώρα από έναν· μπράβο, κατάλοιπο του προηγούμενου δικτατορικού καθεστώτος.[13] [*Χειροκροτήματα και κραυγές με το σύνθημα «Στον τοίχο!»*] Δεν τους ζητάμε να στήσουν το άτομο που δολοφόνησε ένα από τα μέλη μας μπροστά στο εκτελεστικό απόσπασμα, παρόλο που εμείς θα το κάναμε σε τούτη τη χώρα. [*Χειροκροτήματα*] Αυτό που απλά ζητάμε είναι ότι, αν τους είναι αδύνατο να συμπεριφέρονται με αλληλεγγύη στην αμερικανική ήπειρο, τουλάχιστον να μην γίνονται προδότες της

---

13. Ο Αντρές Κόμπα, συντονιστής του Κινήματος της 26ης Ιούλη στη Βενεζουέλα –ο οποίος οργάνωνε το κίνημα αλληλεγγύης με την κουβανική επανάσταση– πυροβολήθηκε στις 27 Ιούλη του 1960, στο Καράκας. Οι εκτελεστές πιστεύεται ότι ήταν πράκτορες της πολιτικής αστυνομίας της Βενεζουέλας. Ο Κόμπα πέθανε το πρωινό της ίδιας μέρας που ο Γκεβάρα εκφωνούσε την ομιλία αυτή.

αμερικανικής ηπείρου. Ας μην αφήσουμε κανέναν στην αμερικανική ήπειρο να παπαγαλίζει την άποψη ότι δεσμευόμαστε από μια ηπειρωτική συμμαχία στην οποία συμμετέχει ο μεγάλος μας κατακτητής, γιατί αυτό είναι το πιο δειλό και ταπεινωτικό ψέμα που θα μπορούσε ποτέ να ξεστομίσει ένας κυβερνήτης στη Λατινική Αμερική. [*Χειροκροτήματα και κραυγές με το σύνθημα «Κούβα ναι, γιάνκηδες όχι!»*] Εμείς, που ανήκουμε στην κουβανική επανάσταση –σύσσωμος, δηλαδή, ο λαός της Κούβας– λέμε τους φίλους μας φίλους και τους εχθρούς μας εχθρούς. Λέμε τα πράγματα με το όνομά τους: κάποιος είναι είτε φίλος είτε εχθρός. [*Χειροκροτήματα*] Εμείς, ο λαός της Κούβας δεν λέμε, για παράδειγμα, σε κανένα έθνος στη γη τι θα έπρεπε να κάνει με το Διεθνές Νομισματικό Ταμείο. Αλλά δεν θα ανεχτούμε να έρθουν εκείνοι να μας πουν τι να κάνουμε. Εμείς ξέρουμε τι πρέπει να γίνει. Αν θέλουν να κάνουν ό,τι κάνουμε εμείς, καλώς· αν όχι, αυτό είναι δική τους υπόθεση. Γιατί ήμασταν εδώ μονάχοι μας μέχρι την τελευταία στιγμή, αναμένοντας την ολομέτωπη επίθεση της πιο ισχυρής δύναμης στον καπιταλιστικό κόσμο, και δεν ζητήσαμε βοήθεια από κανέναν. Ήμασταν προετοιμασμένοι, μαζί με τον λαό μας, να αντισταθούμε μέχρι τέλους, ακολουθώντας με συνέπεια τη λογική του αντάρτικου πνεύματός μας.

Γι' αυτό μπορούμε να μιλάμε με το κεφάλι μας ψηλά και με πολύ καθαρή φωνή, σε όλα τα συνέδρια και συμβούλια στα οποία παρευρίσκονται τα αδέλφια μας από όλο τον κόσμο. Όταν η κουβανική επανάσταση μιλάει, μπορεί να κάνει κάποιο λάθος, αλλά ποτέ δεν θα πει ψέματα. Σε κάθε βήμα από το οποίο μιλάει, η κουβανική επανάσταση εκφράζει την αλήθεια που έχουν μάθει οι γιοι και οι κόρες της, και αυτό πάντα το κάνει εξίσου ανοικτά στους φίλους της όπως και στους εχθρούς της. Δεν πετάει πέτρες από τη γωνία, ούτε δίνει συμβουλές που είναι σαν ένα στιλέτο τυλιγμένο στο μετάξι.

Είμαστε στόχος επιθέσεων. Μας επιτίθενται σε μεγάλο βαθμό γι' αυτό που είμαστε. Πολύ, πολύ περισσότερο, όμως, μας επιτίθενται γιατί δείχνουμε σε κάθε έθνος της αμερικανικής ηπείρου τι είναι δυνατόν να γίνει. Αυτό που είναι σημαντικό για τον ιμπεριαλισμό –πολύ περισσότερο από τα ορυχεία νικελίου και τους ζαχαρόμυλους της Κούβας ή το πετρέλαιο της Βενεζουέλας ή το βαμβάκι του Μεξικού ή τον χαλκό της Χιλής ή τα βοοειδή της Αργεντινής ή τα βοσκοτόπια της Παραγουάης ή τον καφέ της Βραζιλίας– είναι το άθροισμα όλων αυτών των ακατέργαστων υλικών τα οποία τροφοδοτούν τα μονοπώλια.

Αυτός είναι ο λόγος για τον οποίο βάζουν εμπόδια στον δρόμο μας με κάθε ευκαιρία. Και όταν οι ίδιοι είναι ανίκανοι να υψώσουν εμπόδια, υπάρχουν άλλοι στη Λατινική Αμερική που, δυστυχώς, είναι πρόθυμοι να το κάνουν. [Αποδοκιμασίες] Τα ονόματα δεν είναι σημαντικά, επειδή κανένα μεμονωμένο άτομο δεν μπορούμε να πούμε ότι φταίει. Δεν μπορούμε να πούμε ότι ο πρόεδρος Μπετανκούρ της Βενεζουέλας πρέπει να κατηγορηθεί για τον θάνατο του συμπατριώτη μας και ομοϊδεάτη. Ο πρόεδρος Μπετανκούρ δεν πρέπει να κατηγορηθεί· ο πρόεδρος Μπετανκούρ είναι απλά δέσμιος σε ένα καθεστώς το οποίο αυτοαποκαλείται δημοκρατικό. [Αποδοκιμασίες και χειροκροτήματα] Αυτό το δημοκρατικό καθεστώς, ένα καθεστώς που θα μπορούσε να αποτελέσει ένα ακόμα υπόδειγμα στη Λατινική Αμερική, διέπραξε, παρ' όλα αυτά, ένα σοβαρό σφάλμα επειδή δεν χρησιμοποίησε το εκτελεστικό απόσπασμα τη στιγμή που έπρεπε. Έτσι σήμερα η δημοκρατική κυβέρνηση της Βενεζουέλας είναι δέσμια των μπράβων, τους οποίους η Βενεζουέλα γνώριζε τόσο καλά μέχρι πριν από λίγο, των μπράβων που και η Κούβα γνώριζε καλά, όπως και η πλειονότητα των κρατών της Λατινικής Αμερικής.

Δεν μπορούμε να κατηγορήσουμε γι' αυτόν τον θάνατο τον

πρόεδρο Μπετανκούρ. Μπορούμε μόνο να πούμε τα ακόλουθα, στηριζόμενοι στο ιστορικό που έχουμε ως επαναστάτες και στις πεποιθήσεις που έχουμε ως επαναστάτες: την ημέρα που ο πρόεδρος Μπετανκούρ, ο οποίος εκλέχθηκε από τον λαό του, αισθανθεί τον εαυτό του τόσο πολύ δέσμιο, ώστε να μην μπορεί να κάνει ούτε ένα βήμα μπροστά, και αποφασίσει να ζητήσει τη βοήθεια ενός αδελφικού λαού, η Κούβα θα είναι παρούσα για να δείξει στη Βενεζουέλα μερικές από τις εμπειρίες μας στον χώρο της επανάστασης. [*Χειροκρότημα*]

Ο πρόεδρος Μπετανκούρ θα έπρεπε να γνωρίζει ότι δεν ήταν – και δεν θα μπορούσε να είναι– ο δικός μας διπλωματικός αντιπρόσωπος ο οποίος ξεκίνησε αυτή την υπόθεση που κατέληξε σε έναν θάνατο. Ήταν εκείνοι –οι Βορειοαμερικανοί ή η βορειοαμερικανική κυβέρνηση, σε τελική ανάλυση. Άμα το εξετάσουμε λίγο πιο προσεκτικά, ήταν οι άνθρωποι του Μπατίστα. Άμα το εξετάσουμε ακόμα πιο προσεκτικά, ήταν όλοι αυτοί που είχαν περιβληθεί με έναν αντί-Μπατίστα μανδύα και οι οποίοι αποτελούσαν τις εφεδρικές δυνάμεις της κυβέρνησης των ΗΠΑ στη χώρα μας –όλοι αυτοί που ήθελαν να ανατρέψουν τον Μπατίστα αλλά να διατηρήσουν το σύστημα: άνθρωποι όπως ο Χοσέ Μιρό Καρντόνα, ο Μιγκέλ Άνχελ Κεβέδο, ο Πέδρο Λουίς Ντίαζ Λανζ και ο Ούμπερ Μάτος. [*Αποδοκιμασίες*] Και στην πρώτη γραμμή, ήταν οι δυνάμεις της αντίδρασης που δρούσαν στη Βενεζουέλα. Λυπούμαστε πολύ να το πούμε, αλλά ο ηγέτης της Βενεζουέλας βρίσκεται στο έλεος των ίδιων του των στρατευμάτων, που μπορεί να προσπαθήσουν να τον δολοφονήσουν, όπως συνέβη πριν από λίγο καιρό με ένα αυτοκίνητο γεμάτο δυναμίτη.[14] Ο πρόεδρος της Βενεζουέλας, αυτή

---

14. Στις 14 Ιούνη 1960, έγινε μια απόπειρα δολοφονίας κατά της ζωής του προέδρου

τη στιγμή, είναι δέσμιος των κατασταλτικών του δυνάμεων. Και αυτό πονάει. Πονάει, γιατί ο κουβανικός λαός έλαβε από τη Βενεζουέλα τη μεγαλύτερη αλληλεγγύη και υποστήριξη, όταν ήμασταν στη Σιέρα Μαέστρα. Πονάει, επειδή πολύ νωρίτερα από εμάς, η Βενεζουέλα ήταν τουλάχιστον ικανή να απαλλαγεί από το μισητό σύστημα της τυραννίας του Μάρκος Πέρεζ Χιμένεζ.

Και πονάει επειδή, όταν η αποστολή μας ήταν στη Βενεζουέλα –πρώτα ο Φιντέλ Κάστρο, και αργότερα ο πρόεδρός μας Ντορτικός [χειροκροτήματα]– έγινε δεκτή με πολύ μεγάλες εκδηλώσεις υποστήριξης και αγάπης.

Ένας λαός που έχει αποκτήσει υψηλό βαθμό πολιτικής συνείδησης, με το υψηλό αγωνιστικό φρόνημα που διαθέτει ο λαός της Βενεζουέλας, δεν μπορεί να μένει φυλακισμένος για πολύ καιρό με· μερικές ξιφολόγχες και μερικές σφαίρες. Γιατί οι σφαίρες και οι ξιφολόγχες αλλάζουν χέρια, και οι ίδιοι οι δολοφόνοι μπορούν να καταλήξουν νεκροί.

Αλλά η αποστολή μου εδώ δεν είναι να απαριθμήσω όλα τα χτυπήματα που έχουμε δεχθεί πισώπλατα από λατινοαμερικανικές κυβερνήσεις τον τελευταίο καιρό, και να ρίξω λάδι στη φωτιά της εξέγερσης. Αυτό δεν είναι το καθήκον μου, γιατί πρώτα απ' όλα, η Κούβα κινδυνεύει ακόμη, και σήμερα εξακολουθεί να βρίσκεται στο επίκεντρο των επιθέσεων των ιμπεριαλιστών σε αυτό το μέρος του κόσμου. Η Κούβα χρειάζεται την αλληλεγγύη όλων σας, την αλληλεγγύη όλων όσων βρίσκονται εδώ από το Κόμμα Δημοκρατικής Δράσης στη Βενεζουέλα, τη Δημοκρατική Ρεπουμπλικανική Ένωση [Unión

---

της Βενεζουέλας Ρόμουλο Μπετανκούρ, όταν ένα αυτοκίνητο γεμάτο δυναμίτη εξερράγη δίπλα από το διερχόμενο όχημά του· δεν τραυματίστηκε.

Republicana Democrática] ή τους Κομμουνιστές ή την Ανεξάρτητη Πολιτική Εκλογική Επιτροπή [Commité de Organización Política Electoral] ή οποιοδήποτε άλλο κόμμα. Χρειάζεται την αλληλεγγύη του λαού του Μεξικού, όλου του κόσμου στην Κολομβία, στη Βραζιλία και σε κάθε άλλη χώρα της Λατινικής Αμερικής. Είναι αλήθεια ότι οι αποικιοκράτες φοβούνται. Και αυτοί, όπως ο καθένας, φοβούνται τους πυραύλους, φοβούνται επίσης τις βόμβες.

[*Χειροκροτήματα*] Και σήμερα βλέπουν, για πρώτη φορά στην ιστορία τους, ότι αυτές οι βόμβες καταστροφής μπορούν να πέσουν πάνω στις γυναίκες τους και τα παιδιά τους, πάνω σε καθετί που έχουν κτίσει με τόση αγάπη –στον βαθμό που μπορεί κανείς να αγαπήσει τα πλούτη και τις περιουσίες του. Άρχισαν να κάνουν εκτιμήσεις· έβαλαν τους ηλεκτρονικούς τους υπολογιστές να δουλέψουν και είδαν ότι αυτή η κατάσταση μπορεί να είναι αυτοκαταστροφική.

Αλλά αυτό δεν σημαίνει με κανέναν τρόπο ότι έχουν παραιτηθεί από την ιδέα της καταστολής της κουβανικής δημοκρατίας. Κάνουν ξανά περίπλοκες εκτιμήσεις στις υπολογιστικές τους μηχανές για να βρουν ποια από τις εναλλακτικές μεθόδους τους είναι η καλύτερη για να επιτεθούν κατά της κουβανικής επανάστασης. Έχουν τη μέθοδο του Ιντιγόρας, τη νικαραγουανή μέθοδο, την αϊτιανή μέθοδο. Αυτή τη στιγμή, δεν έχουν πια τη δομινικανή μέθοδο.[15]

---

15. Ο στρατηγός Μιγκέλ Ιδίγορας ήταν ένας ισχυρός στρατιωτικός στη Γουατεμάλα από το 1958 έως το 1963. Η δικτατορία της οικογένειας του Σομόζα στη Νικαράγουα κράτησε από το 1933 έως το 1979. Ο Φρανσουά (Πάπα Ντοκ) Ντουβαλιέ κυβέρνησε την Αϊτή από το 1957 έως το 1971· τον διαδέχτηκε ο γιος του Ζαν-Κλοντ (Μπέιμπι Ντοκ) Ντουβαλιέ, ο οποίος κυβέρνησε μέχρι την ανατροπή του το 1986. Ο Ραφαέλ Λεόνιδας Τρουχίγιο έγινε δικτάτορας της Δομινικανής Δημοκρατίας το 1930. Την εποχή που ο Γκεβάρα έκανε αυτή την ομιλία, ο Τρουχίγιο είχε χάσει την εύνοια της Ουάσιγκτον· δολοφονήθηκε το 1961.

Έχουν επίσης τη μέθοδο των μισθοφόρων στη Φλώριδα, τη μέθοδο του Οργανισμού Αμερικανικών Κρατών· έχουν πολλές μεθόδους. Έχουν και δύναμη· έχουν τη δύναμη να συνεχίζουν να τελειοποιούν αυτές τις μεθόδους.

Ο πρόεδρος Άρμπενζ και ο λαός του ξέρουν ότι αυτοί έχουν πολλές μεθόδους και πολύ μεγάλη δύναμη επίσης. Δυστυχώς για τη Γουατεμάλα, ο πρόεδρος Άρμπενζ είχε έναν στρατό παλαιού τύπου, και δεν είχε εκτιμήσει επαρκώς την αλληλεγγύη των λαών και την ικανότητά τους να αποκρούουν κάθε είδους επιδρομές.

Αυτή είναι μία από τις μεγαλύτερες πηγές της δύναμής μας: η προσπάθεια που έχει καταβληθεί σε όλον τον κόσμο –ανεξάρτητα από τις κομματικές διαφορές που υπάρχουν σε κάθε χώρα– για την υπεράσπιση της κουβανικής επανάστασης κάθε στιγμή που χρειάστηκε.

Και επιτρέψτε μου να πω ότι αυτό είναι το καθήκον της νεολαίας της Λατινικής Αμερικής. Γιατί ό,τι έχουμε σήμερα στην Κούβα είναι κάτι καινούριο, και κάτι που αξίζει τον κόπο να μελετηθεί. Δεν θέλω να σας πω τι καλό υπάρχει εδώ· θα πρέπει να το αξιολογήσετε μόνοι σας.

Υπάρχουν πολλά άσχημα πράγματα, το ξέρω. Υπάρχει μεγάλη αποδιοργάνωση, το ξέρω. Αν έχετε βρεθεί στη Σιέρα Μαέστρα, τότε εσείς ήδη το ξέρετε. Ακόμη χρησιμοποιούμε μεθόδους ανταρτοπόλεμου, το ξέρω. Έχουμε απίστευτες ελλείψεις σε τεχνικούς, σε σχέση με τις ανάγκες μας, το ξέρω. Ο στρατός μας δεν έχει φθάσει ακόμη στον αναγκαίο βαθμό ωριμότητας ούτε τα μέλη των πολιτοφυλακών έχουν συντονιστεί επαρκώς για να συγκροτήσουν έναν στρατό, το ξέρω.

Αλλά αυτό που επίσης ξέρω –και αυτό που θέλω να ξέρετε και εσείς– είναι ότι αυτή η επανάσταση ενεργούσε πάντα σύμφωνα με τη θέληση ολόκληρου του λαού της Κούβας. Κάθε αγρότης και κάθε εργαζόμενος, αν δεν χειρίζεται καλά το τουφέκι, προσπαθεί καθημερινά να το μάθει καλύτερα και να υπερασπίζεται τη *δική* του επανάσταση.

Και αν σε αυτή η χρονική στιγμή δεν καταλαβαίνει τις σύνθετες λειτουργίες μιας μηχανής της οποίας ο τεχνικός έφυγε προς τις ΗΠΑ, τότε μελετά καθημερινά για να τις μάθει, έτσι ώστε το *δικό* του εργοστάσιο να λειτουργήσει καλύτερα. Και ο αγρότης θα μελετήσει το *δικό* του τρακτέρ για να μπορεί να επιδιορθώνει τυχόν μηχανικά προβλήματα, έτσι ώστε τα χωράφια του *δικού* του συνεταιρισμού να αποδίδουν περισσότερο.

Όλοι οι Κουβανοί, από την πόλη και από την ύπαιθρο, που μοιράζονται τα ίδια αισθήματα, προχωρούν προς το μέλλον, με έναν κοινό τρόπο σκέψης, υπό την ηγεσία ενός ηγέτη στον οποίο έχουν απόλυτη εμπιστοσύνη, επειδή αυτός έχει δείξει σε χιλιάδες μάχες [*χειροκροτήματα*] και σε χιλιάδες διαφορετικές περιστάσεις την αποφασιστικότητά του να θυσιαστεί, τη δύναμη και την προνοητικότητα της σκέψης του.

Το έθνος που βλέπετε σήμερα θα μπορούσε να εξαφανιστεί από το πρόσωπο της γης, γιατί μια πυρηνική διένεξη μπορεί να εξαπολυθεί για λογαριασμό του, και θα μπορούσαμε να είμαστε ο πρώτος στόχος. Ακόμα και αν ολόκληρο το νησί μαζί με τους κατοίκους του πρόκειται να χαθεί, ο λαός του θα ήταν απόλυτα ευχαριστημένος και ικανοποιημένος αν ο καθένας από σας, γυρίζοντας στις πατρίδες σας, πει: «Να 'μαστε, λοιπόν. Τα λόγια μας έρχονται από τον υγρό αέρα των δασών της Κούβας. Ανεβήκαμε τα βουνά της Σιέρα Μαέστρα και είδαμε το χάραμα, και τα μυαλά μας και τα χέρια μας είναι γεμάτα με τους σπόρους αυτής της χαραυγής. Είμαστε έτοιμοι να φυτέψουμε αυτούς τους σπόρους στη γη ετούτη και να τους φυλάμε μέχρι να μεγαλώσουν».

Απ' όλες τις αδελφές χώρες της αμερικανικής ηπείρου, και από

τη δική μας γη –αν αυτή θα συνεχίσει να υπάρχει ως παράδειγμα–
από αυτή τη στιγμή και για πάντα, η φωνή των λαών θα λέει: «Έτσι
πρέπει να γίνει: Ας θριαμβεύσει η ελευθερία σε κάθε γωνιά της
αμερικανικής ηπείρου!». [*Επευφημίες*]

Για να γίνεις επαναστάτης γιατρός, πρέπει πρώτα να κάνεις μια επανάσταση

Προς φοιτητές ιατρικής και εργαζόμενους στον τομέα της υγείας

19 Αυγούστου 1960

Η ομιλία του Τσε Γκεβάρα που ακολουθεί εγκαινίασε μια σειρά πολιτικών διαλέξεων και συζητήσεων που είχε διοργανώσει το Υπουργείο Δημόσιας Υγείας της Κούβας.

Τη συγκέντρωση άνοιξε ο Χοσέ Ραμόν Ματσάδο, επικεφαλής του Υπουργείου, ο οποίος, όπως και ο Τσε, υπήρξε γιατρός και μαχητής του Αντάρτικου Στρατού, όπου απέκτησε τον βαθμό του *comandante* (διοικητή), εξαιτίας του θάρρους που επέδειξε και των ηγετικών του ικανοτήτων. Η συγκέντρωση στην οποία συμμετείχαν αρκετές εκατοντάδες φοιτητές ιατρικής και εργαζόμενοι στον τομέα της υγείας, καθώς και μέλη της πολιτοφυλακής του Υπουργείου, έλαβε χώρα στην αίθουσα συνεδρίων της Συνομοσπονδίας Εργαζομένων της Κούβας [Confederación de Trabajadores de Cuba]. Παρόντες ήταν επίσης αντιπρόσωποι από ολόκληρη την αμερικανική ήπειρο, οι οποίοι συμμετείχαν στη δωδέκατη συνάντηση του Παναμερικανικού Οργανισμού Υγείας, που πραγματοποιήθηκε στην Αβάνα 14-26 Αυγούστου.

Ύστερα από το διάταγμα της 6ης Αυγούστου, με βάση το οποίο απαλλοτριωνόταν η ιδιοκτησία των μεγάλων εταιρειών των ΗΠΑ στην Κούβα, η Ουάσιγκτον και τα λατινοαμερικανικά καθεστώτα με τα οποία διατηρούσε πελατειακές σχέσεις αύξησαν την πολιτική και τη διπλωματική τους πίεση και επιτάχυναν τις στρατιωτικές προετοιμασίες, ελπίζοντας να αναχαιτίσουν την επαναστατική διαδικασία και να καταπνίξουν το παράδειγμα που αποτελούσε η Κούβα. Οι υπουργοί Εξωτερικών του Οργανισμού Αμερικανικών Κρατών συνήλθαν στην Κόστα Ρίκα στις 16-

Το προεδρείο της συνάντησης των φοιτητών ιατρικής στην Αβάνα. Στις 19 Αυγούστου του 1960 ήταν (από δεξιά προς αριστερά) οι γιατροί και ταυτόχρονα διοικητές του Αντάρτικου Στρατού Όσκαρ Φερνάντεζ Μελ, Τσε Γκεβάρα και ο υπουργός Υγείας Χοσέ Ραμόν Ματσάδο Βεντούρα. Αριστερά στέκεται ο Κουβανός ποιητής Νικολάς Γκιγιέν.

«Γιατί τα καθήκοντα της επανάστασης –η διαπαιδαγώγηση και η ανατροφή των παιδιών, η εκπαίδευση του στρατού, η διανομή της γης των απόντων ιδιοκτητών σε όσους μοχθούσαν καθημερινά στη γη αυτή χωρίς να απολαμβάνουν τους καρπούς της– είναι τα σπουδαιότερα έργα κοινωνικής ιατρικής που έχει φέρει σε πέρας η Κούβα.»

28 Αυγούστου. Την ίδια στιγμή που εργαζόμενοι και νεολαία διαδήλωναν στους δρόμους της πρωτεύουσας σε ένδειξη αλληλεγγύης με την κουβανική επανάσταση, η συνάθροιση των υπουργών εξέδιδε τη Διακήρυξη του Σαν Χοσέ, που στηλίτευε την Κούβα επειδή δέχτηκε βοήθεια από τη Σοβιετική Ένωση και την Κίνα.

Οι άνθρωποι του μόχθου της Κούβας και η επαναστατική τους κυβέρνηση απάντησαν στην επίθεση αυτή ενάντια στην εθνική τους κυριαρχία με ένα συλλαλητήριο στο οποίο συμμετείχαν πάνω από ένα εκατομμύριο άνθρωποι, στις 2 Σεπτέμβρη, στην Πλατεία της Επανάστασης [Plaza de la Revolución], όπου εγκρίθηκε διά βοής η Πρώτη Διακήρυξη της Αβάνας.

Η διακήρυξη καταδίκαζε «την εκμετάλλευση ανθρώπου από άνθρωπο, την εκμετάλλευση των υπανάπτυκτων χωρών από το ιμπεριαλιστικό χρηματιστικό κεφάλαιο» και διατράνωνε «το δικαίωμα των χωρικών στη γη· το δικαίωμα των εργαζομένων στο προϊόν της εργασίας τους· το δικαίωμα των παιδιών στην εκπαίδευση. [...] Το δικαίωμα των κρατών στην εθνικοποίηση των ιμπεριαλιστικών μονοπωλίων, ανακτώντας έτσι τον εθνικό τους πλούτο και τις πλουτοπαραγωγικές τους πηγές· το δικαίωμα κάθε χώρας να έχει εμπορικές συναλλαγές ελεύθερα με όλους τους λαούς του κόσμου· το δικαίωμα των εθνών στην πλήρη εθνική κυριαρχία· το δικαίωμα των λαών να μετατρέπουν τους στρατώνες σε σχολεία και να οπλίζουν τους εργαζόμενους, τους αγρότες, τους φοιτητές, τους διανοούμενους, τους μαύρους, τους ινδιάνους, τις γυναίκες, τους νέους, τους ηλικιωμένους, και όλους τους καταπιεζόμενους και εκμεταλλευόμενους ανθρώπους, έτσι ώστε να μπορούν οι ίδιοι να υπερασπίζονται τα δικαιώματα και το πεπρωμένο τους».

Το διάστημα που γινόταν η συνάθροιση αυτή, η προτεραιότητα του Υπουργείου Δημόσιας Υγείας ήταν η δημιουργία ενός δικτύου νοσοκομείων και κλινικών στην ύπαιθρο, η επέκταση της υγειονομικής περίθαλψης ώστε να συμπεριλάβει την πλειονότητα των χωρικών που στερούνταν πρόσβαση σε τακτικές ιατρικές υπηρεσίες, καθώς πριν από την επανάσταση υπήρχε μόνο ένα νοσοκομείο στην ύπαιθρο, στην επαρχία Οριέντε. Άλλα μέτρα που ακολούθησαν ήταν η εθνικοποίηση των εταιρειών φαρμάκων και η ραγδαία αύξηση του αριθμού των φοιτητών σε ιατρικές και νοσηλευτικές σχολές και σε σχολές τεχνικών ιατρικής. Εφαρμόστηκε προοδευτικά ένα σύστημα δωρεάν ιατρικής περίθαλψης το οποίο ως το 1963 έφτασε να καλύπτει ολόκληρη τη χώρα.

❖

Συναγωνιστές,

Αυτή η σεμνή τελετή δεν είναι παρά μία ανάμεσα σε τόσες άλλες που λαμβάνουν χώρα καθώς ο κουβανικός λαός γιορτάζει μέρα με την ημέρα την ελευθερία του και τη θετική πορεία ολόκληρης της επαναστατικής του νομοθεσίας, την πρόοδο που σημειώνει στον δρόμο προς την ολοκληρωτική ανεξαρτησία. Και όμως, τη βρίσκω ενδιαφέρουσα.

Όλοι σχεδόν γνωρίζουν ότι εδώ και αρκετά χρόνια ξεκίνησα να κάνω καριέρα ως γιατρός. Και όταν ξεκινούσα, όταν άρχισα να σπουδάζω ιατρική, οι περισσότερες αντιλήψεις που ενστερνίζομαι σήμερα ως επαναστατικές απουσίαζαν από το οπλοστάσιο των ιδεών μου.

Ήθελα να πετύχω, όπως όλοι θέλουν να πετύχουν. Ονειρευόμουν ότι μια μέρα θα γινόμουν ένας διάσημος ερευνητής. Ονειρευόμουν ότι θα δούλευα ακούραστα για να κατορθώσω κάτι που θα ήταν πραγματικά χρήσιμο για την ανθρωπότητα, αλλά που ταυτόχρονα θα συνιστούσε και έναν προσωπικό θρίαμβο για μένα. Ήμουν, όπως όλοι μας, προϊόν του περιβάλλοντός μου.

Μέσα από ειδικές περιστάσεις, και ίσως εξαιτίας της ιδιοσυγκρασίας μου, αφού αποφοίτησα, άρχισα να ταξιδεύω στη Λατινική Αμερική για να τη γνωρίσω από κοντά. Εκτός από την Αϊτή και τη

Δομινικανή Δημοκρατία, επισκέφθηκα –στον έναν ή τον άλλο βαθμό– όλες τις χώρες της Λατινικής Αμερικής. Με δεδομένο τον τρόπο που έκανα το ταξίδι αυτό, αρχικά ως σπουδαστής και στη συνέχεια ως γιατρός, ήρθα σε στενή επαφή με την πείνα, την αρρώστια, με την αδυναμία να θεραπεύσεις ένα παιδί επειδή δεν υπάρχουν τα μέσα, με το μούδιασμα που φέρνει η πείνα και τα ανελέητα χτυπήματα της ζωής, σε σημείο να θεωρείται δυστύχημα χωρίς σημασία να χάνει ένας γονιός το παιδί του, όπως συμβαίνει συχνά ανάμεσα στις τάξεις εκείνες της λατινοαμερικανικής μας πατρίδας που έχουν δεχθεί τα βαρύτερα χτυπήματα. Και άρχισα να βλέπω ότι υπήρχε κάτι που μου φαινόταν σχεδόν εξίσου σημαντικό όσο να γίνω διάσημος ερευνητής ή να προσφέρω ουσιαστικά στην ιατρική επιστήμη: να προσφέρω βοήθεια στους ανθρώπους αυτούς.

Παρέμενα, όμως, όπως είμαστε πάντα όλοι μας, παιδί του περιβάλλοντός μου, και ήθελα να βοηθήσω τους ανθρώπους μέσα από τις προσωπικές μου προσπάθειες. Είχα ήδη ταξιδέψει πολύ –βρισκόμουν τότε στη Γουατεμάλα, τη Γουατεμάλα του Άρμπενζ– και είχα αρχίσει να κρατώ κάποιες σημειώσεις που καθορίζουν τη συμπεριφορά ενός επαναστάτη γιατρού. Άρχισα να εξετάζω τι χρειάζεται για να γίνω ένας επαναστάτης γιατρός.

Ωστόσο, ήρθε η επίθεση, η επίθεση που εξαπέλυσε η Γιουνάιτεντ Φρουτ Κόμπανι, το Στέιτ Ντιπάρτμεντ, ο [Τζον] Φόστερ Ντάλλες –ένα πράγμα είναι όλοι στην πραγματικότητα– και το ανδρείκελο που ανέβασαν στην κυβέρνηση, ο οποίος ονομαζόταν Καστίγιο Άρμας – *ονομαζόταν!*[1] Η επίθεση στέφθηκε με επιτυχία, μια που ο λαός δεν είχε

---

1. Δύο εβδομάδες νωρίτερα, σε μαζικό συλλαλητήριο, ο Κουβανός πρωθυπουργός Φιντέλ Κάστρο διάβασε το διάταγμα βάσει του οποίου εθνικοποιούνταν οι ιδιοκτησίες των

αποκτήσει την ωριμότητα που έχει σήμερα ο κουβανικός λαός. Και έτσι, μία ωραία πρωία, εγώ, όπως τόσοι και τόσοι άλλοι, πήρα τον δρόμο της εξορίας, ή τουλάχιστον τον δρόμο της φυγής από τη Γουατεμάλα, μια που δεν ήταν εκεί η πατρίδα μου.

Τότε συνειδητοποίησα κάτι θεμελιακό: ότι για να είσαι επαναστάτης γιατρός ή για να είσαι επαναστάτης πρέπει πρώτα να γίνει μια επανάσταση. Η απομονωμένη προσπάθεια, η ατομική προσπάθεια, η αγνότητα των οραμάτων, η προθυμία να θυσιάσει κανείς όλη του τη ζωή για τα πιο υψηλά ιδανικά –όλα αυτά πάνε χαμένα εάν η προσπάθεια γίνεται μεμονωμένα, μοναχικά, σε κάποια γωνιά της Λατινικής Αμερικής, σε έναν αγώνα απέναντι σε εχθρικές κυβερνήσεις και κοινωνικές συνθήκες που δεν επιτρέπουν την πρόοδο. Μια επανάσταση απαιτεί αυτό που έχουμε εδώ στην Κούβα: την κινητοποίηση ενός ολόκληρου λαού που είναι εκπαιδευμένος στη χρήση των όπλων και στην πρακτική της ενότητας στη μάχη, που γνωρίζει πόσο αξίζει ένα όπλο και πόσο αξίζει η ενότητα του λαού.

Έτσι φτάνουμε στην καρδιά του προβλήματος που έχουμε μπροστά μας. Ο καθένας έχει το δικαίωμα, αλλά και την υποχρέωση, να είναι πάνω από όλα ένας επαναστάτης γιατρός. Ένας άνθρωπος, δηλαδή, που θέτει τις τεχνικές γνώσεις της ειδικότητάς του στην υπηρεσία της επανάστασης και του λαού. Έτσι επιστρέφουμε στα ζητήματα που τέθηκαν νωρίτερα: πώς μπορεί να γίνει αποτελεσματική δουλειά στην κοινωνική πρόνοια; Πώς συμβιβάζει κανείς την ατομική προσπάθεια με τις ανάγκες της κοινωνίας;

εταιρειών των ΗΠΑ στην Κούβα. Κάθε φορά που αναφερόταν ένα όνομα εταιρείας, ο κόσμος φώναζε «¡se llamaba!» (ονομαζόταν!). Η φράση αυτή έγινε ένα από τα δημοφιλή συνθήματα της επανάστασης. Ο Καστίγιο Άρμας δολοφονήθηκε το 1957.

Πρέπει να θυμηθούμε για άλλη μια φορά πώς ήταν η ζωή του καθενός μας πριν την επανάσταση, τι έκανε και τι σκεπτόταν ο καθένας μας, ως γιατρός ή από οποιαδήποτε άλλη σκοπιά στον τομέα της δημόσιας υγείας. Και πρέπει να το σκεφτούμε με την πιο βαθιά κριτική διάθεση αλλά και ενθουσιασμό. Θα καταλήξουμε στο συμπέρασμα ότι όλα σχεδόν όσα σκεπτόμασταν και αισθανόμασταν εκείνη την εποχή πρέπει να τα βάλουμε στην άκρη, να τα καταχωρήσουμε κάπου, και να δημιουργήσουμε ένα νέο είδος ανθρώπου. Εάν ο καθένας μας γίνει αρχιτέκτονας τού εαυτού του στην πορεία, τότε η δημιουργία αυτού του νέου ανθρώπου –που θα είναι ο αντιπρόσωπος της νέας Κούβας– πράγματι θα είναι πολύ πιο εύκολη.

Θα ήταν καλό για σας –για όσους από τους παρόντες είστε κάτοικοι της Αβάνας– να αφομοιώσετε την ιδέα αυτή: στην Κούβα γεννιέται ένας άνθρωπος νέου τύπου, κάτι που δεν μπορεί να εκτιμηθεί επαρκώς στην πρωτεύουσα, αλλά φαίνεται σε κάθε γωνιά της χώρας. Όσοι από σας πήγαν στη Σιέρα Μαέστρα στις 26 Ιούλη, πρέπει να είδατε δύο απολύτως ανήκουστα πράγματα: έναν στρατό με αξίνες και φτυάρια, που να είναι τόσο περήφανος, να παρελαύνει στους πατριωτικούς εορτασμούς της επαρχίας Οριέντε με τις αξίνες και τα φτυάρια σε ετοιμότητα, δίπλα στους συναγωνιστές της πολιτοφυλακής με τα τουφέκια τους. [*Χειροκροτήματα*] Θα πρέπει επίσης να είδατε κάτι πολύ πιο σημαντικό: θα πρέπει να είδατε κάποια παιδιά που δείχνουν από το φυσικό τους παρουσιαστικό να είναι 8 ή 9 χρονών, αλλά είναι σχεδόν όλα 13 ή 14. Είναι τα πιο γνήσια παιδιά της Σιέρα Μαέστρα, τα πιο γνήσια παιδιά της πείνας και της ανέχειας, σε όλες της τις μορφές. Είναι γέννημα-θρέμμα του υποσιτισμού.

Στη μικρή αυτή Κούβα, με τα τέσσερα ή πέντε τηλεοπτικά κανάλια, με εκατοντάδες ραδιοφωνικούς σταθμούς, παρόλη την πρόοδο της σύγχρονης επιστήμης, όταν τα παιδιά πήγαν για πρώτη φορά στο σχολείο τη νύχτα και είδαν ηλεκτρικά φώτα, φώναζαν ότι τα αστέρια είχαν κατεβεί πολύ χαμηλά εκείνη τη νύχτα! Τα παιδιά αυτά, που θα έχετε δει ορισμένοι από εσάς, έχουν συγκεντρωθεί τώρα σε σχολεία όπου μαθαίνουν τα πάντα, από την αλφάβητο μέχρι μία τέχνη, φτάνοντας ως την πιο δύσκολη επιστήμη, αυτή του επαναστάτη. Αυτοί είναι οι νέου τύπου άνθρωποι που αναδύονται στην Κούβα.

Γεννιούνται σε απομονωμένα μέρη, σε απομακρυσμένες περιοχές της Σιέρα Μαέστρα καθώς και στα συνεταιριστικά αγροκτήματα και τους χώρους δουλειάς.

Όλα αυτά είναι πολύ σχετικά με τη σημερινή μας ομιλία: την ένταξη στο επαναστατικό κίνημα των γιατρών και κάθε άλλου εργαζόμενου στον χώρο της υγείας. Γιατί τα καθήκοντα της επανάστασης –η διαπαιδαγώγηση και η ανατροφή των παιδιών, η εκπαίδευση του στρατού, η διανομή της γης των απόντων ιδιοκτητών σε όσους μοχθούσαν καθημερινά στη γη αυτή χωρίς να απολαμβάνουν τους καρπούς της– είναι τα σπουδαιότερα έργα κοινωνικής ιατρικής που έχει φέρει σε πέρας η Κούβα.

Η αρχή της δημιουργίας ενός εύρωστου σώματος πρέπει να αποτελεί τη βάση του αγώνα κατά της ασθένειας –όχι η δημιουργία ενός εύρωστου σώματος μέσα από την καλλιτεχνική δουλειά ενός γιατρού πάνω σε έναν ασθενικό οργανισμό, αλλά η δημιουργία ενός εύρωστου σώματος μέσα από τη δουλειά της συλλογικότητας, ιδιαίτερα της κοινωνικής συλλογικότητας.

Μια μέρα, η ιατρική θα γίνει τελικά μια επιστήμη που θα ασχολείται με την πρόληψη της ασθένειας και με τον προσανατολισμό του κοινού, στο σύνολό του, ως προς τις υποχρεώσεις που έχει σε σχέση με την υγεία· μια επιστήμη που παρεμβαίνει μόνο σε περιπτώσεις έκτακτης ανάγκης για να κάνει κάποια χειρουργική επέμβαση ή για να χειριστεί κάτι που είναι ξένο προς τα χαρακτηριστικά της νέας κοινωνίας που δημιουργούμε.

Τα έργο που έχει ανατεθεί στο Υπουργείο Υγείας, και σε κάθε θεσμό τέτοιου τύπου, είναι η οργάνωση της δημόσιας υγείας κατά τέτοιον τρόπο ώστε να βοηθάει τον μεγαλύτερο δυνατό αριθμό ανθρώπων, να προλαμβάνει οτιδήποτε είναι δυνατόν να προληφθεί από πλευράς ασθένειας και να προσανατολίζει τον λαό. Για τη διεκπεραίωση, όμως, αυτού του οργανωτικού καθήκοντος, όπως για κάθε επαναστατικό καθήκον, αυτό που απαιτείται κατά βάση είναι το άτομο. Η επανάσταση δεν είναι, όπως ισχυρίζονται ορισμένοι, κάτι που παγιώνει τη συλλογική θέληση, τη συλλογική πρωτοβουλία. Αντίθετα, η επανάσταση απελευθερώνει την ατομική ικανότητα του κάθε ανθρώπου.

Αυτό που κάνει η επανάσταση, ωστόσο, είναι να προσανατολίζει την ικανότητα αυτή. Και το καθήκον μας σήμερα είναι να προσανατολίσουμε το δημιουργικό ταλέντο κάθε επαγγελματία στον χώρο της υγείας προς τα καθήκοντα της κοινωνικής ιατρικής.

Βρισκόμαστε στο τέλος μιας εποχής, και όχι μόνο εδώ στην Κούβα. Παρ' όλα όσα λέγονται περί του αντιθέτου, και παρά τις ελπίδες που τρέφουν ορισμένοι, οι μορφές του καπιταλισμού που έχουμε γνωρίσει, μέσα στις οποίες έχουμε ανατραφεί και υποφέρει, δέχονται ήττες σήμερα ανά τον κόσμο. [*Χειροκροτήματα*]

Τα μονοπώλια δέχονται ήττες. Καθημερινά η επιστήμη, η συλλογική δουλειά πολλών ανθρώπων καταγράφει νέους και σημαντικούς θριάμβους. Με περηφάνια και αυτοθυσία, αναλαμβάνουμε το καθήκον να είμαστε η πρωτοπορία στη Λατινική Αμερική ενός απελευθερωτικού κινήματος που ξεκίνησε εδώ και αρκετό καιρό στις υπόδουλες ηπείρους της Αφρικής και της Ασίας. Η βαθύτατη αυτή κοινωνική αλλαγή απαιτεί επίσης βαθιές αλλαγές στη νοοτροπία του λαού.

Ο ατομικισμός ως τέτοιος, ως απομονωμένη δράση ενός και μόνου ατόμου σε ένα κοινωνικό περιβάλλον, πρέπει να εκλείψει στην Κούβα. Ο ατομικισμός στο μέλλον πρέπει να είναι η σωστή χρήση ολόκληρου του ατόμου με στόχο το απόλυτο όφελος της κοινότητας. Ακόμα, όμως, και όταν όλα αυτά γίνονται κατανοητά σήμερα, ακόμα και όταν γίνονται κατανοητά αυτά που λέω –και όταν όλοι είναι διατεθειμένοι να αναλογιστούν λίγο το παρόν, το παρελθόν και το πώς θα έπρεπε να διαμορφωθεί το μέλλον– η αλλαγή του τρόπου σκέψης μας απαιτεί βαθιές εσωτερικές αλλαγές και συμβάλλει στην πραγματοποίηση βαθιών εξωτερικών αλλαγών, κυρίως κοινωνικών.

Οι εξωτερικές αυτές αλλαγές λαμβάνουν χώρα στην Κούβα σήμερα καθημερινά. Ένας τρόπος να γνωρίσει κανείς την επανάσταση αυτή –να γνωρίσει τις δυνάμεις που οι άνθρωποι έχουν συσσωρεύσει μέσα τους, δυνάμεις που τόσον καιρό βρίσκονταν σε αδράνεια– είναι να επισκεφτεί την Κούβα από άκρη σε άκρη, να επισκεφτεί τους συνεταιρισμούς και όλους τους χώρους δουλειάς που δημιουργούνται. Και ένας τρόπος να φτάσει κανείς στην καρδιά του ιατρικού ζητήματος είναι όχι μόνο να γνωρίσει τα μέρη αυτά, αλλά και να γνωρίσει τους ανθρώπους που συμμετέχουν στους συνεταιρισμούς αυτούς και δουλεύουν στους συγκεκριμένους χώρους εργασίας. Πηγαίνετε να μάθετε τι αρρώστιες έχουν, από τι πάσχουν, τι είδους ακραία φτώχεια έχουν ζήσει όλα αυτά τα χρόνια, την οποία έχουν κληρονομήσει μέσα από αιώνες καταστολής και απόλυτης υποταγής.

Ο γιατρός, ο εργαζόμενος στον ιατρικό τομέα, θα φτάσει τότε στην καρδιά της νέας του εργασίας, θα δουλεύει ως ένας άνθρωπος ενταγμένος στις μάζες, ένα άτομο ενταγμένο στην κοινότητα.

Ό,τι και να συμβαίνει στον κόσμο, ο γιατρός –όσο είναι κοντά στον ασθενή, όσο γνωρίζει βαθιά την ψυχή του, όσο εκπροσωπεί αυτούς που βρίσκονται κοντά στον πόνο και τον ανακουφίζουν– επιτελεί ένα πολύ σημαντικό έργο, ένα έργο με μεγάλη ευθύνη στο κοινωνικό πεδίο.

Δεν πάει πολύς καιρός, εδώ και μερικούς μήνες, μια ομάδα φοιτητών εδώ στην Αβάνα, έχοντας πρόσφατα πάρει τα πτυχία τους, δεν ήθελαν να πάνε να εργαστούν στην ύπαιθρο και ζητούσαν ορισμένες επιπλέον παροχές για να πάνε. Από τη σκοπιά της νοοτροπίας του παρελθόντος, δεν συνέβαινε κάτι το ιδιαίτερο, ή τουλάχιστον έτσι μου φάνηκε εμένα, και το καταλαβαίνω απόλυτα. Έτσι ήταν, έτσι θυμάμαι ότι ήταν τα πράγματα πριν από μερικά χρόνια. Πρόκειται για τον εξεγερμένο μονομάχο πάλι, τον μοναχικό αγωνιστή που θέλει να εξασφαλίσει ένα καλύτερο μέλλον, καλύτερες συνθήκες και θέλει οι άλλοι να αναγνωρίζουν πόσο τον έχουν ανάγκη.

Τι θα γινόταν, όμως, αν δεν ήταν αυτά τα παιδιά –που η πλειονότητα των οικογενειών τους είχε την οικονομική δυνατότητα να τα σπουδάζει τόσα χρόνια– εκείνα που τελείωναν τη φοίτησή τους και άρχιζαν να εξασκούν το επάγγελμά τους; Τι θα συνέβαινε εάν, ως διά μαγείας, διακόσιοι ή τριακόσιοι αγρότες ξεπρόβαλλαν από τα πανεπιστημιακά αμφιθέατρα;

Αυτό που θα συνέβαινε είναι ότι, πολύ απλά, οι αγρότες αυτοί θα έτρεχαν αμέσως, και με μεγάλο ενθουσιασμό, να φροντίσουν τα αδέλφια τους. Θα επιζητούσαν τις θέσεις με τη μεγαλύτερη υπευθυνότητα και τη σκληρότερη δουλειά, ώστε να δείξουν ότι τα χρόνια που τους επιτράπηκε να σπουδάσουν δεν πήγαν χαμένα. Αυτό που θα συνέβαινε είναι ό,τι πρόκειται να συμβεί σε έξι ή επτά χρόνια όταν νέοι φοιτητές, παιδιά της εργατικής τάξης και της φτωχής αγροτιάς, θα πάρουν τα επαγγελματικά τους πτυχία κάθε είδους. [*Χειροκροτήματα*]

Ας μην προσεγγίζουμε, όμως, το μέλλον μοιρολατρικά, χωρίζοντας τον κόσμο σε παιδιά της εργατικής τάξης ή της αγροτιάς από τη μια μεριά και σε αντεπαναστάτες από την άλλη. Γιατί αυτό θα ήταν απλοϊκό, γιατί δεν είναι αλήθεια, και γιατί δεν υπάρχει τίποτα που να διαπαιδαγωγεί περισσότερο έναν τίμιο άνθρωπο από τη ζωή μέσα σε μια επανάσταση. [*Χειροκροτήματα*]

Κανείς από μας, κανένα μέλος της πρώτης ομάδας που φτάσαμε με το σκάφος *Γκράνμα*, που εγκατασταθήκαμε στη Σιέρα Μαέστρα και μάθαμε να σεβόμαστε τον χωρικό και τον εργάτη, ζώντας μαζί του, κανείς από μας δεν υπήρξε στο παρελθόν εργάτης ή αγρότης. Φυσικά υπήρχαν εκείνοι που έπρεπε να δουλεύουν, που είχαν γνωρίσει ορισμένες στερήσεις στην παιδική τους ηλικία. Αλλά την πείνα, την πραγματική πείνα –αυτό το πράγμα δεν το είχε γνωρίσει κανείς μας, και αρχίσαμε να το γνωρίζουμε, προσωρινά, στη διάρκεια των δύο χρόνων που περάσαμε στη Σιέρα Μαέστρα. Και τότε πολλά πράγματα άρχισαν να γίνονται ξεκάθαρα.

Εμείς, που αρχικά τιμωρούσαμε σκληρά όποιον άγγιζε έστω και ένα αυγό από την ιδιοκτησία κάποιου πλούσιου αγρότη ή γαιοκτήμονα, μια μέρα οδηγήσαμε στη Σιέρα Μαέστρα δέκα χιλιάδες κεφάλια βόδια και είπαμε πολύ απλά στους χωρικούς: «φάτε». Και οι αγρότες, για πρώτη φορά ύστερα από πολλά χρόνια, –και ορισμένοι για πρώτη φορά στη ζωή τους– έφαγαν βοδινό κρέας.

Στη διάρκεια του ένοπλου αγώνα, ο σεβασμός που τρέφαμε για την ιδιοκτησία δέκα χιλιάδων βοδιών χάθηκε, και καταλάβαμε απόλυτα ότι μια ανθρώπινη ζωή είναι εκατομμύρια φορές πιο πολύτιμη από την περιουσία του πιο πλούσιου ανθρώπου στον πλανήτη. [*Χειροκροτήματα*] Και το μάθαμε εκεί, εμείς που δεν ήμασταν γιοι της εργατικής τάξης ή της αγροτιάς. Γιατί, λοιπόν, πρέπει τώρα να βροντοφωνάζουμε ότι εμείς είμαστε ανώτεροι και ότι ο υπόλοιπος λαός της Κούβας δεν μπορεί και κείνος να μάθει; Ναι, μπορεί να μάθει. Μάλιστα η επανάσταση σήμερα το απαιτεί να μάθει. Απαιτεί να γίνει κατανοητό ότι η περηφάνια που νιώθουμε όταν υπηρετούμε τον συνάνθρωπό μας είναι πιο σημαντική από ένα καλό εισόδημα. Ότι η ευγνωμοσύνη του λαού είναι κάτι πολύ πιο μόνιμο, έχει μεγαλύτερη διάρκεια απ' όλο το χρυσάφι που μπορείς να συσσωρεύσεις. [*Χειροκροτήματα*] Και ο κάθε γιατρός, μέσα στο πλαίσιο των δραστηριοτήτων του, μπορεί και πρέπει να συσσωρεύει αυτό τον πολύτιμο θησαυρό, την ευγνωμοσύνη του λαού.

Πρέπει, λοιπόν, να αρχίσουμε να εξαλείφουμε τις παλιές αντιλήψεις και να αρχίσουμε να προσεγγίζουμε τον λαό όλο και πιο πολύ, και με ένα πνεύμα όλο και πιο κριτικό κάθε φορά. Όχι με τον τρόπο που πλησιάζαμε τον λαό παλαιότερα, γιατί όλοι σας θα πείτε: «Όχι, εγώ είμαι φίλος του λαού, με ευχαριστεί να συζητώ με εργάτες και χωρικούς και τις Κυριακές πηγαίνω στο τάδε μέρος και βλέπω τα τάδε πράγματα». Όλοι τα έχουν κάνει αυτά. Αυτό, όμως, είναι φιλανθρωπία, και αυτό που πρέπει να κάνουμε πράξη σήμερα είναι η αλληλεγγύη. [*Χειροκροτήματα*] Δεν πρέπει να πλησιάζουμε τον λαό για να πούμε: «Εδώ είμαστε, γεια σας. Ήρθαμε να σας προσφέρουμε την ελεημοσύνη της παρουσίας μας, να σας διδάξουμε με την επιστήμη μας, να καταδείξουμε τα λάθη σας, την έλλειψη πνευματικής καλλιέργειας, την έλλειψη στοιχειωδών γνώσεων». Πρέπει να προχωράμε με ερευνητικό ζήλο και με πνεύμα ταπεινό, να μάθουμε από τη μεγάλη αυτή πηγή σοφίας που είναι ο λαός. [*Χειροκροτήματα*]

Συχνά καταλαβαίνουμε πόσο έξω έχουμε πέσει σχετικά με έννοιες που θεωρούσαμε τόσο αυτονόητες, που είχαν γίνει κομμάτι του εαυτού μας, αυτόματα, ένα από αυτά τα πράγματα που είμαστε βέβαιοι ότι γνωρίζουμε. Συχνά χρειάζεται να αλλάξουμε όλες μας τις αντιλήψεις – όχι μόνο τις γενικές, κοινωνικές ή φιλοσοφικές αντιλήψεις, αλλά, καμιά φορά και τις αντιλήψεις μας περί ιατρικής. Θα δούμε ότι οι αρρώστιες δεν αντιμετωπίζονται πάντα με τον ίδιο τρόπο όπως αντιμετωπίζονται σε ένα νοσοκομείο μιας μεγαλούπολης. Θα δούμε ότι ο γιατρός πρέπει να γίνει και αγρότης, ότι πρέπει να μάθει να καλλιεργεί νέα τρόφιμα, και με το παράδειγμά του, να καλλιεργεί και τη διάθεση για κατανάλωση νέων τροφίμων, να διευρύνει τη δομή της διατροφής στην Κούβα – δομή η οποία είναι τόσο περιορισμένη και τόσο φτωχή για μια αγροτική χώρα που θα μπορούσε να είναι η πλουσιότερη του κόσμου. Θα δούμε ότι κάτω από αυτές τις συνθήκες πρέπει να είμαστε λίγο παιδαγωγοί, καμιά φορά πολύ παιδαγωγοί. Θα δούμε ότι πρέπει να είμαστε πολιτικοί, επίσης· ότι το πρώτο πράγμα που πρέπει να κάνουμε δεν είναι να προσφέρουμε τη σοφία μας, αλλά να δείξουμε ότι είμαστε διατεθειμένοι να μάθουμε μαζί με τον λαό, να πραγματοποιήσουμε αυτό το μεγάλο, όμορφο και συλλογικό εγχείρημα –να οικοδομήσουμε μια νέα Κούβα.

Έχουμε ήδη κάνει πολλά βήματα, και η απόσταση που χωρίζει την 1η Γενάρη του 1959 από το σήμερα δεν μπορεί να μετρηθεί με τον συμβατικό τρόπο. Πριν από κάποιο καιρό, ο λαός κατάλαβε ότι όχι μόνο είχε πέσει εδώ ένας δικτάτορας, αλλά και ένα σύστημα. Τώρα ο λαός πρέπει να μάθει ότι πάνω στα συντρίμμια του συστήματος που έχει καταρρεύσει πρέπει να οικοδομηθεί ένα καινούριο σύστημα ικανό να εξασφαλίσει την απόλυτη ευτυχία του λαού.

Θυμάμαι τότε που ο συναγωνιστής [Νικολάς] Γκιγιέν επέστρεφε από την Αργεντινή στις αρχές της περσινής χρονιάς. Ήταν ο ίδιος μεγάλος ποιητής που είναι και σήμερα –ίσως τα βιβλία του να είχαν μεταφραστεί σε μία γλώσσα λιγότερο, γιατί κάθε μέρα κερδίζει νέους αναγνώστες σε όλες τις γλώσσες του κόσμου, αλλά παρέμενε ο ίδιος, όπως είναι και σήμερα. Ήταν, όμως, δύσκολο για τον Γκιγιέν να διαβάζει τα ποιήματά του, που ήταν ποιήματα του λαού, γιατί τότε βρισκόμαστε στην πρώτη περίοδο, την περίοδο των προκαταλήψεων. Κανείς δεν κάθισε ποτέ να σκεφτεί ότι, χρόνια ολόκληρα, με αδιάφθορη αφοσίωση ο ποιητής Γκιγιέν είχε θέσει όλα τα εξαίρετα καλλιτεχνικά του χαρίσματα στην υπηρεσία του λαού και στην υπηρεσία του σκοπού στον οποίο πίστευε. Ο λαός έβλεπε σε αυτόν όχι τη δόξα της Κούβας, αλλά τον αντιπρόσωπο ενός κόμματος που ήταν ταμπού. Όλα αυτά, όμως, τώρα έχουν ξεπεραστεί. Έχουμε ήδη μάθει ότι, αν έχουμε έναν κοινό εχθρό, και εφόσον προσπαθούμε να πετύχουμε έναν κοινό στόχο, τότε δεν μπορεί να υπάρχουν διαχωρισμοί μεταξύ μας ως προς τη γνώμη που έχουμε για ορισμένες εσωτερικές δομές της χώρας μας. Εκεί που πρέπει να συμφωνήσουμε είναι στο εάν έχουμε έναν κοινό εχθρό ή όχι, αν έχουμε έναν κοινό στόχο ή όχι. [*Χειροκροτήματα*]

Χωρίς αμφιβολία, όλοι έχουμε πειστεί ότι υπάρχει ένας κοινός εχθρός. Σήμερα κανείς δεν ρίχνει ματιές γύρω του για να δει εάν ακούει κανείς αυτά που λέει, εάν κάποιος χαφιές μιας πρεσβείας ίσως αναφέρει τη γνώμη του, προτού μιλήσει ξεκάθαρα κατά των μονοπωλίων, προτού πει ξεκάθαρα: «Ο εχθρός μας, και ο εχθρός όλης της Λατινικής Αμερικής, είναι η κυβέρνηση των μονοπωλίων των Ηνωμένων Πολιτειών της Αμερικής». [*Χειροκροτήματα*]

Εάν όλοι γνωρίζουν ότι αυτός είναι ο εχθρός, και εάν το σημείο αφετηρίας μας είναι η κατανόηση ότι υπάρχει κάτι κοινό ανάμεσα σε οποιονδήποτε αγωνίζεται κατά του εχθρού αυτού και σε μας, τότε ακολουθεί το δεύτερο μέρος: Ποιοι είναι οι στόχοι μας εδώ στην Κούβα; Τι θέλουμε; Θέλουμε οι άνθρωποι να είναι ευτυχισμένοι ή όχι; Αγωνιζόμαστε για την πλήρη οικονομική απελευθέρωση της Κούβας ή όχι; Αγωνιζόμαστε, ναι ή όχι, για να είμαστε μια ελεύθερη χώρα ανάμεσα σε ελεύθερες χώρες, χωρίς να ανήκουμε σε οποιαδήποτε στρατιωτική συμμαχία, χωρίς να είμαστε υποχρεωμένοι να ζητάμε τη γνώμη οποιασδήποτε πρεσβείας οποιασδήποτε μεγάλης δύναμης στον κόσμο για τις αποφάσεις που πρέπει να πάρουμε για τις εσωτερικές και εξωτερικές υποθέσεις της χώρας μας; Σκεπτόμαστε να αναδιανείμουμε τον πλούτο εκείνων που κατέχουν πάρα πολλά, ώστε να δώσουμε σε εκείνους που δεν έχουν τίποτα; [Χειροκροτήματα] Σκεπτόμαστε να αναδείξουμε τη δημιουργική εργασία σε καθημερινή, δυναμική πηγή όλης της ευτυχίας μας; Εάν η απάντηση είναι «ναι», τότε ήδη έχουμε τους στόχους στους οποίους αναφερθήκαμε. Και όποιος συμμερίζεται τους στόχους αυτούς είναι φίλος μας. Εάν αυτός ο άνθρωπος έχει και κάποιες άλλες ιδέες, εάν ανήκει σε αυτήν ή την άλλη οργάνωση, αυτές είναι συζητήσεις που έχουν λιγότερη σημασία. Στις στιγμές που οι κίνδυνοι είναι μεγάλοι, που οι εντάσεις είναι μεγάλες, που η δημιουργικότητα είναι μεγάλη, αυτό που μετράει είναι ο μεγάλος εχθρός και οι μεγάλοι στόχοι. Εάν συμφωνούμε, εάν όλοι μας γνωρίζουμε πού βαδίζουμε, τότε, ό,τι και να συμβεί, πρέπει να κάνουμε τη δουλειά μας. [Χειροκροτήματα]

Σας έλεγα ότι, για να είναι κανείς επαναστάτης, πρέπει να γίνει μια επανάσταση. Την έχουμε ήδη. Και ένας επαναστάτης πρέπει επίσης να γνωρίζει τους ανθρώπους με τους οποίους πρόκειται να δουλέψει. Νομίζω ότι ακόμη δεν γνωριζόμαστε καλά. Νομίζω ότι έχουμε ακόμη δρόμο μπροστά μας σε αυτή την κατεύθυνση. Εάν με ρωτήσει κάποιος πώς μπορεί να γνωρίσει κανείς τον λαό, εκτός από το να πάει στην ενδοχώρα, να μάθει για τους συνεταιρισμούς, να ζήσει σε ένα συνεται-ριστικό αγρόκτημα (και αυτό είναι κάτι που δεν μπορεί να το κάνουν όλοι, αν και υπάρχουν πολλά μέρη όπου η παρουσία ενός εργαζόμενου στον τομέα της υγείας είναι πολύ σημαντική) ... για τις περιπτώσεις αυτές, θα σας πω ότι μία από τις καλύτερες εκφράσεις της αλληλεγγύης του κουβανικού λαού είναι οι επαναστατικές πολιτοφυλακές. [Χειροκροτήματα] Οι πολιτοφυλακές σήμερα δίνουν στον γιατρό μια νέα λειτουργική θέση και τον προετοιμάζουν για κάτι που, μέχρι πρόσφατα τουλάχιστον, υπήρξε μια λυπηρή και μοιραία σχεδόν πραγματικότητα στην Κούβα: ότι, δηλαδή, θα γινόμασταν λεία –ή τουλάχιστον θύματα– μιας μεγάλης κλίμακας στρατιωτικής επίθεσης. Πρέπει να σας προειδοποιήσω ότι, ως μέλος της επαναστατικής πολιτοφυλακής, ένας γιατρός πρέπει πάντα να είναι γιατρός. Δεν πρέπει να διαπράξετε το λάθος που κάναμε εμείς στη Σιέρα –ίσως και να μην ήταν λάθος, όλοι όμως οι συναγωνιστές γιατροί της περιόδου εκείνης το γνωρίζουν–, ότι μας φαινόταν ανέντιμο να βρισκόμαστε στο πλευρό ενός τραυματία ή ενός αρρώστου, και προσπαθούσαμε με κάθε τρόπο να αρπάξουμε ένα τουφέκι και να δείξουμε στο πεδίο της μάχης τι χρειάζεται να γίνει.

Τώρα οι συνθήκες είναι διαφορετικές, και τα νέα στρατεύματα που δημιουργούνται για την άμυνα της χώρας πρέπει να είναι στρατεύματα που εφαρμόζουν μια διαφορετική μέθοδο. Στο νέο στράτευμα, ο γιατρός θα έχει τεράστια σημασία. Πρέπει να παραμένει γιατρός, πράγμα το οποίο είναι ένα από τα πιο ωραία και τα πιο σημαντικά καθήκοντα σε έναν πόλεμο. Δεν αναφέρομαι μόνο στον γιατρό, αλλά και στους νοσοκόμους, στους τεχνικούς των εργαστηρίων, και σε όλους όσους έχουν αφιερώσει τη ζωή τους σε αυτό το ανθρωπιστικό επάγγελμα.

Ακόμα και αν γνωρίζουμε ότι ο κίνδυνος είναι παρών, ακόμα και όταν προετοιμαζόμαστε να αποκρούσουμε την επίθεση που μας απειλεί –πρέπει όλοι μας να πάψουμε να το σκεπτόμαστε. Γιατί εάν επικεντρώνουμε τις προσπάθειές μας στις προετοιμασίες πολέμου, δεν μπορούμε να χτίσουμε αυτό που θέλουμε, δεν μπορούμε να αφιερωθούμε στη δημιουργική δουλειά.

Κάθε εργασία, όλο το κεφάλαιο που επενδύεται στις προετοιμασίες για στρατιωτική δράση, είναι εργασία χαμένη, χρήματα πεταμένα.

Δυστυχώς, όμως, είναι κάτι που πρέπει να γίνει, γιατί οι άλλοι προετοιμάζονται.

Τα χρήματα που λυπάμαι πολύ να βλέπω να φεύγουν από τα αποθέματα της Εθνικής Τράπεζας –και το λέω αυτό με κάθε ειλικρίνεια και με την περηφάνια του στρατιώτη– είναι τα χρήματα που προορίζονται για την αγορά κάποιου όπλου καταστροφής. [Χειροκροτήματα] Ωστόσο, οι πολιτοφυλακές έχουν έναν ρόλο και σε καιρό ειρήνης. Οι πολιτοφυλακές πρέπει να είναι, στις κατοικημένες περιοχές, το σώμα που ενώνει και έρχεται σε στενή επαφή με τον λαό. Πρέπει να κάνουν πράξη την αλληλεγγύη, όπως μου έχουν πει οι συναγωνιστές ότι γίνεται με τις ιατρικές πολιτοφυλακές. Σε ώρα κινδύνου, πρέπει αμέσως να καταπιάνονται με την επίλυση των προβλημάτων όλων όσων έχουν ανάγκη σε ολόκληρη την Κούβα. Οι πολιτοφυλακές, βέβαια, είναι και μια ευκαιρία να γνωριστούμε μεταξύ μας, μια ευκαιρία για τους Κουβανούς κάθε κοινωνικής τάξης να ζήσουν μαζί, να γίνουν ίσοι, να γίνουν αδέλφια, φορώντας την ίδια στολή.

Αν εμείς οι εργαζόμενοι στον τομέα της υγείας το καταφέρουμε αυτό –αν μου επιτρέπεται να χρησιμοποιήσω ξανά αυτό τον όρο που είχα ξεχάσει εδώ και αρκετό καιρό– αν χρησιμοποιήσουμε αυτό το νέο όπλο αλληλεγγύης, εάν γνωρίζουμε τους στόχους, αν γνωρίζουμε τον εχθρό και αν γνωρίζουμε τον δρόμο που πρέπει να τραβήξουμε, τότε το μόνο που απομένει είναι να γνωρίζουμε τον δρόμο που μας αναλογεί να διανύσουμε κάθε μέρα και να το κάνουμε. Κανείς δεν μπορεί να υποδείξει αυτή την καθημερινή διαδρομή –είναι η προσωπική πορεία του κάθε ατόμου. Είναι αυτό που θα κάνει κάθε μέρα, αυτό που θα κερδίσει από την προσωπική του εμπειρία, και αυτό που θα δώσει από τον εαυτό του, εξασκώντας το επάγγελμά του, αφοσιωμένος στην ευημερία του λαού.

Εάν ήδη διαθέτουμε όλα τα στοιχεία που χρειάζονται για να

πορευτούμε προς το μέλλον, ας θυμηθούμε τη φράση εκείνη του Μαρτί, την οποία αυτή τη στιγμή δεν εφαρμόζω εγώ, πρέπει, όμως, κάθε στιγμή να κάνουμε πράξη: «Ο καλύτερος τρόπος να πεις κάτι είναι να το κάνεις».

Ας πορευτούμε, λοιπόν, προς το μέλλον της Κούβας. [*Χειροκροτήματα*]

GRANMA

Το σχολικό συγκρότημα «Καμίλο Σιενφουέγος» που φαίνεται στη φωτογραφία χτίστηκε με τη συμβολή εθελοντικών μπριγάδων νεολαίας από όλον τον κόσμο.
Κάτω: Μέλη της μπριγάδας στο συλλαλητήριο αποχαιρετισμού.

«Μήπως ο λαός αυτός έκανε επανάσταση, επειδή την έχει στο αίμα του; Σίγουρα όχι. Αυτός ο λαός είναι έτσι όπως είναι επειδή βρίσκεται στη δίνη μιας επανάστασης.»

Στην Κούβα ο ιμπεριαλισμός πιάστηκε στον ύπνο, αλλά τώρα πια έχει ξυπνήσει

Αποχαιρετισμός προς τις διεθνείς μπριγάδες
εθελοντικής εργασίας
30 Σεπτέμβρη 1960

Η κουβανική επανάσταση κέρδισε την αλληλεγγύη εργαζομένων και νέων από ολόκληρο τον κόσμο. Τον Αύγουστο και τον Σεπτέμβρη του 1960, περίπου 160 νέοι από 36 χώρες προσέφεραν για περίπου δύο μήνες την εργασία τους σε εθελοντική βάση, για να βοηθήσουν στην οικοδόμηση της Σχολικής Πόλης «Καμίλο Σιενφουέγος» στο Λας Μερσέδες στα βουνά της Σιέρα Μαέστρα, στην ανατολική πλευρά της Κούβας. Κατά την τελετή του αποχαιρετισμού αυτών των ομάδων εθελοντικής εργασίας, ο Ερνέστο Τσε Γκεβάρα εκφώνησε τον λόγο που ακολουθεί.

Ο Γκεβάρα έκανε ειδική αναφορά στην αντιπροσωπεία της Αλγερίας. Από το 1954, το Μέτωπο Εθνικής Απελευθέρωσης (FLN) είχε ξεκινήσει έναν πόλεμο με σκοπό την ανεξαρτησία της χώρας από τη Γαλλία, έναν αγώνα που είχε μετατραπεί σε πόλο έλξης για τους επαναστατικά σκεπτόμενους νέους σε ολόκληρο τον κόσμο. Το 1962, το γαλλικό αποικιοκρατικό καθεστώς παραδέχθηκε την ήττα του, και στην Αλγερία –όπως και στην Κούβα– εγκαθιδρύθηκε μια κυβέρνηση η οποία, υπό την ηγεσία του Άχμεντ Μπεν Μπέλα, κινητοποιούσε τους εργάτες και τους αγρότες για να υπερασπιστούν οι ίδιοι τα συμφέροντά τους.

Τέσσερις μέρες πριν από την ομιλία του Τσε, ο Φιντέλ Κάστρο είχε απευθυνθεί για πρώτη φορά προς τη Γενική Συνέλευση των Ηνωμένων Εθνών, υπερασπιζόμενος ενώπιον ολόκληρου του κόσμου το δικαίωμα της Κούβας στην εθνική αυτοδιάθεση και στην οικονομική ανάπτυξη. «Η

Κούβα δεν αποτελεί μια ξεκομμένη περίπτωση», τόνισε ο Κάστρο. Εκεί συμβαίνει «ό,τι συμβαίνει σε όλες τις υπανάπτυκτες και αποικιοκρατούμενες χώρες». Μιλώντας στο όνομα της επαναστατικής κυβέρνησης της Κούβας, ο Κάστρο κατήγγειλε τις ενέργειες των Ηνωμένων Εθνών τις οποίες είχε χρησιμοποιήσει ως προκάλυμμα η Ουάσιγκτον για να οργανώσει, μόλις λίγες μέρες πριν, την ανατροπή της κυβέρνησης του Πατρίς Λουμούμπα στο Κονγκό. Έδωσε ιδιαίτερη έμφαση στη βοήθεια της Κούβας προς τον αγώνα ανεξαρτησίας της Αλγερίας κατά της Γαλλίας, απαίτησε από τον ΟΗΕ να αναγνωρίσει τη Λαϊκή Δημοκρατία της Κίνας και διακήρυξε την αλληλεγγύη της Κούβας προς τον αγώνα για την απελευθέρωση του Πουέρτο Ρίκο από την αποικιοκρατία των ΗΠΑ.

Στις 28 Σεπτέμβρη 1960, σε μια μαζική συγκέντρωση στην Αβάνα, ο Φιντέλ Κάστρο ενημέρωσε τον λαό της Κούβας για το ιστορικό του ταξίδι στη Νέα Υόρκη. Η αντιπροσωπεία –η οποία θεωρήθηκε ανεπιθύμητη σε ένα από τα κεντρικά ξενοδοχεία της πόλης– είχε μετακινηθεί στο ξενοδοχείο Τερέζα, όπου συνάντησε ένα θυελλώδες καλωσόρισμα από τον λαό του Χάρλεμ και μια ζεστή υποδοχή από τον Βορειοαμερικανό επαναστάτη ηγέτη Μάλκολμ Χ.

Σε αυτή την ίδια συγκέντρωση στην Αβάνα, κατά τη διάρκεια της οποίας εξερράγη μια βόμβα που είχαν τοποθετήσει αντεπαναστάτες τρομοκράτες, ο Κάστρο ανήγγειλε τη δημιουργία μιας οργάνωσης που θα συσπείρωνε τους Κουβανούς σε επίπεδο γειτονιάς με σκοπό τον αγώνα κατά της αντεπανάστασης. Τις επόμενες ημέρες, επρόκειτο να οργανωθούν οι Επιτροπές για την Υπεράσπιση της Επανάστασης (CDR) για να αντιμετωπίσουν αυτή την αναγκαιότητα.

❖

Συναγωνιστές από την Κούβα και από όλες τις χώρες του κόσμου που ήρθατε στα βουνά της Σιέρα Μαέστρα για να δώσετε το δικό σας μήνυμα αλληλεγγύης προς την κουβανική επανάσταση, Σήμερα είναι μια μέρα χαράς, μια μέρα για τα νιάτα, αλλά ταυτόχρονα είναι και μια μέρα λύπης και αποχαιρετισμού. Σήμερα λέμε «γεια χαρά και καλή αντάμωση» στους συναγωνιστές από ολόκληρο τον κόσμο που έφθασαν εδώ για να δουλέψουν για την κουβανική επανάσταση και να γνωρίσουν την επανάσταση αυτή και τον λαό της. Εργαστήκατε με όλο τον νεανικό και επαναστατικό ενθουσιασμό σας.

Πιστεύω ότι, επιπλέον, γνωρίσατε τον λαό μας, έναν λαό όπως όλοι οι άλλοι, που αποτελείται από εκατομμύρια άτομα τα οποία σήμερα σχηματίζουν μια μάζα ενωμένη που πολεμάει για την υπεράσπιση των δικαιωμάτων τα οποία μόλις πρόσφατα απέκτησε· από εκατομμύρια ανθρώπους που είναι έτοιμοι να αγωνιστούν ακλόνητοι μέχρι τον θάνατο για να διατηρήσουν αυτά τα δικαιώματα και να συνεχίσουν να βαδίζουν προς νέες κατακτήσεις. [*Χειροκροτήματα*]

Θα ήταν σφάλμα μας, αν είχαμε σκεφθεί να εξηγήσουμε στον καθέναν από τους συναγωνιστές που ήρθαν από διάφορα μέρη του κόσμου τι είναι μια επανάσταση ή αν είχαμε σκεφθεί να τους παροτρύνουμε να ακολουθήσουν το παράδειγμα αυτό σαν να ήταν κάτι το μοναδικό στον κόσμο. Αυτό που συμβαίνει εδώ δεν είναι τίποτα περισσότερο, αλλά και τίποτα λιγότερο, από έναν λαό που έχει πάρει τον δρόμο της επανάστασης και επιμένει με τη μεγαλύτερη σταθερότητα σε αυτή την επιλογή. Πολλοί από τους νέους όλου του κόσμου γνωρίζουν πια τι σημαίνει να πάρει κανείς τον δρόμο της επανάστασης, όπως ακριβώς το γνωρίζουν και οι Κουβανοί. Γνωρίζουν επίσης τις υπέροχες κατακτήσεις που εξασφαλίζει ο λαός όταν καταφέρνει να αποδεσμευτεί από τους φραγμούς που αναχαίτιζαν την ανάπτυξή του.

Δυστυχώς, όμως, υπάρχουν και πολλοί συναγωνιστές στην αμερικανική ήπειρο και στον υπόλοιπο κόσμο που ακόμη δεν έχουν δει τον λαό τους να παίρνει τον δρόμο της επανάστασης. Ίσως ακόμη δεν έχουν καταλάβει καλά το ιστορικό φαινόμενο μέσω του οποίου η Κούβα –μια χώρα που δεν ζούσε εντονότερη αποικιοποίηση ή μεγαλύτερη εκμετάλλευση από άλλες– βρήκε, μέσα στην απόγνωσή της, την αναγκαία δύναμη για να ξεκινήσει τον αγώνα και να σπάσει τις αλυσίδες της. Και είναι, στ' αλήθεια, δύσκολο να εξηγήσει κανείς, ακολουθώντας τις γνωστές θεωρίες, για ποιο λόγο ήταν εδώ ακριβώς, στην Κούβα, που ακούστηκε η πρώτη πολεμική κραυγή στη μάχη για την οριστική απελευθέρωση της αμερικανικής ηπείρου, και γιατί εδώ συνεχίζουμε να προχωρούμε μέχρι σήμερα. Ούτε και εμείς θα προσπαθήσουμε να το εξηγήσουμε. Ούτε θα ισχυριστούμε ότι αυτό το παράδειγμα της Κούβας αποτελεί τον μοναδικό τρόπο να γίνουν πραγματικότητα οι πόθοι του λαού· ότι αυτός είναι ο ένας και μοναδικός δρόμος αγώνα που οδηγεί στην αληθινή ευτυχία, δηλαδή στην ελευθερία και την οικονομική ευημερία. Ωστόσο, πολλά από τα πράγματα που εμείς κάναμε εδώ μπορούν να γίνουν σε όλες σχεδόν τις καταπιεζόμενες χώρες: καταπιεζό-μενες, αποικιοκρατούμενες, ημι-αποικιοκρατούμενες. Όχι υπανάπτυκτες, όπως μας αποκαλούν, διότι εμείς δεν είμαστε υπανάπτυκτοι. Είμαστε απλώς κακά αναπτυγμένοι, κακά αναπτυγμένοι επειδή εδώ και πολύ καιρό ο ιμπεριαλισμός έχει κατακτήσει τις δικές μας πηγές πρώτων υλών, και βάλθηκε να τις εκμεταλλεύεται σύμφωνα με τις δικές του ανάγκες.

Δεν χρειάζεται να αναφέρουμε και πολλά παραδείγματα: Γνωρίζετε τι συμβαίνει με τη ζάχαρη στην Κούβα, με το βαμβάκι του Μεξικού, με το πετρέλαιο της Βενεζουέλας, με τον κασσίτερο της Βολιβίας, με τον χαλκό της Χιλής, με τα βοοειδή ή τα σιτηρά της Αργεντινής, με τον βραζιλιάνικο καφέ. Όλοι έχουμε έναν κοινό παρονομαστή: είμαστε χώρες μονοκαλλιέργειας και έτσι έχουμε επιπλέον και τον κοινό παρονομαστή ότι είμαστε χώρες μίας και μοναδικής αγοράς.

Έτσι, γνωρίζουμε πια ότι στον δρόμο προς την απελευθέρωση πρέπει πρώτα να αγωνιστούμε ώστε να πάψουμε να εξαρτιόμαστε από μία και μοναδική αγορά, και στη συνέχεια να αγωνιστούμε ώστε να μην έχουμε ένα και μοναδικό προϊόν να πουλήσουμε. Πρέπει επίσης να διαφοροποιήσουμε το εξωτερικό εμπόριο και να διαφοροποιήσουμε την εγχώρια παραγωγή. Μέχρι εδώ, όλα είναι απλά. Το πρόβλημα είναι πώς θα το καταφέρουμε αυτό. Θα γίνει διά της κοινοβουλευτικής οδού, θα γίνει με τη βοήθεια των όπλων ή θα γίνει μέσα από έναν συνδυασμό της κοινοβουλευτικής οδού και της οδού των όπλων; Εγώ δεν το γνωρίζω, ούτε μπορώ να απαντήσω με ακρίβεια σε αυτή την ερώτηση. Εκείνο που σίγουρα μπορώ να σας πω είναι ότι στις συνθήκες που επικρατούσαν στην Κούβα, με την καταπίεση των ιμπεριαλιστών και των εγχώριων ανδρεικέλων τους, δεν βλέπαμε άλλη διέξοδο για τον κουβανικό λαό παρά μόνο να μιλήσουν τα τουφέκια.

Και σε όσους ρωτούν, έμπλεοι τεχνοκρατικής λογικής, τι κεφάλαιο απαιτείται, για παράδειγμα, για να εγκαινιάσει κανείς μια αγροτική μεταρρύθμιση, θα τους λέγαμε ότι δεν απαιτείται κανένα· το μοναδικό κεφάλαιο που απαιτείται είναι ένας λαός ένοπλος, που έχει συνείδηση των δικαιωμάτων του. [*Χειροκροτήματα*] Με αυτό το κεφάλαιο και μόνον μπορέσαμε εδώ στην Κούβα να υλοποιήσουμε την αγροτική μας μεταρρύθμιση, να την εμβαθύνουμε, να τη συνεχίσουμε και να μπούμε στον δρόμο της εκβιομηχάνισης.

Φυσικά και δεν μπορεί να συνοψίσει κανείς σε μια διατύπωση τόσο απλή ολόκληρη την προσπάθεια ενός λαού, γιατί αυτόν τον αγώνα τον έχουμε πληρώσει με αίμα και μαρτύρια, και οι αυτοκρατορίες του κόσμου θέλουν να δώσουμε και άλλο αίμα και να υποστούμε περισσό-

τερα μαρτύρια. Γι' αυτό και πρέπει να συσπειρωθούμε σταθερά γύρω
από τούτα τα τουφέκια, γύρω από τη μοναδική φωνή που οδηγεί
ολόκληρο τον λαό προς την οριστική κατάκτηση των στόχων του, να
συσπειρωθούμε με τρόπο αδιάλλακτο, να μην επιτρέψουμε σε κανέναν
να σπείρει τη διχόνοια. Γιατί, αν τσακώνονται τα αδέλφια –έλεγε ο
Μαρτίν Φιέρρο– τα καταβροχθίζουν οι απέξω. Και ο ιμπεριαλισμός
γνωρίζει καλά αυτό το ρητό, το οποίο ο ποιητής απλώς συνέλεξε από
τον λαό: διαίρει και βασίλευε. Έτσι, μας έχει διαχωρίσει σε χώρες που
παράγουν καφέ, χαλκό, πετρέλαιο, κασσίτερο ή ζάχαρη, και έτσι επίσης
μάς έχει διαχωρίσει σε χώρες που ανταγωνίζονται για την αγορά μίας
και μοναδικής χώρας, μειώνοντας διαρκώς τις τιμές, για να μπορεί πιο
εύκολα να συνθλίβει μία μία τις χώρες μας.

Με άλλα λόγια, οποιοσδήποτε κανόνας μπορεί να εφαρμοστεί
στην περίπτωση ενός λαού πρέπει να εφαρμοστεί επίσης σε όλους τους
λαούς των οποίων η ανάπτυξη είναι ατελής. Πρέπει να ενωθούμε όλοι
μαζί. Όλοι οι λαοί του κόσμου πρέπει να ενωθούν για να επιτύχουν τον
πιο ιερό στόχο, που είναι η ελευθερία, η οικονομική ευημερία, η αίσθηση
ότι δεν υπάρχει μπροστά μας κανένα απολύτως πρόβλημα που δεν μπορεί
να επιλυθεί, η επίγνωση ότι με την καθημερινή δουλειά, με ενθουσιασμό
και δημιουργικότητα, μπορούμε να πετύχουμε τους στόχους μας, χωρίς
τίποτα να μπορεί να μας σταματήσει.

Υπάρχουν, όμως, οι αυτοκρατορίες που όλοι γνωρίζετε, οι αυτοκρα-
τορίες που και εμείς γνωρίζουμε, επειδή μας έχουν εκμεταλλευθεί· οι
αυτοκρατορίες τις οποίες επιπλέον γνωρίζουν και οι συναγωνιστές που
έχουν γεννηθεί σε αυτές τις χώρες, καθώς ζουν μέσα στο κτήνος και
γνωρίζουν πόσο φοβερό είναι να ζει κανείς σε τέτοιες συνθήκες όταν
πιστεύει στην ουσία του ανθρώπου. Και τις γνωρίζουν επίσης και όλες
οι χώρες που αγαπούν την ειρήνη και βλέπουν σήμερα να είναι

περικυκλωμένες με έναν κλοιό βάσεων με ατομικές βόμβες, χωρίς να είναι σε θέση να υλοποιήσουν πλήρως την επιθυμία τους για ανάπτυξη.

Όλοι τις γνωρίζουμε, και γι' αυτό κοινό μας καθήκον είναι να προσπαθήσουμε να ενωθούμε ακόμα και πέρα από τις κυβερνήσεις που θέλουν να μας χωρίζουν, να σφίξουμε τα χέρια μας –όχι μόνο οι νέοι, όπως κάναμε εδώ, αλλά και οι μεγαλύτεροι στην ηλικία, οι ηλικιωμένοι και τα παιδιά– σε ένα και μοναδικό δεμάτι θέλησης· να σφίξουμε τα χέρια ώστε να αποφύγουμε σήμερα τον πιο φοβερό από τους πολέμους που απειλούν την ανθρωπότητα και για να κάνουμε πραγματικότητα τους πόθους ολόκληρου του κόσμου.

Όταν όμως οι λαοί που τα γνωρίζουν όλα αυτά –επειδή οι λαοί δεν είναι αδαείς– θελήσουν να υλοποιήσουν αυτή τη συνένωση, τότε αρχίζει η πίεση εκ μέρους όλων των χωρών που έχουν επικεφαλής πουλημένους κυβερνήτες. Αυτό θα συμβεί και σε πολλούς από εσάς. Θα σας ρίξουν στη φυλακή, θα σας καταπιέσουν με κάθε δυνατό τρόπο. Θα προσπαθήσουν να σας κάνουν να ξεχάσετε όσα μάθατε σε μια ελεύθερη χώρα ή θα σας τιμωρήσουν παραδειγματικά, ώστε οι λιπόψυχοι να μην έχουν καμιά επιθυμία να ακολουθήσουν τον δρόμο της αξιοπρέπειας. Αυτό έχει ήδη συμβεί σε αρκετούς από τις χώρες της Λατινικής Αμερικής που μας έχουν επισκεφθεί, και δυστυχώς θα συνεχίσει να συμβαίνει. Πολλοί από εσάς θα έχετε δυσκολίες. Πολλοί από εσάς θα διασυρθείτε. Θα πουν ότι είστε αποβράσματα της κοινωνίας, ότι είστε σύμμαχοι παράξενων ξένων καταπιεστών, σύμμαχοι των πιο αχρείων στοιχείων, και ότι έχετε σκοπό να καταστρέψετε αυτό που εκείνοι ονομάζουν δημοκρατία, να καταστρέψετε τον «δυτικό τρόπο ζωής».

Ρωτήστε τον μαχόμενο λαό της Αλγερίας για τον δυτικό τρόπο ζωής τους. Ή ρωτήστε οποιονδήποτε λαό που αγωνίζεται και δολοφονείται κάθε μέρα, επειδή αναζητά μια ευτυχία την οποία ποτέ δεν βλέπει να έρχεται.

Για όλους αυτούς τους λόγους, δεν είναι εύκολος ο δρόμος. Δεν είναι εύκολος ο δρόμος ούτε καν για εκείνους οι οποίοι, όπως εμείς, έχουν ξεπεράσει το πρώτο εμπόδιο και έχουν εγκαθιδρύσει μια κυβέρνηση του λαού. [Χειροκροτήματα] Μια φάση πολύ σκληρή βρίσκεται ακόμη μπροστά μας, μια φάση στην οποία αυτές οι κάλπικες δημοκρατίες θα εξαπολύσουν όλο και περισσότερες επιθέσεις κατά του λαού, και ο λαός θα αισθανθεί όλο και περισσότερο την αγανάκτηση, ακόμα και το μίσος να αναβλύζει από μέσα του, ώσπου να μετατραπεί σε ένα ανθρώπινο κύμα που παίρνει τα όπλα, που αγωνίζεται και κατακτά την εξουσία. Πιστεύουμε, λοιπόν, ότι στις παρούσες συνθήκες τις οποίες αντιμετωπίζει η ανθρωπότητα, οι λαοί στις αποικιοκρατούμενες και ημιαποικιοκρατούμενες χώρες, στις χώρες που βρίσκονται κάτω από τον ζυγό μιας κυβέρνησης ανδρεικέλων κάποιας αυτοκρατορίας, είναι σχεδόν σίγουρο ότι αργά ή γρήγορα θα πρέπει να πάρουν στα χέρια τους τα όπλα για να κατορθώσουν να εγκαταστήσουν στην κυβέρνηση εκπροσώπους του λαού, ενώνοντας έτσι ολόκληρη την αμερικανική ήπειρο, ολόκληρη την Αφρική, ολόκληρη την Ασία. Και όλοι μαζί, η αμερικανική ήπειρος, η Αφρική, η Ασία, και η Ευρώπη, θα είναι τότε ενωμένες σε έναν ενιαίο ευτυχισμένο κόσμο. [Χειροκροτήματα]

Θα δείτε, όμως, πολλά πράγματα. Θα δείτε ότι είναι βέβαιο πως ο ιμπεριαλισμός πιάστηκε στον ύπνο στην Κούβα, αλλά και ότι τώρα πια έχει ξυπνήσει. Τον ξύπνησαν οι κραυγές του λαού. Θα δείτε πώς θα οργανώσουν αστυνομικές δυνάμεις, αποκαλούμενες διεθνείς, η ηγεσία των οποίων θα παραχωρείται σε όσους έχουν τη μεγαλύτερη εμπειρία στον αντικομμουνιστικό αγώνα. Με άλλα λόγια, όσον αφορά το λατινοαμερικανικό παράδειγμά μας, οι Ηνωμένες Πολιτείες θα είναι εκείνες οι οποίες θα πάρουν τα όπλα, ή πιο σωστά, θα προσφέρουν τα όπλα που τα αδέλφια μας από την αμερικανική ήπειρο θα πάρουν για να πάνε να πολεμήσουν, κάτω από την αισχρή σημαία αυτού που είναι σήμερα ο Οργανισμός Αμερικανικών Κρατών, ενάντια σε όποιον λαό εξεγείρεται. Αυτό θα δούμε στην αμερικανική ήπειρο και θα το δούμε σύντομα. Θα το δούμε επειδή οι λαοί θα εξεγερθούν· και θα το δούμε επειδή ο ιμπεριαλισμός θα σχηματίσει αυτούς τους στρατούς. Η ιστορία, όμως, του κόσμου προχωράει, και θα δούμε –ή οι συναγωνιστές μας θα δούνε, αν σε μας λάχει ο κλήρος να πέσουμε στον αγώνα, πάντως μέσα σε αυτή τη γενιά– πως στον αγώνα οι λαοί υπερνικούν ακόμα και αυτούς τους στρατούς που έχει οπλίσει η πιο βάρβαρη δύναμη που υπάρχει πάνω στη γη και πως θα καταστρέψουν εντελώς τον ιμπεριαλισμό.

Εμείς, οι άνθρωποι αυτής της γενιάς, θα δούμε οριστικά απελευθερωμένο τον κόσμο, [*χειροκροτήματα*] ακόμα και αν χρειαστεί να περάσουμε τις μεγαλύτερες κακουχίες, τις πιο ακραίες στερήσεις, ακόμα και αν μέσα στην τρέλα τους αποπειραθούν να εξαπολύσουν έναν πόλεμο ο οποίος δεν θα έχει άλλο αποτέλεσμα από το να επισπεύσει το ίδιο τους το τέλος.

Αν, ωστόσο, κάποια χώρα κερδίσει την ανεξαρτησία της χωρίς να περάσει από αυτόν τον αγώνα, ή αν κατορθώσει να συντομεύσει κάποιες από τις φάσεις του αγώνα αυτού, και έρθει να μας ζητήσει τη συνταγή για να ενώσει τον λαό, να οργανώσει με το κεφάλαιο των όπλων και του λαού τις πιο βαθιές κοινωνικές και οικονομικές μεταρρυθμίσεις, πρέπει να πούμε πως η μόρφωση του λαού είναι πολύ σημαντική και πως οι λαοί μπορούν να μορφωθούν με μια ταχύτητα εκπληκτική.

Εμάς που είχαμε την τύχη να ζήσουμε μια εμπειρία τόσο πλούσια σε γεγονότα όπως η κουβανική επανάσταση, μας συγκινεί να βλέπουμε πως μέρα με τη μέρα ο λαός μας αποκτά μεγαλύτερες γνώσεις, μεγαλύτερη επαναστατική πίστη, μεγαλύτερη επαναστατική συνείδηση. Και αν κανείς έχει αμφιβολίες, μπορεί να δει σήμερα ένα απλό παράδειγμα:

Εδώ χειροκροτήθηκαν θερμά όλες οι αντιπροσωπείες των αδελφών χωρών. Τρεις, όμως, αντιπροσωπείες κέρδισαν το πιο θερμό μας χειροκρότημα, επειδή ζουν σε ιδιαίτερες συνθήκες: Η αντιπροσωπεία του λαού των Ηνωμένων Πολιτειών, [χειροκροτήματα] αντιπροσωπεία που ποτέ δεν πρέπει να συγχέεται με την κυβέρνηση των Ηνωμένων Πολιτειών της Αμερικής. Είναι μια αντιπροσωπεία του λαού που δεν έχει καμία σχέση με το φυλετικό μίσος, που δεν βλέπει διαφορές ανάμεσα στα άτομα επειδή έχουν διαφορετικό χρώμα δέρματος, άλλη θρησκεία ή λόγω της οικονομικής τους κατάστασης.

Χειροκροτήθηκαν επίσης θερμά εκείνοι που σήμερα αντιπροσωπεύουν περισσότερο από οποιονδήποτε άλλο τον αντίθετο πόλο, οι αντιπρόσωποι της Λαϊκής Δημοκρατίας της Κίνας. [Χειροκροτήματα]

Την ίδια στιγμή που χειροκροτούνταν δύο λαοί οι κυβερνήσεις των οποίων βρίσκονται σε δριμεία σύγκρουση –η μία έχοντας τη στήριξη ολόκληρου του λαού της, η άλλη εξαπατώντας τον λαό ή ακόμα και εναντίον του λαού– χειροκροτήθηκε επίσης με τον πιο παθιασμένο τρόπο η αντιπροσωπεία της Αλγερίας. [Χειροκροτήματα] Ο λαός της Αλγερίας σήμερα γράφει άλλη μια θαυμάσια σελίδα στην ιστορία, παλεύοντας πάνω στα βουνά όπως χρειάστηκε να παλέψουμε και εμείς. Η εισβολή που δέχεται στο έδαφος του δεν προέρχεται από ανθρώπους που είναι παιδιά της γης της Αλγερίας. Άνθρωποι από την ίδια χώρα, όσο βάρβαροι και αν είναι, πάντα έχουν κάποιο ίχνος σεβασμού. Ο αλγερινός λαός, όμως, αντιμετωπίζει μια εισβολή από τον στρατό μιας ξένης χώρας ο οποίος έχει εκπαιδευτεί για να σφάζει, έχει εκπαιδευτεί στο φυλετικό μίσος, έχει εκπαιδευτεί στη φιλοσοφία του πολέμου. Παρ' όλα αυτά, ο λαός μας μπόρεσε εδώ να χειροκροτήσει επίσης γενναιόδωρα την αντιπροσωπεία του λαού της Γαλλίας, η οποία επίσης δεν εκπροσωπεί την κυβέρνησή της. [Χειροκροτήματα]

Θα αναρωτηθούμε, όμως, εμείς: ένας λαός που ξέρει τόσο καλά να διαλέγει ποιους χειροκροτεί, που ξέρει να βρίσκει την πολιτική ουσία των πραγμάτων, που ξέρει να κάνει μια απολύτως σωστή διάκριση ανάμεσα σε κυβερνήσεις και λαούς, ακόμα και σε στιγμές όπως αυτή, για παράδειγμα, κατά την οποία έχει εξαπολυθεί εναντίον της κουβανικής αντιπροσωπείας στον ΟΗΕ ένα άγριο μίσος, μια κτηνώδης καταστολή που έφθασε ως την απειλή σωματικής βλάβης –για λεκτικές απειλές δεν μιλάμε καν–, μήπως ο λαός αυτός έκανε επανάσταση επειδή την έχει στο αίμα του; Σίγουρα όχι. Αυτός ο λαός είναι έτσι όπως είναι επειδή βρίσκεται στη δίνη μιας επανάστασης. Αυτός ο λαός, ασκώντας τα επαναστατικά του δικαιώματα κατά τη διάρκεια αυτών των ελάχιστων, των είκοσι μηνών ύπαρξης της κουβανικής επανάστασης, έχει μάθει όλα όσα εκφράζονται εδώ και όλα όσα εσείς, αντιπρόσωποι από κάθε γωνιά της γης, μπορέσατε να δείτε αυτοπροσώπως και να επιβεβαιώσετε επισκεπτόμενοι το νησί μας.

Η πρώτη συνταγή για τη μόρφωση του λαού, για να το πούμε διαφορετικά, είναι ο ίδιος ο λαός να πάρει τον δρόμο της επανάστασης. Ποτέ μην επιδιώξετε να διδάξετε σε κάποιον λαό ότι, μέσω της μόρφωσης και μόνο, και ενώ έχει μια δεσποτική κυβέρνηση από πάνω του, μπορεί να κατακτήσει τα δικαιώματά του. Διδάξτε τον, πρώτα απ' όλα, να κατακτά τα δικαιώματά του. Και αυτός ο λαός, όταν θα έχει μια κυβέρνηση που τον εκπροσωπεί, θα μάθει όλα όσα είναι να μάθει και κάτι παραπάνω: ο λαός θα γίνει ο ίδιος δάσκαλος των πάντων, χωρίς καμία προσπάθεια. [*Χειροκροτήματα*]

Και εμείς οι ίδιοι, μια κυβέρνηση επαναστατική, μέρος του λαού, έχουμε διδαχθεί ρωτώντας πάντοτε τον λαό, χωρίς ποτέ να διαχωριζό-μαστε από αυτόν. Διότι αυτός που διοικεί και απομονώνεται μέσα σε έναν γυάλινο πύργο, προσπαθώντας να καθοδηγήσει τον λαό με φόρμουλες, είναι αποτυχημένος και βαδίζει στον δρόμο του δεσποτισμού. Λαός και κυβέρνηση πρέπει να είναι πάντα ένα και το αυτό πράγμα· και όλοι εσείς, οι συναγωνιστές που μας επισκέπτεστε από την αμερικανική ήπειρο και από τις αποικιοκρατούμενες χώρες οι οποίες δεν έχουν κατακτήσει ακόμη την ανεξαρτησία τους, να ξέρετε επιπλέον ότι για να αποτελέσει κανείς την ηγεσία ενός λαού δεν χρειάζεται να ξέρει και πολλά γράμματα. Αν βέβαια ξέρει, ακόμα καλύτερα. Αν είναι και φιλόσοφος ή μαθηματικός, καλό είναι. Αλλά για να καθοδηγεί τον λαό πρέπει να τον ερμηνεύει, και είναι πολύ πιο εύκολο να ερμηνεύει κανείς τον λαό όταν είναι και ο ίδιος κομμάτι αυτού του λαού, όταν ποτέ –είτε λόγω μόρφωσης είτε εξαιτίας οποιουδήποτε άλλου φράγματος που σήμερα διαχωρίζει τους ανθρώπους– δεν έχει ζήσει απομονωμένος από τον λαό.

Γι' αυτό εμείς έχουμε μια κυβέρνηση από εργάτες, από αγρότες και επίσης από ανθρώπους που ήξεραν να διαβάζουν από πριν, αλλά αυτοί οι τελευταίοι είναι μια μειονότητα και τα περισσότερα τα έμαθαν μέσα στον αγώνα. Και έχετε εδώ ένα παράδειγμα, στην Αντάρτικη Νεολαία. [Χειροκροτήματα] Όταν την Κυριακή θα ακούσετε τα λόγια του *comandante* (διοικητή) Χοέλ Ιγκλέσιας, [χειροκροτήματα] πρέπει να γνωρίζετε ότι, όταν αυτός ο διοικητής του Αντάρτικου Στρατού ήρθε στη Σιέρα Μαέστρα στα δεκαπέντε του, μόλις που ήξερε να διαβάζει, και δεν ήξερε καθόλου να γράφει. Και σήμερα μπορεί να απευθύνεται σε ολόκληρη τη νεολαία, όχι επειδή μετατράπηκε σε φιλόσοφο μέσα σε ενάμιση χρόνο, αλλά επειδή μπορεί να μιλά στον λαό γιατί είναι και ο ίδιος μέρος του λαού, και γιατί νιώθει αυτό που νιώθετε και όλοι εσείς κάθε μέρα· και ξέρει να το εκφράζει· μπορεί να σας αγγίξει. Αν οι κυβερνήσεις αποτελούνται από τέτοιους ανθρώπους, ακόμα καλύτερα.

Γι' αυτό τον λόγο, από αυτό εδώ το βήμα χαιρετίζουμε τις

κυβερνήσεις του κόσμου, οι ηγέτες των οποίων έχουν υποφέρει ζώντας μέσα στους κόλπους του λαού, έχουν μάθει γράμματα στην πορεία του αγώνα και σήμερα, όπως πάντα, ταυτίζονται με τον λαό τους.

[*Χειροκροτήματα*]

Εσείς, συναγωνιστές από όλο τον κόσμο, ήρθατε εδώ για να μας γνωρίσετε και να δουλέψετε κοντά μας. Επίσης, όμως, πέρα από όλη τη γνώση που μας μεταφέρατε, μπορείτε πάντοτε να μάθετε και εσείς κάτι καινούριο· ιδιαίτερα όλοι οι συναγωνιστές από τις χώρες που δεν έχουν ζήσει αυτή την εμπειρία και προετοιμάζονται να τη ζήσουν. Διότι αυτό είναι μέρος της ιστορίας, και η ιστορία δεν μπορεί να αλλάξει.

Υπάρχουν πολλά πράγματα να μάθει κανείς στην Κούβα, όχι μόνο τα καλά, εκείνα που φαίνονται κάθε μέρα, εκείνα που δείχνουν τον ενθουσιασμό και το πάθος του λαού. Μπορείτε επίσης να μάθετε και από τα άσχημα πράγματα, ούτως ώστε κάποια μέρα, όταν θα πρέπει να κυβερνήσετε, να μην κάνετε τα λάθη που έχουμε κάνει εμείς. Για να μάθετε πως το ζήτημα της οργάνωσης είναι στενά συνδεδεμένο με τη νίκη του λαού· ότι όσο πιο βαθιά και ουσιαστική είναι αυτή η οργάνωση τόσο πιο εύκολη θα είναι η νίκη.

Ήρθατε να δουλέψετε, να χτίσετε ένα σχολικό συγκρότημα, αλλά όταν φθάσατε δεν ήταν όλα οργανωμένα. Το σχολικό συγκρότημα βρισκόταν σε διακοπές και δεν μπορέσατε να ολοκληρώσετε αυτό το μικρό μνημείο στην ανθρώπινη αλληλεγγύη που θέλατε να αφήσετε εδώ. Είναι κρίμα, αν και για μας αξίζει το ίδιο, έτσι όπως είναι, σαν να είχατε φτιάξει το πιο όμορφο παλάτι. Είναι, όμως, και ένα μάθημα που δείχνει ότι η οργάνωση είναι σημαντική, ότι δεν μπορεί κανείς να νομίζει ότι ο επαναστάτης είναι ένα ουράνιο πλάσμα που πέφτει στη γη με τη χάρη του Θεού, απλώνει τα χέρια του, αρχίζει την επανάσταση, και όλα τα προβλήματα λύνονται τη στιγμή που προκύπτουν, απλά και μόνο με τη χάρη αυτού του πεφωτισμένου ανθρώπου. Ο επαναστάτης πρέπει να είναι ένας ακούραστος εργάτης· και, εκτός από ακούραστος, πρέπει να είναι οργανωμένος. Και αν εσείς, αντί να διδαχθείτε μέσα από τις αποτυχίες του αγώνα όπως χρειάστηκε να κάνουμε εμείς, μπείτε στον επαναστατικό αγώνα μεταφέροντας αυτή την προγενέστερη εμπειρία της οργάνωσης, τόσο το καλύτερο για τις χώρες στις οποίες σάς έλαχε να αγωνιστείτε για την επανάσταση. Αυτό είναι ένα από τα μαθήματα που μπορείτε να διδαχθείτε εδώ, και μπορείτε να το διδαχθείτε από αυτό το συγκεκριμένο αρνητικό παράδειγμα, ακριβώς επειδή εμείς δεν μπορέσαμε να σας προσφέρουμε ένα θετικό.

Αλλά, φυσικά, σε πολλούς άλλους τομείς της οικονομίας της χώρας δεν έχουμε διαπράξει το ίδιο αμάρτημα. Από τις πρώτες μέρες του αγώνα, μάθαμε ότι έπρεπε να οργανωθούμε. Έτσι, αν και δεν έχει καλά καλά συμπληρωθεί ο δεύτερος χρόνος της επανάστασης, εμείς προετοιμαζόμαστε να παρουσιάσουμε το πρώτο μας καλά οργανωμένο αναπτυξιακό σχέδιο, το οποίο και θα εφαρμόσουμε με όλον μας τον ενθουσιασμό, μαζί με ολόκληρο τον λαό. Διότι ένα φιλόδοξο αναπτυξιακό σχέδιο, που προσπαθεί να θέσει σε εντατική λειτουργία το σύνολο των δυνάμεων του λαού, δεν μπορεί να είναι διαχωρισμένο από αυτόν. Πρέπει να το φτιάξουμε όλοι μαζί, έτσι ώστε όλος ο κόσμος να το κατανοεί, όλος ο κόσμος να συλλαμβάνει την ουσία του και έτσι όλος ο κόσμος να βοηθήσει για να βγει η δουλειά.

Έτσι, θα είμαστε για άλλη μια φορά η πρώτη χώρα στην αμερικανική ήπειρο που θα μπορεί να λέει με υπερηφάνεια ότι διαθέτει ένα σχέδιο οικονομικής ανάπτυξης και, εκτός από αυτό –κάτι που είναι το πιο σημαντικό απ' όλα– ένα σχέδιο που πρόκειται να υλοποιηθεί· και ένα σχέδιο που θα κάνουμε ό,τι περνάει από το χέρι μας ακόμα και να το ξεπεράσουμε. [Χειροκροτήματα] Γιατί χρειαζόμαστε αυτό το σχέδιο;

Και για μας επίσης είναι κάτι καινούριο· γι' αυτό είμαστε πάντοτε υποχρεωμένοι να μελετάμε πολύ προσεκτικά καθετί που δεν κατανοούμε πλήρως. Πρέπει να αναλύσουμε τι είναι εκείνο που θέλει ο εχθρός να κάνουμε. Και πρέπει να αναλύσουμε τον λόγο για τον οποίο θέλει να το κάνουμε· και τότε να κάνουμε το αντίθετο. Αν ο εχθρός δεν θέλει να σχεδιάζουμε, δεν θέλει να οργανωνόμαστε, δεν θέλει να εθνικοποιήσουμε την οικονομία μας, και αν αγωνίζεται με όλες τού τις δυνάμεις ενάντια σε αυτό, γιατί το κάνει; Επειδή ακριβώς μέσα από την αναρχία της καπιταλιστικής παραγωγής μπορούν αυτοί να ξεζουμίζουν τον εργαζόμενο λαό, και επιπλέον να δημιουργούν σε κάθε άνθρωπο τη νοοτροπία του ατομικιστικού αλληλοσπαραγμού· να προσπαθεί ο καθένας να τα βγάλει πέρα μόνος του, μοιράζοντας αγκωνιές, κλοτσιές και κουτουλιές, για να μπορέσει πατώντας όλους τους άλλους να πάει αυτός μπροστά, χωρίς να συνειδητοποιεί ότι, αν όλοι είχαμε οργανωθεί και είχαμε ενωθεί, θα ήμασταν μια δύναμη τεράστια και θα μπορούσαμε να προχωρήσουμε πολύ περισσότερο, κάτι που θα ήταν προς το συμφέρον όλων. [*Χειροκροτήματα*]

Προφανώς πάντοτε υπάρχουν μερικοί, πάντοτε υπάρχουν κάποιοι λίγοι που κοιτάζουν αφ' υψηλού, που αποφεύγουν την προσπάθεια και την καθημερινή δουλειά, που προσβάλλονται όταν ακούν τέτοια πράγματα, που αναφωνούν γεμάτοι φρίκη και μιλούν για τα ιερά και τα όσια της ατομικής ιδιοκτησίας. Αλλά, τι είναι αυτή η ατομική ιδιοκτησία, η ιδιοκτησία των μεγάλων μονοπωλίων; (Δεν μιλάμε για τον μικρό βιοτέχνη ή τον έμπορο, αλλά για τα μεγάλα μονοπώλια.) Είναι κάτι που καταστρέφει όχι μόνο το δυναμικό μας, αλλά ακόμα και την εθνική μας ταυτότητα και τον πολιτισμό μας. Το μονοπώλιο –που είναι το αρχέτυπο της ιδιωτικής ιδιοκτησίας, το πρότυπο του αγώνα του ανθρώπου ενάντια στον άνθρωπο– είναι το όπλο που χρησιμοποιούν οι αυτοκρατορίες για να διαιρούν, να εκμεταλλεύονται και να ταπεινώνουν τον λαό. Τα μονοπώλια προσφέρουν φθηνότερα προϊόντα, τα οποία είτε είναι κακής ποιότητας είτε είναι περιττά. Πουλούν την κουλτούρα τους σε μορφή κινηματογραφικών ταινιών, μυθιστορημάτων ή παιδικών ιστοριών, με μοναδική πρόθεση να καλλιεργήσουν σιγά σιγά μέσα μας μια διαφορετική νοοτροπία. Διότι έχουν τη δική τους στρατηγική: τη στρατηγική του οικονομικού φιλελευθερισμού (laissez-faire)· τη στρατηγική της ατομικής προσπάθειας σε αντιπαράθεση με τη συλλογική προσπάθεια· απευθύνονται σε αυτό τον κόκκο εγωισμού που υπάρχει μέσα σε κάθε άνθρωπο, για να επικρατήσει πάνω στους υπόλοιπους. Προσπαθούν, επιπλέον, να τονώσουν εκείνο το μικρό σύμπλεγμα ανωτερότητας που έχουν όλοι οι άνθρωποι και τους κάνει να πιστεύουν ότι είναι καλύτεροι από τους άλλους. Έτσι, λοιπόν, τα μονοπώλια ενσταλάζουν στο άτομο από τα γεννοφάσκια του, την αντίληψη ότι εφόσον είσαι εσύ ο καλύτερος και ο πιο εργατικός, σε βολεύει να αγωνιστείς ατομικά ενάντια σε όλους τους άλλους, να εξουδετερώσεις όλους τους άλλους και να μετατραπείς και εσύ σε εκμεταλλευτή.

Τα μονοπώλια κάνουν ό,τι μπορούν ώστε να αποδείξουν ότι η συλλογική προσπάθεια υποδουλώνει και δεν επιτρέπει στους πιο ευφυείς ή στους πιο ικανούς να διαπρέψουν. Λες και ο λαός αποτελείται απλά από άτομα που μερικά είναι πιο ευφυή ή πιο ικανά· λες και ο λαός δεν είναι μια μεγάλη μάζα από θέληση και από καρδιές, όπου όλοι έχουν πάνω κάτω την ίδια ικανότητα για δουλειά, το ίδιο πνεύμα αυτοθυσίας και την ίδια ευφυΐα.

Έρχονται, λοιπόν, στις αδιαφοροποίητες μάζες και προσπαθούν να τις διαιρέσουν: σε μαύρους και λευκούς, σε λιγότερο και περισσότερο ικανούς, σε εγγράμματους και αναλφάβητους· και κατόπιν συνεχίζουν να τους διαιρούν ακόμα περισσότερο, μέχρι να φθάσουν στο άτομο και να κάνουν το άτομο επίκεντρο της κοινωνίας.

Φυσικά, πάνω από αυτά τα άτομα που τόσο επιδεικνύουν, στέκουν τα μονοπώλια, τα οποία επίσης είναι συλλογικότητες, αλλά είναι οι συλλογικότητες της εκμετάλλευσης. Εμείς οφείλουμε να αποδείξουμε στους ανθρώπους ότι η δύναμή τους δεν έγκειται στο να θεωρούν τον εαυτό τους σπουδαιότερο ή καλύτερο από τους υπόλοιπους, αλλά στο να ξέρει ο καθένας τα όριά του και να γνωρίζει επιπλέον και τη δύναμη της ενότητας· να μάθουν οι άνθρωποι ότι δύο τα καταφέρνουν πάντοτε καλύτερα από έναν, και δέκα καλύτερα από δύο, και εκατό καλύτερα από δέκα, και έξι εκατομμύρια καλύτερα από εκατό! [*Χειροκροτήματα*]

Συναγωνιστές, μέλη των αντιπροσωπειών από όλες τις χώρες του κόσμου: οφείλω να σας ευχαριστήσω στο όνομα του κουβανικού λαού, και να σας πω ειλικρινά ότι έχουμε μάθει πολλά από σας, και αφήνετε πίσω σας μια ανάμνηση ανεξίτηλη· να σας δηλώσω, επιπλέον, ότι και εμείς είχαμε τη φιλοδοξία να αφήσουμε μέσα σας μια ανάμνηση ανεξίτηλη. Πέρα από αυτό, είχαμε τη φιλοδοξία να επωφεληθείτε από εμάς όσο πιο πολύ μπορούσατε, για να αναλύσετε κατόπιν σε όλα τα μέρη του κόσμου, όπου είναι απαραίτητο να αναλυθεί, το γιατί των πραγμάτων. Ευχόμαστε να συνεχίσετε να εξετάζετε τις θεωρίες, να τις αναθεωρείτε, να τις αναλύετε προσεκτικά. Και ευχόμαστε να αναρωτιέται ο καθένας σας αν θα μπορέσει άραγε κάποια μέρα να είναι ευτυχισμένος, και ποιος είναι ο τρόπος για να γίνει ευτυχισμένος.

Δεν έχουμε εμείς την πρόθεση να παρουσιάσουμε τον εαυτό μας ως παράδειγμα. Το δίνουμε απλώς· το προσφέρουμε με τα χέρια μας απλωμένα ως ένα ιστορικό γεγονός. Αν κανείς μπορεί να βγάλει από εδώ κάποια συμπεράσματα που είναι ωφέλιμα –έστω και στο ελάχιστο– για κάποιο άλλο κομμάτι του πληθυσμού της γης, εμείς αισθανόμαστε ικανοποιημένοι. Ακόμα, όμως, και αν δεν καταφέραμε κάτι τέτοιο, σε κάθε περίπτωση θα θεωρούσαμε τον εαυτό μας ευτυχή αν, στα ταξίδια μας σε άλλα μέρη του κόσμου, συναντούσαμε τα φιλικά χέρια όλων σας, των ανθρώπων που θα θυμούνται αυτούς τους δύο μήνες παραμονής στην Κούβα. [*Χειροκροτήματα*] Εμείς, συναγωνιστές, θα σας θυμόμαστε με μεγάλη ευγνωμοσύνη. Ευχόμαστε κάποια μέρα να ξανασυναντηθούμε. Σας προσκαλούμε να επισκεφθείτε τη χώρα μας όσες φορές θέλετε για να δουλέψετε σε αυτήν, για να μάθετε σε αυτήν ή απλά για να τη δείτε ξανά. Σας αποχαιρετούμε με μια αδελφική αγκαλιά και σας λέμε «γεια και καλή αντάμωση»! [*Επευφημίες*]

Το πανεπιστήμιο πρέπει να βαφτεί με το χρώμα των μαύρων, των μιγάδων, των εργατών και των αγροτών

Στο Κεντρικό Πανεπιστήμιο του Λας Βίγιας
28 Δεκέμβρη 1959

Τον Γενάρη του 1959, όταν θριάμβευσε η επανάσταση, η ταξική σύνθεση των φοιτητών και των καθηγητών στα τρία πανεπιστήμια της Κούβας – της Αβάνας, του Σαντιάγο και της Σάντα Κλάρα– αντανακλούσε την εκμεταλλευτική κοινωνία που οι εργάτες και οι αγρότες πάλευαν τώρα να αφήσουν πίσω τους. Από τις πρώτες μέρες, η επαναστατική κυβέρνηση της Κούβας θέσπισε μέτρα που θα βοηθούσαν στην άμβλυνση των ταξικών ανισοτήτων και των ρατσιστικών διακρίσεων οι οποίες είναι έμφυτες στις καπιταλιστικές κοινωνικές σχέσεις. Στην Κούβα, οι τρεις αιώνες δουλείας για τους μαύρους καθώς και οι δεκαετίες της ιμπεριαλιστικής κυριαρχίας των ΗΠΑ είχαν επιδεινώσει την κατάσταση περαιτέρω. Κατά τα δύο πρώτα χρόνια η νέα κυβέρνηση, μαζί με την αγροτική μεταρρύθμιση και την εθνικοποίηση της βιομηχανίας, πήρε και πολλά άλλα επαναστατικά μέτρα. Κινητοποίησε περισσότερους από 100.000 νέους ως εθελοντές δασκάλους που πήγαν σε κάθε γωνιά της κουβανικής υπαίθρου, σε μια καμπάνια η οποία διήρκεσε έναν χρόνο και σχεδόν εξάλειψε τον αναλφαβητισμό –πληγή η οποία πριν την επανά-σταση ήταν μια πραγματικότητα στη ζωή του 25% του πληθυσμού. Με διατάγματα της κυβέρνησης, τα ενοίκια και το κόστος των φαρμάκων μειώθηκαν στο μισό, όπως έγινε και με το κόστος του ηλεκτρικού ρεύματος και του τηλεφώνου. Για πρώτη φορά στην Κούβα, δημιουργήθηκε ένα ευρύ δημόσιο εκπαιδευτικό σύστημα για ολόκληρο τον πληθυσμό. Τα ιδιωτικά σχολεία έγιναν κέντρα εκπαίδευσης για όλους. Ξεκίνησε να λειτουργεί ένα

Ο Τσε Γκεβάρα στο Κεντρικό Πανεπιστήμιο του Λας Βίγιας, στις 28 Δεκέμβρη του 1959, όπου του απονέμεται τιμητικό πτυχίο, καπέλο και τήβεννος από τον πρύτανη Μαριάνο Ροντρίγκεζ.

«Μπορώ να αποδεχθώ το πτυχίο αυτό μόνο ως τιμητική διάκριση προς τον λαϊκό μας στρατό, αφού οι μόνες εμπειρίες που έχω ως παιδαγωγός είναι στην παιδαγωγική του αντάρτικου στρατοπέδου, της βρισιάς και της αγριάδας. Γι' αυτό και συνεχίζω να φορώ τη στολή του Αντάρτικου Στρατού.»

δημόσιο σύστημα υγείας, με δωρεάν ιατρική φροντίδα για όλον τον κουβανικό λαό.

Στην ομιλία που ακολουθεί, η οποία εκφωνήθηκε στο Κεντρικό Πανεπιστήμιο του Λας Βίγιας στη Σάντα Κλάρα, καθώς και στις δύο επόμενες ομιλίες του βιβλίου αυτού, ο Τσε Γκεβάρα αναφέρεται στην πρόκληση που αποτελεί η προώθηση μιας παρόμοιας προοπτικής και στα πανεπιστήμια της Κούβας. Στην πρόκληση, δηλαδή, να αποκτήσουν πρόσβαση οι γιοι και οι κόρες των εργατών και αγροτών σε αυτούς τους σχεδόν αποκλειστικά λευκούς θύλακες· στην πρόκληση του μετασχηματισμού τόσο του χαρακτήρα τους όσο και του προγράμματος σπουδών έτσι ώστε να βρίσκονται σε αντιστοιχία με τα νέα επαναστατικά καθήκοντα.

Στην προεπαναστατική Κούβα, η ίδια η λειτουργία του καπιταλισμού αναπαρήγαγε καθημερινά ένα σύστημα φυλετικού διαχωρισμού που στιγμάτιζε τους μαύρους και τους μιγάδες. Από τον 16ο αιώνα, την εποχή δηλαδή της ισπανικής κατάκτησης, είχαν μεταφερθεί στην Κούβα Αφρικανοί οι οποίοι δούλευαν ως δούλοι στις φυτείες ζαχαροκάλαμου. Οι πόλεμοι για την ανεξαρτησία του νησιού από την Ισπανία, προς το τέλος του 19ου αιώνα, ήταν συνυφασμένοι με τον αγώνα για την κατάργηση της δουλείας, κάτι που έγινε μόλις το 1886. Δεκάδες χιλιάδες δούλοι και απόγονοι δούλων πολέμησαν ως στρατιώτες, αξιωματικοί και διοικητές στους τρεις πολέμους για ανεξαρτησία, αποτελώντας την πλειονότητα των μελών του Απελευθερωτικού Στρατού.

Στη διάρκεια των πρώτων εξήντα χρόνων του 20ού αιώνα, οι μαύροι στις πόλεις και στην ύπαιθρο της Κούβας, αντιμετώπιζαν τις χειρότερες συνθήκες στους χώρους εργασίας, στην εκπαίδευση, στην υγεία και στη στέγαση. Ένα σύστημα φυλετικού διαχωρισμού παρόμοιο με αυτό του Τζιμ Κρόου [Jim Crow] στις Νότιες πολιτείες των ΗΠΑ επικρατούσε σε ολόκληρη σχεδόν την Κούβα. Από τα πρώτα μέτρα της νέας επαναστατικής κυβέρνησης, ήταν η θέσπιση νόμων για την αντιμετώπιση αυτής της ρατσιστικής καταπίεσης. Μιλώντας σε μια συγκέντρωση στην Αβάνα στις

22 Μάρτη του 1959, ο Φιντέλ Κάστρο ανακοίνωσε ότι οι διακρίσεις σε βάρος των μαύρων στους χώρους εργασίας κηρύσσονται παράνομες. Μερικές εβδομάδες αργότερα, με τον Νόμο 270, όλες οι παραλίες και άλλοι δημόσιοι χώροι κηρύχθηκαν ανοιχτοί για όλους: μαύρους, μιγάδες και λευκούς. Τα κλαμπ, τα καταστήματα και άλλες επιχειρήσεις που αρνούνταν να προσφέρουν ίση πρόσβαση και υπηρεσίες στους μαύρους έκλεισαν. Ο Αντάρτικος Στρατός, η επαναστατική αστυνομική δύναμη που μόλις είχε σχηματιστεί και οι λαϊκές πολιτοφυλακές είχαν την ευθύνη για την τήρηση των νόμων.

Όπως παρατηρεί ο Γκεβάρα στην ομιλία του, η επίσκεψή του στο Λας Βίγιας συνέπεσε με το Πρώτο Εθνικό Φόρουμ Κουβανικών Βιομηχανιών που είχαν οργανώσει οι φοιτητές του πανεπιστημίου εκεί. Από τον Οκτώβρη του 1959, ο Γκεβάρα ήταν επικεφαλής του Τμήματος Εκβιομηχάνισης του Εθνικού Ιδρύματος Αγροτικής Μεταρρύθμισης. Στις 26 Νοέμβρη του 1959, διορίστηκε επίσης πρόεδρος της Εθνικής Τράπεζας.

❖

Αγαπητοί συναγωνιστές, νέοι συνάδελφοι στην Πανεπιστημιακή Σύγκλητο και παλιοί συνάδελφοι στον αγώνα για την απελευθέρωση της Κούβας,

Θα πρέπει να ξεκινήσω την ομιλία μου λέγοντας ότι μπορώ να αποδεχτώ το πτυχίο που μου απονέμετε σήμερα, ως μια τιμητική διάκριση προς τον λαϊκό μας στρατό. Δεν θα μπορούσα να το αποδεχτώ ως άτομο. Και αυτό, για τον απλό λόγο ότι στη νέα Κούβα οτιδήποτε δεν είναι αυτό που διατείνεται ότι είναι στερείται οποιασδήποτε αξίας. Πώς θα μπορούσα εγώ ως άτομο, ο Ερνέστο Γκεβάρα, να δεχτώ το βαθμό του επίτιμου διδάκτορα που μου απονεμήθηκε από την Παιδαγωγική Σχολή, αφού οι μόνες εμπειρίες που έχω ως παιδαγωγός είναι στην παιδαγωγική του αντάρτικου στρατοπέδου, της βρισιάς και της αγριάδας; [*Χειροκροτήματα*] Και πιστεύω ότι αυτά σίγουρα δεν θα μπορούσαν να μεταφραστούν σε τήβεννο. Γι' αυτό συνεχίζω να φοράω τη στολή του Αντάρτικου Στρατού, ακόμα και εδώ που ήρθα για να βρεθώ μπροστά σας, σε αυτή την Πανεπιστημιακή Σύγκλητο, στο όνομα, και εκ μέρους του στρατού μας. Αποδεχόμενος αυτόν τον τίτλο, ο οποίος είναι τιμή για όλους μας, θα ήθελα να παρουσιάσω και το μήνυμά μας, το μήνυμα ενός λαϊκού στρατού, ενός νικηφόρου στρατού.

Κάποτε είχα υποσχεθεί στους φοιτητές αυτού του πανεπιστημίου μια σύντομη ομιλία με την οποία θα παρουσίαζα τις απόψεις μου για τον ρόλο του πανεπιστημίου. Ωστόσο, η δουλειά και μια ατελείωτη σειρά γεγονότων με εμπόδισαν να το κάνω. Σήμερα, όμως, θα μιλήσω, μια που έχω και τον τίτλο του επίτιμου διδάκτορα. [*Χειροκροτήματα*]

Τι πρέπει, λοιπόν, να πω για το βασικό καθήκον του πανεπιστημίου, το πρωταρχικό καθήκον που υπερέχει όλων, σε αυτή τη νέα Κούβα; Αυτό που πρέπει να πω είναι ότι το πανεπιστήμιο θα πρέπει να βαφτεί με το χρώμα των μαύρων και με το χρώμα των μιγάδων, όχι μόνο όσον αφορά τους φοιτητές αλλά και όσον αφορά τους καθηγητές. Θα πρέπει να βαφτεί με το χρώμα των εργατών και των αγροτών. Με το χρώμα του λαού, αφού το πανεπιστήμιο είναι κληρονομιά του λαού της Κούβας και κανενός άλλου. Εάν αυτός ο λαός, του οποίου οι αντιπρόσωποι πλέον καταλαμβάνουν όλες τις κυβερνητικές θέσεις, πήρε τα όπλα και έριξε όλους τους φραγμούς που είχε υψώσει η αντίδραση, αυτό δεν έγινε επειδή αυτοί οι φραγμοί ήταν άκαμπτοι. Ούτε οι αντιδραστικές δυνάμεις ήταν τόσο άμυαλες ώστε να μην δείξουν ευλυγισία, προκειμένου να επιβραδύνουν την προέλαση του λαού. Ωστόσο, ο λαός θριάμβευσε. Και είναι λίγο κακομαθημένος από τη νίκη του. Έχει συνείδηση της δύναμής του. Ξέρει ότι κανένας δεν μπορεί να τον αναχαιτίσει. Σήμερα, ο λαός στέκεται μπροστά στην πύλη του πανεπιστημίου, και είναι το πανεπιστήμιο αυτό που θα πρέπει να δείξει ευλυγισία. Θα πρέπει να βαφτεί με τα χρώματα των μαύρων, των μιγάδων, των εργατών, των αγροτών, ή αλλιώς θα βρεθεί χωρίς πόρτες. Γιατί τότε ο λαός θα τις σπάσει με ορμή, θα μπει μέσα και θα το βάψει με τα χρώματα που θεωρεί κατάλληλα.

Αυτό είναι το πρώτο μήνυμα, ένα μήνυμα που ήθελα να μεταφέρω από τις πρώτες κιόλας μέρες της νίκης [χειροκροτήματα] και στα τρία πανεπιστήμια της χώρας, αλλά στάθηκε εφικτό να το κάνω μόνο στο πανεπιστήμιο [του Οριέντε] στο Σαντιάγο. Αν ζητούσατε τη συμβουλή μου εκ μέρους του λαού και του Αντάρτικου Στρατού, καθώς και ως καθηγητή πανεπιστημίου, θα έλεγα ότι για να προσεγγίσεις τον λαό θα πρέπει να νιώθεις ότι είσαι κομμάτι του. Θα πρέπει να ξέρεις τι θέλει ο λαός, τι ανάγκες έχει και τι αισθάνεται. Θα πρέπει να κοιτάξεις λίγο μέσα σου· να μελετήσεις τις στατιστικές του πανεπιστημίου, και να ρωτήσεις πόσοι εργάτες, πόσοι αγρότες, πόσοι άνθρωποι που κερδίζουν το ψωμί τους με τον ιδρώτα τους, δουλεύοντας οκτώ ώρες την ημέρα, βρίσκονται εδώ σε αυτό το πανεπιστήμιο.

Αφού έχετε θέσει αυτά τα ερωτήματα, θα πρέπει επίσης να αναρωτηθείτε, ανατρέχοντας στην αυτοανάλυση, εάν η κυβέρνηση της Κούβας σήμερα αντιπροσωπεύει τη θέληση του λαού. Αν η απάντηση είναι ναι, αν αυτή η κυβέρνηση πραγματικά αντιπροσωπεύει τη θέληση του λαού, [δυνατά χειροκροτήματα] τότε θα πρέπει κανείς να θέσει και τα ακόλουθα ερωτήματα: Πού είναι αυτή η κυβέρνηση, η οποία αντιπροσωπεύει τη θέληση του λαού, σε αυτό το πανεπιστήμιο και τι κάνει; Θα βλέπαμε ότι δυστυχώς, η κυβέρνηση που αντιπροσωπεύει ολόκληρο σχεδόν τον κουβανικό λαό δεν έχει καμία φωνή στα κουβανικά πανεπιστήμια, φωνή με την οποία θα μπορούσε να σημάνει τον συναγερμό, να προσφέρει καθοδήγηση, και να εκφράσει, χωρίς μεσολαβητές, τη θέληση, τους πόθους και τα αισθήματα του λαού.

Το Κεντρικό Πανεπιστήμιο του Λας Βίγιας έκανε πρόσφατα ένα βήμα προς τη σωστή κατεύθυνση. Στην εκδήλωση που οργάνωσε με θέμα την εκβιομηχάνιση, κάλεσε όχι μόνο τους βιομήχανους της Κούβας αλλά και την κυβέρνηση. Ζητήθηκε η γνώμη μας, και η γνώμη όλων των τεχνικών που εργάζονται στις κρατικές και ημι-κρατικές υπηρεσίες. Επειδή σε αυτόν τον πρώτο χρόνο από την απελευθέρωση –και αυτό μπορώ να το πω χωρίς να καυχηθώ– κάνουμε πολύ περισσότερα από όσα έχουν κάνει άλλες κυβερνήσεις, και πολύ περισσότερα από αυτούς που με στόμφο αποκαλούν τους εαυτούς τους υπερασπιστές της «ελεύθερης πρωτοβουλίας». Έτσι, έχουμε το δικαίωμα να δηλώσουμε ότι η εκβιομηχάνιση της Κούβας, η οποία είναι άμεσο αποτέλεσμα της αγροτικής μεταρρύθμισης, θα επιτευχθεί από την επαναστατική κυβέρνηση, και υπό την καθοδήγησή της. [*Παρατεταμένα χειροκροτήματα*] Η ιδιωτική πρωτοβουλία θα παίξει, φυσικά, έναν σημαντικό ρόλο σε αυτό το στάδιο της ανάπτυξης της χώρας. Θα είναι, όμως, η κυβέρνηση που θα δίνει τις κατευθύνσεις και θα το κάνει βασιζόμενη στα δικά της επιτεύγματα. [*Χειροκροτήματα*] Θα το κάνει γιατί ξεκίνησε την εκστρατεία εκβιομηχάνισης ανταποκρινόμενη σε μία από τις πιο βαθιές, ίσως, προσδοκίες των μαζών, και όχι λόγω κάποιας βίαιης πίεσης από τους βιομήχανους της χώρας. Η εκβιομηχάνιση, και η προσπάθεια που αυτή συνεπάγεται, είναι παιδί της επαναστατικής κυβέρνησης. Γι' αυτό, η κυβέρνηση θα την καθοδηγήσει και θα τη σχεδιάσει.

Τα καταστροφικά δάνεια της αποκαλούμενης Τράπεζας Ανάπτυξης έχουν εκλείψει πια. Αυτή η τράπεζα, για παράδειγμα, δάνειζε δεκαέξι εκατομμύρια πέσος σε έναν βιομήχανο, ο οποίος κατέβαλε 400.000 πέσος (και αυτά είναι τα πραγματικά ποσά). Αλλά ακόμα και αυτά τα 400.000 πέσος δεν είχαν βγει από την τσέπη του. Βγήκαν από το 10% που πήρε ο βιομήχανος ως δωροδοκία από τον πωλητή, ο οποίος του πούλησε τον μηχανολογικό εξοπλισμό. Παρόλο που η κυβέρνηση είχε καταβάλει δεκαέξι εκατομμύρια πέσος, αυτός ο κύριος που κατέβαλε 400.000 πέσος ήταν ο μοναδικός ιδιοκτήτης της επιχείρησης. Και αφού η κυβέρνηση ήταν ο δανειστής του, μπορούσε να πληρώσει το χρέος του με ευνοϊκούς όρους και όποτε τον βόλευε. Τώρα η κυβέρνηση έχει παρέμβει, αρνούμενη να ανεχτεί αυτή την κατάσταση. Διεκδικεί την ιδιοκτησία οποιασδήποτε επιχείρησης έχει συσταθεί με τα χρήματα του λαού. Εάν «ιδιωτική πρωτοβουλία» σημαίνει ότι λίγα παράσιτα απολαμβάνουν όλα τα χρήματα του κουβανικού έθνους, τότε αυτή η κυβέρνηση δηλώνει ξεκάθαρα ότι αντιτίθεται στην «ιδιωτική πρωτοβουλία», στον βαθμό που η «ιδιωτική πρωτοβουλία» αντιτίθεται στον κρατικό σχεδιασμό.

Και μιας και τώρα αναφέρθηκα στο ακανθώδες ζήτημα του σχεδιασμού, θα ήθελα να σας πω ότι μόνο η επαναστατική κυβέρνηση, η οποία σχεδιάζει τη βιομηχανική ανάπτυξη σε όλη τη χώρα, έχει το δικαίωμα να καθορίσει το είδος και τον αριθμό του τεχνικού προσωπικού που θα χρειαστεί στο μέλλον για να καλύψει τις ανάγκες αυτής της χώρας. Η επαναστατική κυβέρνηση θα πρέπει τουλάχιστον να ακουστεί όταν λέει ότι χρειάζεται μόνο έναν συγκεκριμένο αριθμό δικηγόρων ή γιατρών, αλλά χρειάζεται 5.000 μηχανικούς και 15.000 τεχνικούς βιομηχανίας όλων των ειδικοτήτων [παρατεταμένα χειροκροτήματα] και ότι θα πρέπει να εκπαιδευτούν, θα πρέπει να βρεθούν, γιατί αυτή είναι η εγγύηση για τη μελλοντική μας ανάπτυξη.

Σήμερα δουλεύουμε ακούραστα για να μεταμορφώσουμε την Κούβα σε μια διαφορετική χώρα. Βέβαια, ο καθηγητής της παιδαγωγικής που βρίσκεται εδώ μπροστά σας σήμερα δεν έχει αυταπάτες. Ξέρει ότι είναι τόσο καθηγητής της παιδαγωγικής όσο είναι και πρόεδρος της Κεντρικής Τράπεζας, και θα ασκήσει το ένα ή το άλλο καθήκον ανάλογα με τις ανάγκες του λαού. Μαθαίνουμε βήμα βήμα. Γι' αυτό και τίποτα δεν μπορεί να επιτευχθεί χωρίς και ο λαός ο ίδιος να ταλαιπωρηθεί. Μαθαίνουμε πάνω στη δουλειά. Αφού συνεχώς αναλαμβάνουμε καινούριες ευθύνες, και δεν είμαστε αλάθητοι –δεν γεννηθήκαμε ξέροντας τι να κάνουμε– πρέπει να ζητήσουμε από τον λαό να διορθώσει τα λάθη.

Ο καθηγητής που βρίσκεται εδώ μπροστά σας σήμερα ήταν κάποτε γιατρός και, λόγω των περιστάσεων, υποχρεώθηκε να πάρει τα όπλα, και ύστερα από δύο χρόνια αποφοίτησε ως διοικητής ανταρτών. Αργότερα θα πρέπει να αποφοιτήσει ως πρόεδρος τράπεζας ή ως συντονιστής της εκβιομηχάνισης της χώρας, ή ίσως ακόμα και ως καθηγητής παιδαγωγικής. [*Χειροκροτήματα*] Αυτός ο ίδιος, ο γιατρός, ο διοικητής, ο πρόεδρος και ο καθηγητής της παιδαγωγικής εύχεται οι εργατικοί και φιλομαθείς νέοι της χώρας να προετοιμαστούν έτσι ώστε ο καθένας τους, στο κοντινό μέλλον, να μπορεί να αναλάβει τη θέση που θα του ανατεθεί, χωρίς δισταγμό, και χωρίς την ανάγκη να μαθαίνει πάνω στη δουλειά. Αλλά ο καθηγητής που είναι μπροστά σας –ένας γιος του λαού, δημιούργημα του λαού– θέλει επίσης αυτός ο λαός να έχει δικαίωμα στη μόρφωση. Τα τείχη του εκπαιδευτικού συστήματος πρέπει να πέσουν. Η εκπαίδευση δεν θα πρέπει να είναι ένα προνόμιο μόνο των παιδιών των ανθρώπων εκείνων που έχουν χρήματα. Η εκπαίδευση θα πρέπει να είναι ο άρτος ο επιούσιος του κουβανικού λαού. [*Χειροκροτήματα*]

Φυσικά, δεν έχω την απαίτηση από τους σημερινούς καθηγητές και τους φοιτητές του πανεπιστημίου του Λας Βίγιας να κάνουν το θαύμα της εγγραφής των μαζών των εργατών και αγροτών στο πανεπιστήμιο. Έχουμε ακόμη πολύ δρόμο μπροστά μας. Θα χρειαστεί να περάσουμε μια διαδικασία που την έχετε ζήσει όλοι σας, μια διαδικασία πολλών ετών προπαρασκευαστικής εκπαίδευσης. Αυτό που ελπίζω να καταφέρω, πάντως, βασιζόμενος στη μικρή μου εμπειρία ως επαναστάτης και αντάρτης διοικητής, είναι να γίνει κατανοητό από τους φοιτητές του πανεπιστημίου του Λας Βίγιας ότι η εκπαίδευση δεν είναι πλέον το αποκλειστικό δικαίωμα κανενός, και ότι αυτές οι πανεπιστημιακές εγκαταστάσεις όπου σπουδάζετε δεν αποτελούν πια κανενός το φέουδο. Ανήκουν σε όλον τον λαό της Κούβας και είτε θα παραχωρηθούν στον λαό ή ο λαός θα τις καταλάβει. [Χειροκροτήματα]

Ξεκίνησα την καριέρα μου αυτή με τα πολλά σκαμπανεβάσματα ως φοιτητής πανεπιστημίου· ως μέλος της μεσαίας τάξης, ένας γιατρός που μοιραζόταν τους ίδιους ορίζοντες, τις ίδιες νεανικές φιλοδοξίες που έχετε και εσείς. Ωστόσο, στην πορεία του αγώνα, άλλαξα και πείστηκα για την επιτακτική αναγκαιότητα της επανάστασης, και για το δίκαιο των αγώνων του λαού. Γι' αυτό, λοιπόν, ελπίζω ότι εσείς, οι σημερινοί κάτοχοι του πανεπιστημίου, θα το παραχωρήσετε στον λαό. Το ότι αύριο ο λαός θα το πάρει από εσάς, δεν το λέω ως απειλή. Όχι. Απλά λέω ότι εάν οι κάτοχοι του πανεπιστημίου του Λας Βίγιας, οι φοιτητές, το παραχωρούσαν στον λαό, ο οποίος αντιπροσωπεύεται από την επαναστατική κυβέρνηση, αυτό θα ήταν άλλη μία από τις παραδειγμα-τικές πράξεις που βλέπουμε στην Κούβα σήμερα.

Και στους καθηγητές, τους συναδέλφους μου, έχω κάτι παρόμοιο να πω: θα πρέπει να πάρετε το χρώμα των μαύρων, των μιγάδων, των εργατών και αγροτών. Θα πρέπει να πάτε στον λαό. Θα πρέπει να ζείτε και αναπνέετε ως ένα σώμα με τον λαό, δηλαδή θα πρέπει να νιώσετε στο πετσί σας τις ανάγκες ολόκληρης της Κούβας. Όταν θα το καταφέρετε, κανείς δεν θα είναι χαμένος. Όλοι μας θα έχουμε κερδίσει, και η Κούβα θα έχει τη δυνατότητα να συνεχίσει την πορεία της προς το μέλλον με πιο σταθερό βηματισμό.

Και δεν θα υπάρχει ανάγκη να συμπεριλάβετε στις τάξεις των πανεπιστημιακών αυτόν τον γιατρό, τον διοικητή, τον πρόεδρο τράπεζας και τώρα καθηγητή της παιδαγωγικής, που σας αποχαιρετά. [Επευφημίες]

Ο ρόλος του πανεπιστημίου στην οικονομική ανάπτυξη της Κούβας

Στο Πανεπιστήμιο της Αβάνας
2 Μάρτη 1960

Η ανάπτυξη της γεωργίας και της βιομηχανίας στην Κούβα, όπως και αλλού στη Λατινική Αμερική, στην Αφρική και στο μεγαλύτερο μέρος της Ασίας, καθηλώθηκε μέσα από αιώνες αποικιακής εκμετάλλευσης, σε συνδυασμό με τις ιμπεριαλιστικές λεηλασίες δεκαετιών. Το κεφάλαιο των ΗΠΑ επέβαλε μια οικονομία μονοκαλλιέργειας στο νησί –με βάση τη ζάχαρη. Η Κούβα ήταν δεσμευμένη μέσω συμφωνιών να προμηθεύει στα μονοπώλια των γιάνκηδων μία ποσότητα ζάχαρης που ισοδυναμούσε με περισσότερο από το ένα τρίτο του συνόλου της ζάχαρης που προορίζονταν για την αγορά των ΗΠΑ. Την ίδια στιγμή, η Κούβα δεν είχε τη δυνατότητα να πουλήσει τη σοδειά της σε άλλους αγοραστές και ήταν στενά εξαρτημένη από τις ΗΠΑ για εισαγωγές βιομηχανικών προϊόντων, ακόμα και τροφίμων.

Η ακόλουθη ομιλία του Ερνέστο Τσε Γκεβάρα προς τους φοιτητές του Πανεπιστημίου της Αβάνας, τον Μάρτη του 1960, μεταδόθηκε τηλεοπτικά σε όλη τη χώρα. Είχε ως θέμα την οργάνωση των εργατών, των αγροτών και της νεολαίας της Κούβας με στόχο να ανοίξει ο δρόμος για την έξοδο από αυτό το καθεστώς υποταγής. Την εποχή εκείνη, η Βουλή των Αντιπροσώπων των ΗΠΑ συζητούσε ένα σχέδιο νόμου του προέδρου Αϊζενχάουερ που θα εξουσιοδοτούσε την Ουάσιγκτον να μειώσει την ποσόστωση στην εισαγωγή ζάχαρης από την Κούβα. Το νομοσχέδιο αυτό τελικά ψηφίστηκε στις 3 Ιούλη και, τρεις μέρες αργότερα, ο Αϊζενχάουερ μείωσε δραστικά την ποσόστωση.

Προβλέποντας τις κινήσεις της Ουάσιγκτον, η επαναστατική κυβέρνηση διαπραγματευόταν εμπορικές συμφωνίες με άλλες χώρες.

Πάνω: Πανεπιστήμιο της Αβάνας, Ιούλης 1960. Το τεθωρακισμένο που βρίσκεται μπροστά στην πύλη το είχαν αποσπάσει φοιτητές του πανεπιστημίου από τις δυνάμεις του Μπατίστα. Το πλακάτ καλεί σε συμμετοχή σε επαναστατική χοροεσπερίδα στις 6 Αυγούστου, όπου θα γινόταν και η στέψη της «βασίλισσας της πολιτοφυλακής» **Κάτω**: Ο Γκεβάρα μιλάει στους φοιτητές του Πανεπιστημίου της Αβάνας.

«Δεν πιστεύω ότι η εκπαίδευση είναι αυτό που διαμορφώνει μία χώρα. Στην πραγματικότητα, ο Αντάρτικος Στρατός μάς απέδειξε το αντίθετο. Ούτε, όμως, είναι αλήθεια ότι από μόνη της η οικονομική ανάπτυξη μπορεί να μεταμορφώσει την εκπαίδευση.»

Μία από αυτές τις συμφωνίες ήταν η πενταετής σύμβαση με τη Σοβιετική Ένωση, η οποία είχε υπογραφτεί στα μέσα Φλεβάρη, που εξασφάλιζε την ετήσια αγορά ενός εκατομμυρίου τόνων ζάχαρης και την παροχή χαμηλότοκων δανείων στην Κούβα. Ο ιμπεριαλισμός ενέτεινε επίσης τις ενέργειες αντεπαναστατικού σαμποτάζ και τρομοκρατίας. Αεροπλάνα που απογειώνονταν από τη Φλώριδα έβαζαν στο στόχαστρο τις ζαχαροκαλλιέργειες και τα διυλιστήρια της Κούβας. Δύο μέρες μετά την ομιλία αυτή του Τσε Γκεβάρα, το πλοίο *La Coubre* –το οποίο μετέφερε όπλα από το Βέλγιο που είχαν αγοραστεί με εισφορές από τους εργαζόμενους της Κούβας για να μπορέσουν να υπερασπιστούν την επανάστασή τους– ανατινάχτηκε ενώ βρισκόταν στο λιμάνι της Αβάνας, σκοτώνοντας ογδόντα ένα άτομα. Στο μαζικό συλλαλητήριο που οργανώθηκε την επόμενη μέρα, προς τιμή των ανθρώπων που σκοτώθηκαν στην έκρηξη, ο Φιντέλ Κάστρο εξήγγειλε το νέο κέλευσμα της επανάστασης «Πατρίδα ή θάνατος!» [Patria o muerte!].

❖

Αγαπητοί συναγωνιστές,

Προτού προχωρήσω στο θέμα της σημερινής συζήτησης, θα ήθελα να σας ζητήσω να μην δώσετε πολλή σημασία στα λόγια του κυρίου Ναράνχο –νομίζω ότι αυτό είναι το όνομα του ανθρώπου που με παρουσίασε. Θα προτιμούσα να με βλέπετε ως έναν απλό επαναστάτη και πρωτοετή φοιτητή. [*Χειροκροτήματα*] Είμαι πρωτοετής στα οικονομικά στο Πανεπιστήμιο της Επανάστασης. [*Χειροκροτήματα*]

Ήρθα να μιλήσω μαζί σας, φέροντας τον κάπως αμφιλεγόμενο τίτλο του επαναστάτη, όπως επίσης και τον τίτλο που μας ενώνει όλους σαν αδέλφια: αυτόν του σπουδαστή.

Αρχικά είχα σκοπό η συζήτηση αυτή να είναι λίγο πιο ανεπίσημη, με ερωτήσεις και απαντήσεις, ακόμα και αντιπαράθεση. Η τηλεοπτική, όμως, μετάδοση της ομιλίας σε όλη τη χώρα με αναγκάζει να παρουσιάσω το θέμα για το οποίο είχα σκοπό να μιλήσω με έναν πιο οργανωμένο τρόπο. Πρόκειται για ένα θέμα που με έχει απασχολήσει πολύ, όπως πιστεύω ότι έχει απασχολήσει και πολλούς από εσάς.

Ο τίτλος που θα μπορούσαμε, πρόχειρα, να δώσουμε στην παρουσίαση είναι «Ο ρόλος του πανεπιστημίου στην οικονομική ανάπτυξη της Κούβας», μια που μπαίνουμε σε ένα νέο στάδιο στο πεδίο της οικονομίας.

Καταφέραμε να δημιουργήσουμε όλες τις αναγκαίες πολιτικές προϋποθέσεις για να ξεκινήσει η οικονομική μεταρρύθμιση και κάναμε το πρώτο βήμα στην κατεύθυνση αυτή, αλλάζοντας τη δομή της ιδιοκτησίας γης στη χώρα μας. Ξεκινήσαμε δηλαδή με μια αγροτική μεταρρύθμιση, όπως πρέπει να ξεκινάει κάθε αναπτυξιακή διαδικασία.

Για να κατανοήσουμε, όμως, πώς θα είναι αυτή τη διαδικασία, πρέπει να προσδιορίσουμε το ιστορικό και οικονομικό μας πλαίσιο. Αν ξεκινάμε μια αναπτυξιακή διαδικασία, σημαίνει ότι δεν είμαστε ακόμη αναπτυγμένοι. Είμαστε μάλλον υπανάπτυκτοι. Είμαστε μια ημιαποικιακή ή μία ημι-εκβιομηχανισμένη χώρα, όπως θα έλεγαν οι πιο αισιόδοξοι· διαλέξτε όποιον όρο σάς αρέσει. Πρέπει, όμως, να μελετήσουμε σε βάθος τα χαρακτηριστικά του συστήματος αυτού που μας καθιστά υπανάπτυκτους, καθώς και τα μέτρα που πρέπει να πάρουμε για να ξεπεράσουμε την υπανάπτυξη.

Φυσικά, το πρώτο χαρακτηριστικό μιας υπανάπτυκτης χώρας είναι η έλλειψη βιομηχανίας, η εξάρτησή της από αγαθά κατασκευασμένα στο εξωτερικό. Η Κούβα πληροί απόλυτα αυτή την πρώτη προϋπόθεση μιας υπανάπτυκτης χώρας.

Γιατί είχε η Κούβα για χρόνια ένα πρόσωπο ευημερίας, όταν στην πραγματικότητα είμαστε, χωρίς καμία αμφιβολία, μια ημιαποικιακή χώρα; Πολύ απλά γιατί το εξαιρετικό κλίμα της Κούβας και η ραγδαία ανάπτυξη μίας μοναδικής βιομηχανίας, αυτή της ζάχαρης, μας έκανε ανταγωνιστικούς στην παγκόσμια αγορά, με ευνοϊκά επίπεδα παραγωγικότητας στη βιομηχανία αυτή. Το κεφάλαιο των ΗΠΑ προώθησε την ανάπτυξη της βιομηχανίας ζάχαρης καταπατώντας τους νόμους που το ίδιο επινόησε.

Σύμφωνα με έναν παλιό νόμο, από τον καιρό της διακυβέρνησης της Κούβας από τις ΗΠΑ, απαγορευόταν σε πολίτες των ΗΠΑ να κατέχουν γη στο νησί. Αυτά έλεγε ο νόμος. Παρ' όλα αυτά, σύντομα καταπατήθηκε. Η πρόταση του Μανουέλ Σανγκίλι να απαγορεύσει την ιδιοκτησία γης σε αλλοδαπούς δεν είχε καμία ισχύ και σιγά σιγά οι ξένοι αυτοί άρχισαν να γίνονται οι ιδιοκτήτες των μεγάλων φυτειών ζαχαροκάλαμου και να δημιουργούν αυτή την ισχυρή βιομηχανία των 161 μύλων, των έξι εκατομμυρίων τόνων ζάχαρης τον χρόνο, με δείκτες παραγωγικότητας που την έκαναν ανταγωνιστική σε παγκόσμια κλίμακα. Πρόσεξαν πολύ, όμως, ώστε να εξασφαλίσουν ότι η Κούβα θα διατηρούσε ένα ακόμα απαραίτητο στοιχείο των ημι-αποικιακών χωρών: αυτό της παραγωγής ενός και μόνου προϊόντος. Έτσι η Κούβα εξαρτάται αποκλειστικά από ένα και μοναδικό προϊόν για να εξασφαλίσει ξένο συνάλλαγμα, με το οποίο αγοράζει καταναλωτικά προϊόντα στη διεθνή αγορά.

Το φαινομενικό δώρο της υψηλότερης τιμής για τη ζάχαρη που μας εξασφάλιζαν μάς επέβαλε μια οικονομία της αγοράς, καθοδηγούμενη αποκλειστικά από τον νόμο της προσφοράς και της ζήτησης. Σε αντάλλαγμα για τους χαμηλούς δασμούς για τη ζάχαρή μας στις ΗΠΑ, τα αγαθά που παράγονταν εκεί είχαν προνομιακούς δασμούς εδώ, και έτσι ήταν αδύνατον για τη δική μας εγχώρια βιομηχανία ή για οποιαδήποτε άλλη βιομηχανία, εκτός από τη δική τους, να είναι ανταγωνιστική.

Από την αρχή της συγκρότησης του νέου έθνους, αυτή η έντονη οικονομική εξάρτηση μεταφράστηκε σε σχεδόν απόλυτη πολιτική εξάρτηση, ακόμα και μετά την κατάργηση της Τροπολογίας Πλατ.[1] Αυτή η πολιτική κατάσταση τερματίστηκε την 1η Γενάρη του 1959. Οι προστριβές και οι δυσκολίες με τον «γίγαντα του Βορρά» ξεκίνησαν αμέσως. Οι προστριβές αυτές ήταν αναμενόμενες, αν αναλογιστεί κανείς ότι μια χώρα συνηθισμένη σε ειδική μεταχείριση ξαφνικά βλέπει ότι μια μικρή της «αποικία» στην Καραϊβική επιχειρεί, με τόση ασέβεια, να μιλήσει τη μόνη γλώσσα που μπορεί να μιλήσει μια επανάσταση: τη γλώσσα της ίσης μεταχείρισης.

Στην αρχή, η κυβέρνηση των ΗΠΑ απεικονίστηκε στα κόμικς σαν ένας παντοδύναμος «Θείος Σαμ» ο οποίος διασκεδάζει, κατά κάποιον τρόπο, με την καινούρια κατάσταση και εκπλήσσεται, βλέποντας έναν μικρό νάνο με γενειάδα να προσπαθεί να τον κλοτσήσει στο καλάμι, μια που δεν μπορούσε να φτάσει πιο ψηλά. [Χειροκροτήματα] Ο μικρός νάνος με τη γενειάδα, όμως, μεγάλωνε συνεχώς, αποκτώντας σήμερα ηπειρωτικές διαστάσεις. Αποτελεί τώρα μια ζωντανή παρουσία στο τραπέζι που κάθονται να δειπνήσουν όσοι κατέχουν τον πλούτο της ηπείρου. [Χειροκροτήματα] Τώρα πια ένας λαός, όταν θέλει να εκφράσει τη δυσαρέσκειά του και την απροθυμία του να υποστεί το πλιάτσικο, υψώνει αυτό το τόσο αγαπητό σε μας λάβαρο: το πορτρέτο του Φιντέλ Κάστρο. [Χειροκροτήματα]

---

1. Βλ. στο Γλωσσάριο: Πλατ, Τροπολογία.

Στο πολιτικό επίπεδο έχουμε προχωρήσει περισσότερο από κάθε άλλη χώρα της Αμερικής, όσον αφορά την απελευθέρωση της περιοχής μας. Είτε αρέσει στις μεγάλες δυνάμεις της ηπείρου είτε όχι, δεν μπορεί να αμφισβητηθεί ότι είμαστε η ηγεσία του λαού. [*Χειροκροτήματα*] Για τα πανίσχυρα αφεντικά αντιπροσωπεύουμε ό,τι πιο παράλογο, αρνητικό, ασεβές και διασπαστικό υπάρχει σε αυτή την Αμερική που τόσο περιφρονούν και χλευάζουν. Από την άλλη, όμως, για τη μεγάλη μάζα του αμερικανικού λαού (μιλώ για τη Δική μας Αμερική, τα πάντα, δηλαδή, νοτίως του Ρίο Μπράβο²), –για τη μεγάλη μάζα των λαών που υποτιμητικά τους αποκαλούν *mestizos* (μιγάδες), αντιπροσωπεύουμε ό,τι πιο αξιοπρεπές, [*χειροκροτήματα*] τίμιο και μάχιμο.

Γνωρίζουμε, όμως, πολύ καλά ότι η οικονομική μας ανάπτυξη απέχει πολύ από την πολιτική ανάπτυξη –στην πραγματικότητα, έχει μείνει πολύ πίσω. Γι’ αυτό τον λόγο, οι οικονομικές επιθέσεις που μαγειρεύει για μας η Βουλή των Αντιπροσώπων των ΗΠΑ θα μπορούσαν να έχουν επίδραση, γιατί είμαστε εξαρτημένοι από ένα και μόνο προϊόν και από μία και μοναδική αγορά. Έτσι καθώς παλεύουμε με όλη μας τη δύναμη να αποδεσμευτούμε από την εξάρτηση αυτή, και όταν υπογράφουμε μια συμφωνία με τη Σοβιετική Ένωση με βάση την οποία πουλάμε ένα εκατομμύριο τόνους ζάχαρης και λαμβάνουμε

---

2. Ο όρος «Η Δική μας Αμερική» χρησιμοποιήθηκε για πρώτη φορά από τον εθνικό ήρωα της Κούβας Χοσέ Μαρτί, ο οποίος θεωρούσε τον αγώνα για την ανεξαρτησία της Κούβας ως κομμάτι του ευρύτερου αγώνα κατά της βορειοαμερικανικής ιμπεριαλιστικής κυριαρχίας στο σύνολο της Λατινικής Αμερικής. Ο ποταμός Ρίο Μπράβο, που συνήθως αποκαλείται Ρίο Γκράντε στις Ηνωμένες Πολιτείες, σχηματίζει τα σημερινά σύνορα ανάμεσα στην Πολιτεία του Τέξας (των ΗΠΑ) και του Μεξικού. Όπως τη συνέλαβε ο Μαρτί, η «Δική μας Αμερική» συμπεριλαμβάνει οτιδήποτε βρίσκεται νότια του σημείου αυτού, ως την Παταγονία, το νότιο άκρο της αμερικανικής ηπείρου.

πίστωση εκατό εκατομμυρίων δολαρίων ή πέσος [χειροκροτήματα], οι
αποικιοκράτες εκμεταλλεύονται την ευκαιρία για να δημιουργήσουν
σύγχυση. Σπεύδουν να αποδείξουν ότι, πουλώντας σε μια άλλη χώρα,
γινόμαστε υπόδουλοι. Όσον αφορά τη δουλεία, δεν έκατσαν ποτέ να
αναλύσουν τι σήμαινε ή τι σημαίνει για τον λαό της Κούβας να πουλά
τρία εκατομμύρια τόνους σε υποτιθέμενες προνομιακές τιμές στον
«γίγαντα του Βορρά».

Τώρα πρέπει να αναλάβουμε έναν οικονομικό αγώνα για να
διαφοροποιήσουμε τις αγορές και την παραγωγή μας και πρέπει να
αναλάβουμε μια πολιτική μάχη για να εξηγήσουμε στον λαό μας γιατί η
κουβανική επανάσταση αναζητά νέες αγορές. Το ιστορικό των νόμων
που επινόησε η Βουλή των Αντιπροσώπων των ΗΠΑ μπορεί να μας
βοηθήσει για να καταδείξουμε πόσο σωστό ήταν ιστορικά να λάβουμε
τα μέτρα μας, ενόψει της επίθεσης που ετοίμαζαν, και να προσπαθήσουμε
να μεταφέρουμε το ταχύτερο δυνατόν τη ζάχαρή μας σε άλλες αγορές.

Δεν έχω έρθει εδώ, όμως, για να μιλήσω μόνο για τη ζάχαρη. Θα
προτιμούσα να μην μιλήσω καθόλου γι' αυτό, αφού προσπαθούμε να
μετατρέψουμε τη ζάχαρη σε ένα ακόμη από τα πολλά κουβανικά
προϊόντα που φτιάχνονται από κουβανικά χέρια, σε κουβανικά
εργοστάσια, για να διοχετευτεί στο εμπόριο σε όλες τις αγορές του
κόσμου. [Χειροκροτήματα] Και είναι σε αυτό το ζήτημα και αυτήν
ακριβώς τη στιγμή που η τεχνολογία και ο πολιτισμός παίρνουν τη
θέση που τους αρμόζει και φαίνεται ο πραγματικά σημαντικός ρόλος
που παίζουν στην ανάπτυξη της χώρας μας. Αναφερόμαστε τώρα στον
ρόλο που μπορούν να παίξουν τα εκπαιδευτικά μας ιδρύματα στη
μελλοντική ανάπτυξη του έθνους μας.

Δεν πιστεύω ότι η εκπαίδευση είναι αυτό που διαμορφώνει μια
χώρα. Στην πραγματικότητα, ο Αντάρτικος Στρατός μάς απέδειξε το

αντίθετο. Αμόρφωτος όπως ήταν μπόρεσε να ξεπεράσει πολλά εμπόδια και προκαταλήψεις. Ούτε, όμως, είναι αλήθεια ότι από μόνη της η οικονομική ανάπτυξη –το γεγονός του οικονομικού μετασχηματισμού και μόνο– μπορεί να μεταμορφώσει την εκπαίδευση και να τη φέρει στο ίδιο επίπεδο. Η εκπαίδευση και η οικονομική ανάπτυξη βρίσκονται σε συνεχή αλληλεπίδραση και αναπλάθονται διαρκώς. Παρόλο που καταφέραμε να αλλάξουμε ολόκληρο το οικονομικό τοπίο του έθνους, είναι γεγονός ότι διατηρούμε την ίδια δομή στα πανεπιστήμια. Έτσι στην πράξη το πρόβλημα έχει αρχίσει να μας χτυπάει την πόρτα. Όπως, για παράδειγμα, χτυπάει τώρα την πόρτα του Εθνικού Ινστιτούτου Αγροτικής Μεταρρύθμισης [Instituto Nacional de Reforma Agraria – INRA].

Με μία μονάχα υπογραφή, απελευθερώσαμε το πετρέλαιό μας και έγινε κουβανικό. [*Χειροκροτήματα*] Κάναμε το θεμελιώδες βήμα, απελευθερώσαμε τη μεταλλευτική βιομηχανία, και τώρα είναι κουβανική.[3] [*Χειροκροτήματα*] Ξεκινήσαμε μια διαδικασία ανάπτυξης έξι κλάδων παραγωγής που είναι πολύ βασικοί και σημαντικοί: βαρέα χημικά, οργανικά χημικά ξεκινώντας με τους ζαχαρώδεις υδρογονάνθρακες, μεταλλεύματα, καύσιμα, μεταλλουργία γενικά και χαλυβουργία ειδικά, και τέλος τα υποπροϊόντα της εντατικής γεωργικής μας ανάπτυξης. Αντιμετωπίζουμε, όμως, τη θλιβερή πραγματικότητα των πανεπιστημίων της χώρας –σε σχέση με τη διδακτέα ύλη αλλά και σε

---

3. Στις 27 Οκτώβρη 1959, η επαναστατική κυβέρνηση υιοθέτησε έναν νόμο που ρύθμιζε καθετί που είχε να κάνει με την εξόρυξη ορυκτών και αποθεμάτων πετρελαίου, ο οποίος θεμελίωνε την εθνική κυριαρχία της Κούβας στο υπέδαφός της. Σύμφωνα με τον νόμο αυτόν, η κυβέρνηση είχε τη δυνατότητα να απαιτήσει τη συνέχιση της λειτουργίας οποιουδήποτε ορυχείου ή διυλιστηρίου κρίνεται απαραίτητο για λόγους εθνικού συμφέροντος. Στην περίπτωση που ένας ιδιοκτήτης αρνηθεί να συνεχίσει τη λειτουργία μιας τέτοιας μονάδας, η κυβέρνηση είχε το δικαίωμα να την εθνικοποιήσει.

σχέση με τον αριθμό των φοιτητών– τα οποία δεν είναι σε θέση να καλύψουν τις νέες ανάγκες της επανάστασης.

Τις προάλλες, ο συναγωνιστής Άνχελ Κεβέδο σε ένα γράμμα του ζήτησε τη γνώμη μου για μια οικονομική σχολή στο Πανεπιστήμιο της Αβάνας. Για να του απαντήσουμε, δεν έχουμε παρά να κάνουμε μια έρευνα για τους οικονομολόγους οι οποίοι επί του παρόντος εργάζονται στους κρατικούς φορείς σχεδιασμού. Η απάντηση βγαίνει από μόνη της και είναι επιτακτική. Όταν όλοι οι οικονομικοί μας σύμβουλοι είναι από τη Χιλή, το Μεξικό, την Αργεντινή, τη Βενεζουέλα, το Περού ή συμπατριώτες από άλλα μέρη της Λατινικής Αμερικής –είτε έχουν σταλεί για να δουλέψουν για την Οικονομική Επιτροπή των Ηνωμένων Εθνών για τη Λατινική Αμερική [United Nations Economic Commission for Latin America – ECLA] ή για το Εθνικό Ινστιτούτο Αγροτικής Μεταρρύθμισης– όταν στην πραγματικότητα, ακόμα και ο υπουργός Οικονομίας [Ρεχίνο Μπότι] σπούδασε σε πανεπιστήμια του εξωτερικού, η ερώτηση αν χρειαζόμαστε σχολή οικονομικών έχει μια σαφή απάντηση: η ανάγκη είναι τεράστια. Χρειαζόμαστε καθηγητές με τα ανάλογα προσόντα, ικανούς να καταλάβουν τον ρυθμό και την κατεύθυνση της οικονομικής μας ανάπτυξης, δηλαδή τον ρυθμό και την κατεύθυνση της επανάστασής μας.

Αυτό είναι ένα παράδειγμα. Αν όμως είχαμε μηχανικούς στη μεταλλευτική βιομηχανία, την πετρελαϊκή ή τη χημική βιομηχανία που να γνωρίζουν την αλήθεια, επειδή έμαθαν τα βασικά της χημείας εδώ; Είναι γεγονός ότι, όσο και αν η κυβέρνηση προσπαθεί να αναπτύξει καθέναν από τους έξι βασικούς τομείς της βιομηχανίας μας έτσι ώστε να τους προσδώσει ένα νέο ύφος και μια υπέρ-δυναμική ώθηση, δεν διαθέτουμε τη διοικητική δομή που να αποτελείται από τεχνικούς –και δεν μιλάω εδώ για επαναστάτες τεχνικούς που θα ήταν το ιδανικό– απλώς τεχνικούς με όποια προσόντα και αν διαθέτουν και με τον δικό τους τρόπο σκέψης, ανεξάρτητα από όλα τα ιδεολογικά δεσμά και τα εμπόδια που μπορεί να κουβαλούν από το παρελθόν. Δεν έχουμε ούτε τέτοιου τύπου τεχνικούς που θα μπορούσαν να βοηθήσουν να εξομαλυνθεί ο δρόμος που έχει μπροστά της η επανάσταση.

Και επιπλέον, τώρα που όλοι οι φοιτητές θα έπρεπε να έχουν όσο το δυνατόν περισσότερους πόρους ώστε να πετύχουν τους στόχους τους και να αποκτήσουν τα πτυχία τους, βλέπουμε ότι μια απλή μεταγραφή από τη Σάντα Κλάρα στο Πανεπιστήμιο της Αβάνας συνεπάγεται αποδιοργάνωση της φοίτησης, γιατί σε αυτή την πολύ μικρή χώρα, τα τρία πανεπιστήμια δεν έχουν καν συμφωνήσει να καθιερώσουν, τουλάχιστον, ένα κοινό πρόγραμμα σπουδών.

Η κυβέρνηση παίρνει μέτρα και έχει συνείδηση πού θα οδηγήσουν. Ολόκληρος ο λαός στηρίζει τα μέτρα που παίρνει η κυβέρνηση και ο καθένας από εσάς εκπαιδεύεται να υπερασπιστεί με το σώμα και το αίμα του την επανάσταση, που είναι το καμάρι της Λατινικής Αμερικής. Γιατί, λοιπόν, τα πανεπιστήμια δεν μπορούν να συμπορευτούν στον ίδιο δρόμο και με τον ίδιο ρυθμό με την επαναστατική κυβέρνηση; [*Χειροκροτήματα*]

Δεν θέλω να έρθω σε αντιπαράθεση, ιδίως μπροστά στις κάμερες. Απλά θέλω να επισημάνω την ανάγκη να σκεφθείτε το εξής: δεν είναι δυνατόν να υπάρχουν δύο επίπεδα αρχών ούτε οι φοιτητές να έχουν δύο κατηγορίες κριτηρίων. Όποιος είναι έτοιμος να δώσει τη ζωή του στην υπεράσπιση της επανάστασης, πρέπει να είναι επίσης πρόθυμος να συμβάλει στην επίτευξη των στόχων της επανάστασης, [*χειροκρότημα*] κάτι που είναι πολύ πιο εύκολο. Γιατί, και ας λένε ό,τι θέλουν, είναι πολύ πιο εύκολο να προσαρμοστείς σε μια διαφορετική άποψη από το να πεθάνεις για ένα ιδανικό.

Γι' αυτό και ο ρόλος του πανεπιστημίου αποκτά σήμερα εξαιρετική σπουδαιότητα. Παρόλο που το πανεπιστήμιο αποτελείται από άτομα που στην πλειονότητά τους υποστηρίζουν την κυβέρνηση, μπορεί να γίνει, κατά κάποιον τρόπο, ένα στοιχείο που αποτελεί τροχοπέδη για την επανάσταση. Αυτή τη στιγμή δεν φοβάστε γι' αυτό. Αυτή τη στιγμή όλα είναι ρόδινα. Θα έρθει, όμως, μία μέρα που η έλλειψη τεχνικών θα σταθεί εμπόδιο στην ίδρυση μιας βιομηχανίας και τότε θα πρέπει να αναβάλουμε το εγχείρημα για δύο, τρία, πέντε, ή ποιος ξέρει πόσα χρόνια.

Τότε θα καταλάβουμε πόσο σημαντικός ήταν ο παράγοντας της αναβλητικότητας –να έχουμε δηλαδή ένα πανεπιστήμιο που δεν έχει αποκτήσει το επίπεδο, σε αμφιθέατρα και αίθουσες διδασκαλίας, που απαιτείται από την επανάσταση, από τον λαό.

Είναι αναπόφευκτο αυτό; Είναι αναπόφευκτο ότι τα πανεπιστήμια, σε μια συγκεκριμένη χρονική στιγμή, είναι καταδικασμένα να μετατραπούν σε τροχοπέδη, δηλαδή ουσιαστικά σε κέντρα αντεπανάστασης; Αυτό το αρνούμαι με όλη τη δύναμη της επαναστατικής μου πεποίθησης, γιατί το μόνο που μας λείπει –το μόνο απολύτως πράγμα– είναι ο συντονισμός. Τίποτα περισσότερο από αυτή τη μικρή λέξη που αποτελεί τον στόχο όλων των κυβερνητικών θεσμών και θα έπρεπε επίσης να συγκεντρώνει την προσοχή των συναγωνιστών φοιτητών: συντονισμός ανάμεσα στους φοιτητές του Πανεπιστημίου της Αβάνας και των Πανεπιστημίων του Λας Βίγιας και του Οριέντε· συντονισμός ανάμεσα στα προγράμματα σπουδών αυτών των τριών πανεπιστημίων και των ιδρυμάτων και των σχολείων μέσης εκπαίδευσης που θα τροφοδοτήσουν τα πανεπιστήμια με φοιτητές· συντονισμός μεταξύ όλων των φοιτητικών οργανώσεων και της επαναστατικής κυβέρνησης· συντονισμός έτσι ώστε οι φοιτητές να ξέρουν ότι στο μέλλον, κάποια στιγμή, τα αναπτυξιακά σχέδια της κυβέρνησης θα απαιτήσουν, για παράδειγμα, εκατό χημικούς μηχανικούς.

Αυτοί οι φοιτητές θα πάρουν τα αναγκαία μέτρα για να οργανώσουν την εκπαίδευση των χημικών μηχανικών που θα κριθούν απαραίτητοι. Χρειάζεται συντονισμός για να αποφύγουμε την υπερπληθώρα συναδέλφων μου γιατρών, που φυτοζωούν σε γραφειοκρατικές δουλειές, αντί να επιτελούν το σπουδαίο κοινωνικό λειτούργημα της ιατρικής και να αφιερώνονται αποκλειστικά στον αγώνα για τη ζωή. Συντονισμός έτσι ώστε ο αριθμός των φοιτητών στους τομείς που ονομάζονται ανθρωπιστικές σπουδές να μειωθεί στο ποσοστό που είναι αναγκαίο για την πολιτιστική ανάπτυξη της χώρας και οι υπόλοιποι να στραφούν σε νέα πεδία σπουδών που μας ανοίγει η τεχνολογία, μέρα με τη μέρα, και που η έλλειψή τους σήμερα θα γίνει βαθιά αισθητή αύριο.

Αυτό είναι όλο το μυστικό της επιτυχίας ή της αποτυχίας –ας μην πούμε αποτυχίας– ας πούμε σχετικής αποτυχίας, της αποτυχίας να πραγματοποιηθούν οι στόχοι της επαναστατικής κυβέρνησης το γρηγορότερο δυνατόν. [*Χειροκροτήματα*]

Αυτή τη στιγμή, μαζί με τους τεχνικούς από διεθνείς οργανισμούς και από το Υπουργείο Παιδείας, μελετάμε τις βάσεις πάνω στις οποίες θα ιδρυθούν τεχνολογικά ινστιτούτα, τα οποία θα μας εξασφαλίσουν τις αρχικές απαραίτητες επιστημονικές βάσεις. Αυτό θα βοηθήσει κατά πολύ την ανάπτυξή μας. Καμία χώρα, όμως, δεν μπορεί να θεωρηθεί αναπτυγμένη, αν δεν μπορεί να κάνει τους σχεδιασμούς της και να κατασκευάζει την πλειονότητα των αναγκαίων για την επιβίωσή της προϊόντων εντός των συνόρων της. Η τεχνολογία θα μας βοηθήσει να κατασκευάσουμε πράγματα, αλλά ο τρόπος με τον οποίο θα κατασκευαστούν είναι υπόθεση των σχεδιαστών οι οποίοι θα πρέπει να έχουν τα μάτια τους στραμμένα στο μέλλον. Αυτό θα πρέπει να μελετάται σε πανεπιστήμια που έχουν ποιότητα, που διαθέτουν ευρεία πολιτιστική βάση, έτσι ώστε όσοι αποφοιτήσουν από το νέο πανεπιστήμιο που όλοι

ονειρευόμαστε να μπορούν, σε δέκα, δεκαπέντε χρόνια, να ανταπο-
κριθούν στο κάλεσμα της Κούβας.

Σήμερα βλέπουμε σε πολλές θέσεις πολλούς γιατρούς και άλλους
επαγγελματίες που ασκούν γραφειοκρατικά καθήκοντα. Η οικονομική
ανάπτυξη της χώρας σήκωσε το χέρι της και είπε: δεν χρειαζόμαστε
άλλους επαγγελματίες σε αυτά τα πεδία γνώσης. Τα πανεπιστήμια, όμως,
έχουν κλείσει τα μάτια τους σε αυτές τις προειδοποιήσεις και αναπαρά-
γουν μηχανικά αυτή την κατηγορία επαγγελματιών μέσα στις αίθουσες
διδασκαλίας τους. Θα πρέπει να σταθούμε λίγο και να μελετήσουμε
προσεκτικά τα χαρακτηριστικά της αναπτυξιακής πορείας και έπειτα
να προχωρήσουμε στην ανάπτυξη των νέων επαγγελματιών.

Κάποιος μου είπε κάποτε ότι το επάγγελμα είναι αποτέλεσμα της
κλίσης που έχει ο καθένας· ότι είναι κάτι έμφυτο και δεν μπορεί να αλλάξει.

Πρώτα απ' όλα, πιστεύω ότι αυτή η θέση είναι λανθασμένη.
Στατιστικά μιλώντας, δεν πιστεύω ότι ένα μεμονωμένο παράδειγμα έχει
ιδιαίτερη σημασία. Εγώ ξεκίνησα, όμως, να μελετώ μηχανολογία και
κατέληξα γιατρός. Αργότερα έγινα διοικητής του Αντάρτικου Στρατού
και τώρα βλέπετε ότι έχω γίνει λέκτορας. [Χειροκροτήματα] Υπάρχουν
βασικές κλίσεις, αυτό είναι αλήθεια, αλλά σήμερα, από τη μία, οι τομείς
της επιστήμης είναι τόσο διαφοροποιημένοι, και από την άλλη τόσο
στενά δεμένοι μεταξύ τους που είναι δύσκολο για κάποιον να πει με
ακρίβεια, στις απαρχές της πνευματικής του ανάπτυξης, ποια είναι η
αληθινή κλίση του. Κάποιος μπορεί να θέλει να γίνει χειρούργος και
όταν γίνει να είναι ευτυχισμένος και να ασκεί το επάγγελμα αυτό για
όλη του τη ζωή. Αλλά πλάι σε αυτόν μπορεί να υπάρχουν άλλοι ενενήντα
εννιά χειρούργοι, που θα μπορούσαν κάλλιστα να είχαν γίνει δερματο-
λόγοι, ψυχίατροι ή διαχειριστές νοσοκομείων, ανάλογα με τις ευκαιρίες
που τους προσφέρει μια τρομερά απαιτητική κοινωνία. Η κλίση μπορεί

να παίξει έναν πολύ μικρό ρόλο στην επιλογή των νέων επαγγελμάτων που δημιουργούνται ή στον επαναπροσδιορισμό αυτών που ήδη γνωρίζουμε. Δεν μπορεί να είναι αλλιώς, μια που τόσοι άλλοι παράγοντες είναι στη μέση. Αυτοί είναι, όπως είπα και πριν, οι τεράστιες ανάγκες μιας κοινωνίας. Επιπλέον στην εποχή μας εκατοντάδες ή και εκατοντάδες χιλιάδες Κουβανοί μπορεί να είχαν την κλίση να γίνουν γιατροί, μηχανικοί, αρχιτέκτονες ή να κάνουν οποιοδήποτε άλλο επάγγελμα, αλλά να μην κατάφεραν να γίνουν τίποτα απ' όλα αυτά, πολύ απλά γιατί δεν μπορούσαν να αντεπεξέλθουν στο οικονομικό κόστος. Με άλλα λόγια, για κάθε άτομο ξεχωριστά, η κλίση δεν παίζει αποφασιστικό ρόλο.

Θέλω να δώσω έμφαση σε αυτό το σημείο, γιατί είναι συνηθισμένο στον σύγχρονο κόσμο που ζούμε να έχουμε από τη μία έναν εξειδικευμένο νεφρολόγο –μιλάω για ένα επάγγελμα που γνωρίζω– ο οποίος συχνά έχει ελάχιστη σχέση με έναν οφθαλμίατρο ή έναν ορθοπεδικό. Από την άλλη, όμως, αυτοί οι τρεις επαγγελματίες, όπως ένας χημικός ή φυσικός, για να κατανοήσουν τα χαρακτηριστικά της ύλης, θα πρέπει να μελετήσουν μία σειρά πράγματα που είναι κοινά σε όλους. Σήμερα μιλάμε για φυσικοχημεία και όχι μόνο για φυσική ή χημεία, όπως ακόμη ίσως συνηθίζεται στο λύκειο και όπως έμαθα εγώ στο σχολείο. Για να κατανοήσει κάποιος καλά τη φυσική και τη χημεία, πρέπει να ξέρει μαθηματικά. Με αυτόν τον τρόπο, όλα τα επαγγέλματα συναντώνται σε ένα ενιαίο πεδίο ελάχιστης απαραίτητης γνώσης που πρέπει να διαθέτει κάθε σπουδαστής. Γιατί να υποθέσουμε τότε ότι ένας συναγωνιστής που μόλις ξεκινά το πρώτο έτος σπουδών γνωρίζει ότι ύστερα από επτά χρόνια –έξι, πέντε ή όσα είναι– αφού ολοκληρώσει ένα απαιτητικό πρόγραμμα σπουδών στο οποίο θα μάθει πράγματα που προηγουμένως ούτε καν υποπτευόταν, θα γίνει ορθοπεδικός, δικηγόρος ή εγκληματολόγος; [*Χειροκρότημα*]

Πρέπει πάντα να σκεπτόμαστε με τους όρους της μάζας και όχι με τους όρους του ατόμου, χωρίς να πάψουμε ποτέ να πιστεύουμε ότι ο καθένας μας είναι ένα άτομο και να υπερασπιζόμαστε με σθένος την ατομικότητά μας. Για να καταλάβει κανείς και να αναλύσει τις ανάγκες μιας χώρας, θα πρέπει ο καθένας μας να είναι ικανός να υπερασπιστεί την προσωπική άποψή του χίλιες και μία φορές, αν χρειαστεί. Παρ' όλα αυτά, είναι εγκληματικό να σκεπτόμαστε με τους όρους του ατόμου, γιατί οι ανάγκες ενός ατόμου είναι εντελώς ασήμαντες μπροστά στην πολύμορφη ανθρώπινη συλλογικότητα των συμπατριωτών του ατόμου αυτού. [Χειροκροτήματα]

Για να μιλήσω ειλικρινά, θα ήθελα να σας παρουσιάσω, συναγωνιστές φοιτητές, στοιχεία και γεγονότα που φανερώνουν τη διάσταση που υπάρχει αυτή τη στιγμή ανάμεσα στο πανεπιστήμιο και τις ανάγκες της επανάστασης. Δυστυχώς, οι στατιστικές μας είναι μάλλον φτωχές και δεν διαθέτουμε εδώ στατιστικολόγους· μόλις τώρα ξεκίνησαν να οργανώνονται και έτσι δεν μπόρεσα να σας μιλήσω με την ευγλωττία των αριθμών –ειδικά σε εσάς που το μυαλό σας έχει συνηθίσει να καταπιάνεται με απτά, πρακτικά προβλήματα. Αυτό θα πρέπει να γίνει μια άλλη φορά –αν δείξετε την ίδια υπομονή που είχατε σήμερα. Όσο για σήμερα, θα είμαι ικανοποιημένος, αν ύστερα από αυτή τη συζήτηση αρχίσετε να κουβεντιάζετε το πρόβλημα του πανεπιστημίου όχι με μένα, αλλά μεταξύ σας, με τους καθηγητές σας και τους συμφοιτητές σας από τα Πανεπιστήμια του Οριέντε και του Λας Βίγιας καθώς και με την κυβέρνηση, που σημαίνει να το συζητήσετε με τον λαό. [Χειροκροτήματα]

Ποτέ μην ξεχνάτε ότι η τεχνολογία είναι ένα όπλο

Στο κλείσιμο της Πρώτης Διεθνούς Συνάντησης
Φοιτητών Αρχιτεκτονικής
29 Σεπτέμβρη 1963

Η Πρώτη Διεθνής Συνάντηση Φοιτητών και Καθηγητών Αρχιτεκτονικής έγινε από τις 27 ως τις 29 Σεπτέμβρη 1963, αμέσως πριν την έναρξη του Έβδομου Συνεδρίου της Διεθνούς Ένωσης Αρχιτεκτόνων, που πραγματοποιήθηκε στην Αβάνα.

Η ολομέλεια του κλεισίματος της συνάντησης φοιτητών και καθηγητών, κατά την οποία μίλησε ο Γκεβάρα, ενέκρινε διάφορα ψηφίσματα, μεταξύ των οποίων ένα ψήφισμα καταγγελίας κατά της απόφασης της Ουάσιγκτον να παραπέμψει σε δίκη τέσσερις νέους από τις ΗΠΑ στις 27 Σεπτέμβρη, με την κατηγορία ότι «συνωμοτούσαν» για να ταξιδέψουν στην Κούβα. Οι τρεις από αυτούς τους νέους ήταν μεταξύ των 58 ανθρώπων που εκείνο το καλοκαίρι είχαν επισκεφτεί το νησί, αγνοώντας συνειδητά την απαγόρευση των ταξιδιών προς την Κούβα, η οποία είχε επιβληθεί από τον πρόεδρο των ΗΠΑ Τζον Φ. Κένεντι. Ύστερα από έναν αγώνα τεσσάρων ετών ενάντια σε αυτό το αντιδημοκρατικό μέτρο, το Ανώτατο Δικαστήριο των Ηνωμένων Πολιτειών εξέδωσε απόφαση, το 1967, σύμφωνα με την οποία η παραπάνω απαγόρευση ήταν αντισυνταγματική.

Ένα άλλο ψήφισμα της ολομέλειας έκανε έκκληση για «ενεργή συμμετοχή» των φοιτητών στις χώρες τους, «στους αγώνες, με επικεφαλής τις λαϊκές μάζες, για ριζικούς μετασχηματισμούς» της κοινωνίας. Η αληθινή πολιτική ανεξαρτησία, σύμφωνα με το ψήφισμα, μπορούσε να κατακτηθεί μόνο με «αγώνα ενάντια στον ιμπεριαλισμό –με επικεφαλής τον ιμπεριαλισμό των γιάνκηδων– και ενάντια στην αποικιοκρατία» και

123

Ο Τσε Γκεβάρα μιλάει στη διεθνή συνάντηση φοιτητών της αρχιτεκτονικής στην Αβάνα, 29 Σεπτέμβρη 1963.

«Σε αυτή την τοιχογραφία, το όπλο που βλέπετε είναι ένα Μ-1 κατασκευασμένο στις ΗΠΑ. Αυτό το όπλο, στα χέρια των στρατιωτών του Μπατίστα, ήταν ανείπωτα άσχημο. Όμως, αποκτούσε μια εξαιρετική ομορφιά όταν το ενσωματώναμε στο οπλοστάσιο του λαϊκού στρατού.»

προϋπέθετε την «αντικατάσταση της γερασμένης κοινωνικοοικονομικής δομής με μια άλλη που να εξυπηρετεί τα συμφέροντα του συνόλου του εργαζόμενου λαού, όπως δείχνει το παράδειγμα της κουβανικής επανάστασης».

Όταν έκλεινε τις εργασίες του το συνέδριο της Διεθνούς Ένωσης Αρχιτεκτόνων, η επαναστατική κυβέρνηση υιοθέτησε το δεύτερο σημαντικό νόμο για την αγροτική μεταρρύθμιση, σύμφωνα με τον οποίο απαλλοτριώνονταν οι ιδιοκτησίες γης που υπερέβαιναν τις πέντε *caballerias* [Σ.τ.Μ. 671,5 στρέμματα]. Το μέτρο αυτό επηρέασε δέκα χιλιάδες καπιταλιστές αγρότες που κατείχαν το 20% της καλλιεργήσιμης γης της Κούβας και αποτελούσαν μια σημαντική βάση για τις αντεπαναστατικές ενέργειες που οργάνωνε η Ουάσιγκτον. Με αυτό το μέτρο, εναρμονίστηκαν οι σχέσεις ιδιοκτησίας στην ύπαιθρο με τον θεσμό της κρατικής ιδιοκτησίας της βιομηχανίας στην Κούβα, ενισχύοντας έτσι σημαντικά την εργατο-αγροτική συμμαχία, η οποία από τις πρώτες μέρες της εγκαθίδρυσης του επαναστατικού καθεστώτος αποτέλεσε τη σπονδυλική του στήλη.

❖

Συναγωνιστές φοιτητές και καθηγητές της αρχιτεκτονικής απ' όλο τον κόσμο,

Έχω αναλάβει το καθήκον να κάνω τη σύνοψη –όπως λέμε στην Κούβα– να κάνω, με άλλα λόγια, μερικές παρατηρήσεις στο κλείσιμο αυτής της διεθνούς συνάντησης φοιτητών.

Θα πρέπει πρώτα να παραδεχτώ κάτι που με φέρνει σε αμηχανία: ομολογώ ότι είμαι εντελώς άσχετος με αυτά τα ζητήματα. Αυτή η άγνοιά μου φτάνει στο σημείο να μην γνωρίζω ότι η διεθνής αυτή συνάντηση φοιτητών που πραγματοποιήθηκε ήταν απολιτική. Εγώ νόμιζα ότι ήταν μια συνάντηση φοιτητών, χωρίς να ξέρω ότι πρόκειται για μια διοργάνωση της Διεθνούς Ένωσης Αρχιτεκτόνων.

Βλέποντάς σας, λοιπόν, ως πολιτικούς ανθρώπους, δηλαδή ως φοιτητές που συμμετέχετε ενεργά στα πράγματα των χωρών σας, και επίσης έχοντας διαβάσει τις τελικές αποφάσεις της συνάντησης –όπου, παρεμπιπτόντως, φαίνεται πως η άγνοια είναι συλλογική, διότι και οι αποφάσεις είναι πολύ πολιτικές [γέλια και χειροκροτήματα]– θα ήθελα πρώτα πρώτα να πω ότι είμαι σύμφωνος με τα συμπεράσματα. Τα συμπεράσματα μου φάνηκαν λογικά, και όχι μόνο επαναστατικά αλλά και επιστημονικά: επιστημονικά και συγχρόνως επαναστατικά. Σχεδίαζα, λοιπόν, να κάνω μια σύντομη ομιλία, μια ελαφρώς πολιτική ομιλία, αν θέλετε. Δεν ξέρω, όμως, αν η στιγμή είναι κατάλληλη για να μιλήσω για πολιτικά ζητήματα. Τέλος πάντων, εσείς θα πρέπει να αποφασίσετε αν πρέπει να προχωρήσω σε μια τέτοια παρουσίαση, γιατί εγώ δεν ξέρω και πολλά από τεχνολογία. [Χειροκροτήματα και θετικές προτροπές]

Ωραία. Δεν κάνω αυτή τη στιγμή φτηνή δημαγωγία για να βρω τρόπο να παρακάμψω τους κανονισμούς που έχετε. Δεν γνωρίζω τους κανονισμούς σας και ήρθα μόνο για να κάνω μια σύνοψη με την ιδιότητα που έχω ως πολιτικός. Ως πολιτικός νέου τύπου ή ως πολιτικός του λαού, αλλά πάντως ως πολιτικός, εξαιτίας των καθηκόντων που έχω. Έχω εντυπωσιαστεί επίσης από το γεγονός ότι, καθώς φαίνεται, οι αποφάσεις του Συνεδρίου έχουν εγκριθεί με μεγάλη πλειοψηφία. Οι αποφάσεις του Συνεδρίου με βρίσκουν, ως επί το πλείστον, σύμφωνο. Περιγράφουν, σε γενικές γραμμές, τον ρόλο του φοιτητή και τον ρόλο του τεχνικού στην κοινωνία.

Ένιωσα κάποια έκπληξη με αυτές τις αποφάσεις, σας το λέω ειλικρινά, γιατί ο κόσμος που μας επισκέπτεται έρχεται από κάθε χώρα του πλανήτη. Οι χώρες όπου έχει οικοδομηθεί ο σοσιαλισμός είναι λίγες από αριθμητική άποψη, παρά το ότι από πληθυσμιακή άποψη είναι ισχυρές.

Οι χώρες που αγωνίζονται για την απελευθέρωσή τους –που έχουν διαφορετικά συστήματα και βρίσκονται σε διάφορες φάσεις ανάπτυξης του αγώνα τους– είναι πολλές. Έχουν, όμως, και διαφορετικές κυβερνήσεις και, πάνω απ' όλα, τα επαγγελματικά τους στρώματα δεν έχουν πάντα τα ίδια συμφέροντα. Οι καπιταλιστικές χώρες έχουν φυσικά τη δική τους ιδεολογία. Για όλους αυτούς τους λόγους, μας εξέπληξε ο τόνος των συζητήσεων.

Σκεπτόμουν, ίσως κάπως μηχανιστικά, ότι γενικά οι φοιτητές πολλών χωρών, καπιταλιστικών, αποικιακών και ημι-αποικιακών, ανήκουν σε εκείνα τα κοινωνικά στρώματα που είναι αρκετά εύπορα ώστε να μην ανήκουν στο προλεταριάτο, οπότε και η ιδεολογία τους θα πρέπει να απέχει πολύ από την επαναστατική ιδεολογία που ενστερνιζόμαστε εμείς στην Κούβα.

Ωστόσο, η μηχανιστική μου προσέγγιση με έκανε να ξεχάσω ότι και στην Κούβα υπήρχε ένα στρώμα φοιτητών που, με βάση την κοινωνική του καταγωγή, στην πλειονότητά του δεν ανήκε στο προλεταριάτο. Όμως, αυτό το στρώμα φοιτητών συμμετείχε σε όλες τις επαναστατικές δράσεις των τελευταίων χρόνων στην Κούβα. Έδωσε μερικούς από τους πιο αγαπητούς στον λαό μας μάρτυρες για την υπόθεση της απελευθέρωσης. Πολλοί από αυτούς έχουν τώρα αποφοιτήσει, ενώ άλλοι συνεχίζουν τις σπουδές τους, και εξακολουθούν να συμμετέχουν στην κουβανική επανάσταση και να της προσφέρουν την πλήρη υποστήριξή τους.

Είχα ξεχάσει ότι υπάρχει κάτι πιο σημαντικό από την κοινωνική τάξη στην οποία ανήκει το κάθε άτομο: η νεότητα, η φρεσκάδα των ιδεών, και ένας κορμός γνώσης που, τη στιγμή που βγαίνει κανείς από την εφηβεία, μπορούν να τεθούν στην υπηρεσία των πιο αγνών ιδανικών.

Αργότερα, οι κοινωνικοί μηχανισμοί που υπάρχουν στα διάφορα καταπιεστικά συστήματα όπου ζει κανείς μπορούν να του αλλάξουν τον τρόπο σκέψης. Όμως, οι φοιτητές στη μεγάλη τους πλειονότητα είναι επαναστάτες.

Μπορεί να έχουν περισσότερη ή λιγότερη συνείδηση μιας επιστημονικής επανάστασης, μπορεί να γνωρίζουν περισσότερο ή λιγότερο τι θέλουν για τον λαό τους ή για τον κόσμο και πώς να το κατακτήσουν. Όμως, οι φοιτητές είναι από τη φύση τους επαναστάτες γιατί ανήκουν στο στρώμα εκείνο των νέων που η ζωή ανοίγεται μπροστά τους και που αποκτούν συνεχώς νέες γνώσεις.

Έτσι έγιναν τα πράγματα στη χώρα μας. Και παρά το ότι ορισμένοι επαγγελματίες και φοιτητές μάς έχουν εγκαταλείψει, είδαμε με μεγάλη ικανοποίηση –και μερικές φορές με έκπληξη– ότι η μεγάλη πλειονότητα φοιτητών και επαγγελματιών παρέμεινε στην Κούβα, παρά τις ευκαιρίες που της δόθηκαν για να φύγει από τη χώρα, και παρ' όλους τους πειρασμούς που επιδείκνυε ο ιμπεριαλισμός.

Και η αιτία είναι εύλογη: ακόμα και αν ληφθεί υπόψη ότι σε ένα εκμεταλλευτικό κοινωνικό σύστημα οι φοιτητές δεν μπορούν να επιλέξουν τη σταδιοδρομία τους, να ακολουθήσουν τη δική τους βαθύτερη κλίση, υπάρχει πάντα ένα σημείο επαφής ανάμεσα στην κλίση του καθένα και στη σταδιοδρομία που επιλέγει. Έτσι οι απογοητεύσεις περιορίζονται. Κατά κανόνα, η επιλογή της σταδιοδρομίας επηρεάζεται μεν από διάφορους οικονομικούς παράγοντες, τελικά, όμως, η επιλογή γίνεται με βάση τις ατομικές προτιμήσεις.

Στη χώρα μας έχει δοθεί στους επαγγελματίες και στους φοιτητές η ευκαιρία που κάθε επαγγελματίας θα ήθελε πραγματικά να έχει: η ευκαιρία να έχει κανείς όλα τα μέσα για να μπορέσει να φέρει σε πέρας το έργο του. Για πρώτη φορά στην Κούβα, οι επαγγελματίες αισθάνονται ότι πράγματι χτίζουν την κοινωνία, ότι μετέχουν σε αυτή την κοινωνία, ότι είναι υπεύθυνοι για την κοινωνία. Έπαψαν να είναι απλοί μισθωτοί, –κάτι που λίγο ως πολύ κρύβεται πίσω από τις διάφορες μορφές εκμετάλλευσης των επαγγελματιών– αλλά, σε τελευταία ανάλυση, στην πλειονότητά τους, είναι μισθωτοί οι οποίοι κατασκευάζουν έργα για άλλους, υλοποιούν τις επιθυμίες και χρησιμοποιούν τα κριτήρια άλλων και δημιουργούν πάντα τον πλούτο για λογαριασμό άλλων με τη δική τους δουλειά.

Στην αρχή, βέβαια, οι περιορισμοί που αντιμετωπίζουμε είναι μεγάλοι. Οι επιστήμονές μας δεν μπορούν να πραγματοποιήσουν τις έρευνες που θέλουν. Μερικές φορές λείπουν χρωστικές ύλες και τεχνικός εξοπλισμός κάθε είδους για να πραγματοποιηθούν οι έρευνές τους. Οι αρχιτέκτονές μας δεν μπορούν να σχεδιάσουν με όλο τους το γούστο και με όλη την αισθητική που έχουν μέσα τους. Λείπουν τα απαραίτητα υλικά. Είναι ανάγκη ό,τι είναι διαθέσιμο να διανέμεται στον μέγιστο δυνατό βαθμό ώστε να δοθεί όσο γίνεται περισσότερο σε όσους δεν έχουν τίποτα. Είναι αναγκαίο σε αυτήν τη φάση να αναδιανεμηθεί ο πλούτος έτσι ώστε να έχουν όλοι από κάτι.

Όμως εδώ, κατά τρόπο πολύ συγκεκριμένο, ασκώντας το επάγγελμα που εσείς υπηρετείτε, μπαίνει σε δοκιμασία το δημιουργικό πνεύμα του ανθρώπου. Το πρόβλημα των υλικών που υπάρχουν, καθώς και των αναγκών που πρέπει να εξυπηρετηθούν, είναι δεδομένο. Τις σωστές λύσεις, όμως, θα πρέπει να τις δώσουν οι επαγγελματίες μας. Και εδώ είναι που δίνουν μια μάχη σαν να παλεύουν ενάντια στη φύση, ενάντια σε περιβαλλοντικούς παράγοντες πέρα από τον ανθρώπινο έλεγχο, για να μπορέσουν να πραγματοποιήσουν όσο γίνεται καλύτερα όχι μόνο την επιθυμία τους να προσφέρουν όσο γίνεται στον λαό μας, αλλά και για να πάρουν την προσωπική ικανοποίηση που έχει κανείς όταν χτίζει, με τα ίδια του τα χέρια, με το ταλέντο του και με τις γνώσεις του, τη νέα κοινωνία.

Η επανάστασή μας χαρακτηρίζεται από την ευρύτητα του πνεύματος. Εμείς δεν είχαμε τα μεγάλα προβλήματα με τους επαγγελματίες που είχαν άλλες χώρες κατά την οικοδόμηση του σοσιαλισμού, με διαπληκτισμούς γύρω από θέματα τέχνης. Διαθέτουμε μεγάλη ευρύτητα πνεύματος.

Δεν συμφωνούμε με όλα όσα υποστηρίζουν οι επαγγελματίες μας ή οι καλλιτέχνες μας. Πολλές φορές συζητάμε διαφωνώντας έντονα μαζί τους, έχουμε καταφέρει όμως ακόμα και άνθρωποι που δεν είναι σοσιαλιστές –που όχι μόνο δεν τους πάει ο σοσιαλισμός, αλλά τον μισούν και νοσταλγούν τον παλιό καιρό– να παραμένουν στην Κούβα, να αγωνίζονται, να συζητούν και να δημιουργούν. Στην πράξη, οι άνθρωποι αυτοί είναι τελικά σοσιαλιστές, και αυτό είναι που έχει ενδιαφέρον για μας. [*Γέλια*]

Ποτέ δεν αποφύγαμε την αντιπαράθεση ή τη συζήτηση. Πάντα ήμασταν ανοιχτοί να συζητήσουμε όλες τις ιδέες. Το μόνο που δεν επιτρέπουμε είναι η εκμετάλλευση των ιδεών με σκοπό τον εκβιασμό ή το σαμποτάζ κατά της επανάστασης. Σε αυτό το σημείο, είμαστε εντελώς άκαμπτοι, τόσο άκαμπτοι όσο δεν παίρνει άλλο.

Στο πιο βασικό επίπεδο, στη χώρα μας υπάρχει αυτό που επιστημονικά ονομάζεται δικτατορία του προλεταριάτου, και αυτή την πτυχή, την κρατική πτυχή της δικτατορίας του προλεταριάτου, δεν επιτρέπουμε να την αγγίξει ή να τη θίξει κανένας. Όμως μέσα στο πλαίσιο της δικτατορίας του προλεταριάτου μπορεί να υπάρχει ένας τεράστιος χώρος για συζήτηση και για έκφραση ιδεών. Το μόνο που ζητάμε είναι ο σεβασμός της γενικής πολιτικής του κράτους σε αυτή τη φάση οικοδόμησης του σοσιαλισμού. Αυτή είναι η προσέγγισή μας.

Υπήρξαν επαγγελματίες που πήγαν στη φυλακή, επειδή ανέπτυξαν δραστηριότητες άμεσα αντεπαναστατικές, επειδή έκαναν σαμποτάζ. Αλλά ακόμα και αυτοί οι επαγγελματίες, μέσα στη φυλακή, άρχισαν να αναμορφώνονται και να δουλεύουν για πρώτη φορά. Και όταν βγήκαν έξω έπιασαν δουλειά στα εργοστάσιά μας και συνεχίζουν να δουλεύουν. Τους δίνουμε όλη την εμπιστοσύνη που μπορούμε να δώσουμε σε έναν τεχνικό μας. Και αυτοί επανεντάσσονται, παρά το ότι γνώρισαν την πιο σκληρή και σκοτεινή όψη της επανάστασης, που είναι η καταστολή. Η καταστολή είναι απαραίτητη σε μια νικηφόρα επανάσταση, γιατί με την επικράτηση της επανάστασης δεν σταματά η πάλη των τάξεων. Και στην περίπτωσή μας, μετά τη νίκη της επανάστασης εντάθηκε στον μέγιστο βαθμό αυτή η πάλη των τάξεων.

Οι πράξεις δολιοφθοράς, οι απόπειρες δολοφονίας —είδατε μάλλον εχτές πώς μας υποδέχθηκαν, με μια βόμβα μέσα στη συγκέντρωση.[1] Έκαναν και αυτοί μια επίδειξη δύναμης, την αντεπαναστατική τους πλάκα. Έτσι ήταν από την αρχή.

Εμείς μπαίνουμε στην επίθεση και είμαστε αμείλικτοι απέναντι σε όσους σηκώνουν τα όπλα εναντίον μας. Δεν έχει σημασία αν πρόκειται για πραγματικά όπλα καταστροφής ή για ιδεολογικά όπλα που στοχεύουν στην καταστροφή της κοινωνίας μας. Στους υπόλοιπους, σε όσους δυσφορούν, σε όσους είναι δυσαρεστημένοι αλλά έντιμοι, σε όσους δηλώνουν ότι δεν είναι ούτε θα γίνουν ποτέ σοσιαλιστές, σε αυτούς λέμε απλά: «Προηγουμένως, κανένας δεν σας είχε ρωτήσει αν ήσαστε ή δεν ήσαστε καπιταλιστές. Είχατε ένα συμβόλαιο και το

---

1. Την προηγούμενη μέρα ακούστηκε μια έκρηξη στη διάρκεια της ομιλίας του Φιντέλ Κάστρο μπροστά στο συγκεντρωμένο πλήθος στην Αβάνα, κατά την τρίτη επέτειο των Επιτροπών Υπεράσπισης της Επανάστασης.

τηρούσατε. Τηρείστε και τώρα το συμβόλαιό σας, δουλέψτε και ας έχετε ό,τι ιδέες σας αρέσουν. Δεν πρόκειται να θίξουμε τις ιδέες σας». Έτσι συνεχίζουμε να οικοδομούμε, με πολλά προβλήματα, με πολλά βήματα προς τα πίσω. Ο δρόμος της επανάστασης δεν είναι ο δρόμος των συνεχών επιτευγμάτων, της σταθερής προόδου, των επιτυχιών με έναν σταθερό ρυθμό. Υπάρχουν στιγμές που βρισκόμαστε σε αδιέξοδο, που χάνουμε την επαναστατική ώθηση, που αποπροσανατολιζόμαστε. Τότε πρέπει να ανασυντάξουμε τις δυνάμεις μας, να αναλύσουμε τα προβλήματα, να αναλύσουμε τα αδύναμα σημεία μας και μετά να προχωρήσουμε. Έτσι γίνονται οι επαναστάσεις, έτσι εδραιώνονται οι επαναστάσεις. Ξεκινούν όπως ξεκινήσαμε εμείς τη δική μας: με μια ομάδα ανθρώπων που είχε την υποστήριξη του λαού σε μια περιοχή της χώρας που ευνοούσε τον αγώνα.

Τώρα φτάνουμε στο σημείο όπου πρέπει να κάνω τον θεωρητικό πάνω σε κάτι για το οποίο έχω πλήρη άγνοια. Θα προσπαθήσω να προσδιορίσω με τις περιορισμένες γνώσεις μου το πώς αντιλαμβάνομαι εγώ έναν αρχιτέκτονα.

Νομίζω πως ένας αρχιτέκτονας –όπως όλοι ουσιαστικά οι επαγγελματίες– είναι κάποιος στο πρόσωπο του οποίου συγκλίνουν το πολιτιστικό επίπεδο που έχει κατακτήσει ευρύτερα η ανθρωπότητα τη δεδομένη ιστορική στιγμή με το γενικό επίπεδο τεχνολογίας της ανθρωπότητας ή με το συγκεκριμένο επίπεδο τεχνολογίας που έχει επιτευχθεί σε μια δεδομένη χώρα. Ο αρχιτέκτονας, όπως κάθε επαγγελματίας, είναι άνθρωπος και υπάρχει μέσα στην κοινωνία. Είναι σε θέση να συμμετάσχει σε διεθνή απολιτικά συνέδρια –και σωστά είναι απολιτικά– για να διατηρείται η ειρηνική συνύπαρξη. Όμως το να πει κάποιος, ως άτομο, ότι είναι απολίτικος, αυτό είναι κάτι που δεν καταλαβαίνω.

Το να είναι κανείς απολίτικος σημαίνει ότι γυρίζει την πλάτη του σε όλα τα κινήματα του κόσμου. Σημαίνει ότι γυρίζει την πλάτη του στο ποιος θα γίνει πρόεδρος ή ηγέτης της χώρας όπου ζει. Σημαίνει ότι γυρίζει την πλάτη του στην οικοδόμηση της κοινωνίας ή στον αγώνα που γίνεται για να μην αναδυθεί η νέα κοινωνία. Και στις δύο περιπτώσεις, πρέπει να πάρεις μια πολιτική θέση. Ο καθένας από εμάς στη σύγχρονη κοινωνία είναι πολιτικός από τη φύση του.

Τώρα, ο αρχιτέκτονας-πολιτικός άνθρωπος –στον οποίο συγκλίνουν ο πολιτισμός που έχει κατακτήσει μέχρι τη στιγμή εκείνη η ανθρωπότητα με την τεχνολογία της– βρίσκεται αντιμέτωπος με την πραγματικότητα αυτή. Ο πολιτισμός είναι κάτι που ανήκει στον κόσμο ολόκληρο. Είναι ίσως κάτι σαν τη γλώσσα, κάτι που ανήκει στο ανθρώπινο είδος. Η τεχνολογία, όμως, είναι ένα όπλο και μπορεί να χρησιμοποιηθεί ως όπλο, και αυτό ακριβώς γίνεται.

Μπορούμε να σας δείξουμε το όπλο που υπάρχει σε αυτή την τοιχογραφία εδώ, για παράδειγμα. Το όπλο που βλέπετε εκεί είναι ένα Γκαράντ Μ-1, κατασκευασμένο στις ΗΠΑ. Αυτό το όπλο, στα χέρια των ανθρώπων του Μπατίστα, όταν έφτυνε μολύβι πάνω μας, ήταν ανείπωτα άσχημο. Αποκτούσε, όμως, μια εξαιρετική ομορφιά όταν το κατακτούσαμε, όταν το παίρναμε από κάποιον στρατιώτη, όταν το ενσωματώναμε στο οπλοστάσιο του λαϊκού στρατού. Στα χέρια μας, το όπλο αυτό ενσάρκωνε την αξιοπρέπεια. Και χωρίς να αλλάζει σε τίποτα η δομή του ούτε η λειτουργία του να σκοτώνει ανθρώπους, αποκτούσε μια νέα ιδιότητα: τώρα έμπαινε στην υπηρεσία του αγώνα για την απελευθέρωση των λαών.

Η τεχνολογία είναι η ίδια. Η τεχνολογία μπορεί να χρησιμεύσει στην καθυπόταξη των λαών και μπορεί επίσης να μπει στην υπηρεσία της απελευθέρωσής τους. [*Χειροκροτήματα*] Αυτό είναι το συμπέρασμα που βγαίνει από το κείμενο που έχει εγκρίνει το Συνέδριό σας.

Για να τεθεί το όπλο της τεχνολογίας στην υπηρεσία της κοινωνίας, θα πρέπει να ελέγχει κανείς την κοινωνία. Και για να υπάρχει έλεγχος της κοινωνίας, θα πρέπει να καταστραφούν οι παράγοντες της καταπίεσης, θα πρέπει να αλλάξουν οι κοινωνικές συνθήκες που επικρατούν σε ορισμένες χώρες. Θα πρέπει να παραδοθεί στους τεχνικούς κάθε είδους, στον λαό, το όπλο της τεχνολογίας. Το καθήκον αυτό ανήκει σε όλους εμάς που πιστεύουμε στην ανάγκη της αλλαγής σε ορισμένες περιοχές του πλανήτη.

Δεν μπορεί να υπάρχουν τεχνικοί που να σκέπτονται ως επαναστάτες και να μην μπορούν να δρουν ως επαναστάτες. Η επανάσταση είναι μια επιτακτική αναγκαιότητα για τις περισσότερες ηπείρους, για ολόκληρη σχεδόν τη Λατινική Αμερική, για ολόκληρη την Αφρική και την Ασία, όπου η εκμετάλλευση έχει φτάσει σε ασύλληπτα επίπεδα.

Και όποιος ισχυρίζεται ότι ένας τεχνικός, ένας αρχιτέκτονας, ένας γιατρός, ένας μηχανικός, ένας οποιοσδήποτε επιστήμονας θα πρέπει απλά και μόνο να δουλεύει με τα εργαλεία που έχει, στο συγκεκριμένο επιστημονικό του κλάδο ο καθένας, ενώ ο λαός του πεθαίνει από την πείνα ή πέφτει στη μάχη, εκ των πραγμάτων παίρνει το μέρος του εχθρού. Δεν είναι απολίτικος, έχει πολιτική θέση, αλλά ενάντια στα απελευθερωτικά κινήματα.

Ασφαλώς και σέβομαι τη γνώμη όλων όσων βρίσκονται εδώ. Προφανώς θα υπάρχουν εδώ και νέοι συναγωνιστές και πολλοί επαγγελματίες που νομίζουν ότι ένα σοσιαλιστικό καθεστώς –ή ό,τι γνωρίζαμε γι' αυτό μέχρι τώρα– είναι ένα καθεστώς καταπίεσης και φτώχειας, όπου επικρατεί η μετριότητα, σύμφωνα με τη χονδροειδή τρέχουσα προπαγάνδα. Διατείνονται ότι μπορεί να ολοκληρωθεί κανείς ως άνθρωπος μόνο όταν υπάρχει η οικονομία της ελεύθερης πρωτοβουλίας, η ελευθερία σκέψης και όλα αυτά με τα οποία μάς βομβαρδίζει ο ιμπεριαλισμός. Πολλοί από αυτούς τους ανθρώπους τα πιστεύουν αληθινά όλα αυτά, και δεν έχω την πρόθεση να ασκήσω πολεμική. Δεν μπορεί κανείς να ασκήσει πολεμική γύρω από αυτά τα προβλήματα. Οι άνθρωποι αυτοί έχουν διαμορφωθεί μέσα από μακρόχρονες διεργασίες, γενεές επί γενεών, και είναι ο καρπός της συλλογικής διαπαιδαγώγησης μέσω της οποίας ο καπιταλισμός διαμορφώνει τους τεχνικούς του. Εάν ο καπιταλισμός δεν διαμόρφωνε τους τεχνικούς του σύμφωνα με τις αρχές του, θα είχε ήδη καταρρεύσει.

Αρχίζει όμως να καταρρέει, γιατί τώρα ο κόσμος έχει αρχίσει να ξυπνά. Σήμερα κανένας από τους παλιούς ισχυρισμούς δεν είναι αποδεκτός μόνο και μόνο επειδή γράφτηκε εδώ και χρόνια. Τώρα πια ο κόσμος απαιτεί την πρακτική επιβεβαίωση των ισχυρισμών που διατυπώνονται, απαιτεί την επιστημονική ανάλυση των ισχυρισμών. Και από αυτή την ανησυχία γεννιούνται οι επαναστατικές ιδέες και εξαπλώνονται στον κόσμο όλο και περισσότερο, στηριζόμενες στα παραδείγματα των επιτευγμάτων της τεχνολογίας όταν αυτή τίθεται στην υπηρεσία του ανθρώπου, όπως συνέβη στις σοσιαλιστικές χώρες. Αυτό μόνο έχω να σας πω.

Θα ήθελα να προσθέσω κάτι που το απευθύνω στους συναγωνιστές μου φοιτητές από την Κούβα. Καθώς αυτό είναι κάπως εξειδικευμένο, κάπως επαρχιακό για εσάς, παρακαλώ να κάνετε απλά πως δεν ακούτε, αν δεν σας ενδιαφέρει το θέμα. Θα πρέπει, όμως, να ενδιαφερόμαστε για τους φοιτητές μας, και αυτό πρέπει να γίνεται σε καθημερινή βάση.

Η νεολαία μας γεννήθηκε μέσα σε συγκλονιστικά γεγονότα. Δεν πάει πολύς καιρός που σε αυτόν τον τόπο ναύτες από τις ΗΠΑ έκαναν την ανάγκη τους πάνω στο κεφάλι του εθναποστόλου μας [Χοσέ] Μαρτί,[2] και σήμερα ο ίδιος αυτός λαός ορθώνει το ανάστημά του μπροστά στον ιμπεριαλισμό των ΗΠΑ. Έχει συντελεστεί κάτι το εξαιρετικό: μια ολική αλλαγή στη συνείδηση των μαζών, μέσα σε λίγα χρόνια επαναστατικής δουλειάς. Όμως, όπως συμβαίνει με όλες τις απότομες και δραστικές αλλαγές, δεν γίνονται όλα τα πράγματα πλήρως κατανοητά. Έτσι δεν είναι όλα ξεκάθαρα στο μυαλό των φοιτητών μας. Και το μυαλό των φοιτητών μας –σε αντίθεση με τον λαό μας– δεν έχει απαλλαγεί από πολλές αμφιβολίες.

Γι' αυτό θα θέλαμε να επιμείνουμε για άλλη μια φορά, αυτή τη στιγμή του αγώνα –όπου όλοι είμαστε άμεσα αντιμέτωποι με τον ιμπεριαλισμό των γιάνκηδων, όπου νιώθουμε κάθε μέρα την απειλή του, την κραυγαλέα του επιθετικότητα– στο γεγονός ότι τα καθήκοντα των φοιτητών είναι πιο σημαντικά από ποτέ. Θα πρέπει να επιταχύνουν τις σπουδές τους ώστε να γίνουν οι αληθινοί δημιουργοί της νέας κοινωνίας. Συγχρόνως όμως θα πρέπει να εμβαθύνουν και τη συνείδησή τους, ώστε να ξέρουν ακριβώς πώς πρόκειται να οικοδομηθεί αυτή η κοινωνία, ώστε να μην είναι απλοί χτίστες χωρίς ιδέες, αλλά να βάζουν τα χέρια τους, το μυαλό τους και την καρδιά τους στην υπηρεσία της κοινωνίας που γεννιέται. Και συγχρόνως θα πρέπει να είναι έτοιμοι με το τουφέκι στο χέρι, γιατί η άμυνα της κοινωνίας μας δεν είναι μια

---

2. Στις 11 Μάρτη 1949, αρκετοί ναύτες του πολεμικού ναυτικού των ΗΠΑ φωτογραφήθηκαν ενώ σκαρφάλωναν στο άγαλμα του Χοσέ Μαρτί στο Κεντρικό Πάρκο της Αβάνας και αφόδευαν πάνω του. Όταν διαδόθηκε η είδηση της βεβήλωσης του μνημείου, δεν άργησαν να οργανωθούν διαδηλώσεις. Την επόμενη μέρα η Ομοσπονδία Φοιτητών έκανε συγκέντρωση διαμαρτυρίας μπροστά από την πρεσβεία των ΗΠΑ. Μεταξύ των διαδηλωτών ήταν και ο 19χρονος τότε φοιτητής της νομικής, Φιντέλ Κάστρο.

υπόθεση που θα πρέπει να πέσει στους ώμους του ενός ή του άλλου στρώματος της κοινωνίας αποκλειστικά. Η άμυνα της κουβανικής επανάστασης είναι ένα συνεχές καθήκον όλων των Κουβανών, κάθε στιγμή, σε όλα τα μετερίζια.

Το δικό σας καθήκον, συναγωνιστές φοιτητές, είναι να εκπληρώσετε στον μέγιστο βαθμό τις υποδείξεις του Λένιν: «Κάθε επαναστάτης πρέπει να είναι ο καλύτερος στον χώρο της δουλειάς του και στη θέση που του έχει ανατεθεί στον αγώνα». Και η δική σας θέση στον αγώνα είναι το πανεπιστήμιο, οι σπουδές, η επείγουσα προετοιμασία των επαγγελματιών μας ώστε να συμπληρωθούν οι ελλείψεις που έχουμε, τα κενά που μας άφησε ο ιμπεριαλισμός όταν πήρε τα τεχνικά μας στελέχη, έτσι ώστε να αντιμετωπίσουμε τη γενική καθυστέρηση της χώρας, και να οικοδομήσουμε τη νέα κοινωνία με πιο γρήγορους ρυθμούς.

Αυτό είναι το θεμελιώδες καθήκον, δεν είναι, βέβαια, το μοναδικό. Γιατί δεν μπορεί ποτέ να παραμελήσει κανείς τη συνειδητή μελέτη της θεωρίας, ούτε το ενδεχόμενο να πρέπει να πάρει το όπλο στο χέρι οποιαδήποτε στιγμή χρειαστεί, ούτε και τη διαρκή αναγκαιότητα να υπερασπιζόμαστε την επανάσταση με ιδεολογικά όπλα κάθε στιγμή της ζωής μας.

Το καθήκον αυτό είναι σκληρό. Είναι ένα καθήκον που απαιτεί την εγρήγορση των δυνάμεων των φοιτητών μας. Αυτή είναι η γενιά της θυσίας. Αυτή η γενιά, η γενιά μας, δεν θα έχει ούτε στο ελάχιστο τα αγαθά που θα έχουν οι γενιές που θα ακολουθήσουν. Και θα πρέπει να είμαστε σαφείς, να έχουμε συνείδηση του ζητήματος αυτού, να έχουμε συνείδηση του ρόλου μας, γιατί σε μας έλαχε η μεγάλη δόξα να είμαστε η πρωτοπορία της επανάστασης στην αμερικανική ήπειρο. Και σήμερα έχουμε την τιμή να αποτελούμε την πιο μισητή χώρα για τον ιμπεριαλισμό! Κάθε στιγμή είμαστε στην πρωτοπορία του αγώνα. Δεν απεμπολήσαμε ούτε μία από τις αρχές μας. Δεν θυσιάσαμε κανένα από τα ιδανικά μας. Ούτε έχουμε αφήσει ανεκπλήρωτο κάποιο από τα καθήκοντά μας. Γι' αυτό, βρισκόμαστε στην πρωτοπορία. Αυτό εξηγεί την τιμή που αισθάνεται κάθε Κουβανός, όποιο μέρος της γης και αν επισκεφτεί. Όμως, όλα αυτά απαιτούν προσπάθεια.

Αυτή η γενιά –η γενιά που κατέστησε δυνατό το φαινομενικό θαύμα της εγκαθίδρυσης της σοσιαλιστικής επανάστασης μερικά μόνο βήματα από το κατώφλι του ιμπεριαλισμού των ΗΠΑ– πρέπει να πληρώσει τη δόξα με θυσίες. Πρέπει να κάνει θυσίες μέρα με τη μέρα ώστε με τις προσπάθειές της να χτίσει το αύριο στο οποίο εσείς προσβλέπετε. Αυτό είναι το αύριο που θέλετε, αυτό που εσείς ονειρεύεστε: ένα μέλλον όπου όλοι οι πόροι, όλα τα μέσα, κάθε στοιχείο τεχνολογίας να είναι στη διάθεσή σας για να το μετασχηματίσετε, να το εμφυσήσετε με νέα ζωή –αν μου επιτρέπετε αυτή την κάπως ιδεαλιστική έκφραση– και να το θέσετε στην υπηρεσία του λαού.

Γι' αυτό πρέπει να παραγάγουμε υλικά αγαθά, να αποκρούσουμε τις επιθέσεις του ιμπεριαλισμού και να αντιμετωπίσουμε όλες αυτές τις δυσκολίες. Γι' αυτό θα έχει η γενιά μας μια θέση στην ιστορία της Κούβας και μια θέση στην ιστορία της Λατινικής Αμερικής. Ποτέ δεν θα πρέπει να διαψεύσουμε τις ελπίδες που όλοι οι επαναστάτες, όλοι οι καταπιεζόμενοι λαοί της Λατινικής Αμερικής και ίσως όλου του κόσμου, έχουν εναποθέσει στην κουβανική επανάσταση.

Επιπλέον, δεν θα πρέπει να ξεχνάμε ποτέ ότι το παράδειγμα της κουβανικής επανάστασης, δεν επιδρά μόνο στο εσωτερικό της χώρας. Έχουμε καθήκοντα πολύ πιο πέρα από τα σύνορα της Κούβας. Έχουμε το καθήκον της εξάπλωσης της ιδεολογικής φλόγας της επανάστασης σε όλες τις γωνιές της αμερικανικής ηπείρου, σε κάθε γωνιά του κόσμου όπου φτάνει το μήνυμά μας. Έχουμε το καθήκον να είμαστε ευαίσθητοι σε κάθε δυστυχία που υπάρχει στον κόσμο, σε κάθε μορφή εκμετάλλευσης και αδικίας. Έχουμε το καθήκον που συνοψίζει ο Μαρτί σε μία φράση που έχουμε πει πολλές φορές και που θα πρέπει να την κορνιζόσουμε και να τη βάλουμε πάνω από το κρεβάτι μας ώστε να τη βλέπουμε πάντα. Λέει ότι «κάθε αληθινός άνθρωπος πρέπει να νιώθει στο μάγουλό του το χτύπημα που δέχεται στο μάγουλό του οποιοσδήποτε άλλος άνθρωπος».

Αυτή θα πρέπει να είναι η σύνοψη των ιδεών της επανάστασης σχετικά με κάθε λαό στον κόσμο.

Και έτσι θα πρέπει να είναι πάντα η νεολαία μας: ελεύθερη, να συζητάει, να ανταλλάσσει ιδέες, να προβληματίζεται για ό,τι συμβαίνει σε όλον τον κόσμο, να είναι ανοιχτή στην τεχνολογική πρόοδο που συντελείται σε κάθε μέρος του κόσμου, να δέχεται απ' όλον τον κόσμο αυτό που μπορεί να μας δώσει και να είναι πάντα ευαίσθητη στους αγώνες, στις δυστυχίες και στις ελπίδες όλων των καταπιεζόμενων λαών.

Έτσι θα προχωρήσουμε, χτίζοντας το μέλλον μας.

Σήμερα έχετε –για να μιλήσουμε για ένα θέμα που μας απασχολεί πρακτικά– ένα μακροχρόνιο καθήκον. Αρχίζουν οι συνεδρίες όπου τον πρώτο λόγο θα έχει η τεχνολογία, και η πολιτική θα εξαφανιστεί από τις σχέσεις και από τις ανταλλαγές εμπειριών μεταξύ των ανθρώπων. Όμως εσείς, οι φοιτητές του κόσμου, να μην ξεχνάτε ποτέ ότι η τεχνολογία πάντα ελέγχεται από κάποιον, ότι αυτός ο κάποιος είναι μια κοινωνία, και ότι είναι κανείς υπέρ της κοινωνίας αυτής ή εναντίον της. Να μην ξεχνάτε ότι στον κόσμο υπάρχουν αυτοί που πιστεύουν ότι η εκμετάλλευση είναι καλό πράγμα και αυτοί που πιστεύουν ότι η εκμετάλλευση είναι κάτι κακό και πρέπει να εξαλειφθεί. Και ότι –ακόμα και όταν δεν γίνεται λόγος για την πολιτική από καμία πλευρά– ο πολιτικός άνθρωπος δεν μπορεί να απαρνηθεί αυτό το εγγενές στην ανθρώπινη υπόσταση στοιχείο. Να μην ξεχνάτε ότι η τεχνολογία είναι ένα όπλο, και ότι αυτός που αισθάνεται ότι ο κόσμος δεν είναι τέλειος όπως θα έπρεπε να είναι, πρέπει να αγωνίζεται για να τεθεί το όπλο της τεχνολογίας στην υπηρεσία της κοινωνίας. Γι' αυτό πρέπει πρώτα να διασώσετε την κοινωνία ώστε όλες οι τεχνολογικές κατακτήσεις να τεθούν στην υπηρεσία όσο το δυνατόν περισσότερων ανθρώπων, και να μπορέσουμε να δημιουργήσουμε την κοινωνία του μέλλοντος, όποιο όνομα και αν της δώσουμε. Αυτή την κοινωνία που ονειρευόμαστε εμείς την ονομάζουμε όπως την ονόμασε ο ιδρυτής του επιστημονικού σοσιαλισμού, δηλαδή «κομμουνιστική».

Patria o muerte! [Πατρίδα ή θάνατος]

Venceremos! [Θα νικήσουμε]

[Επευφημίες]

Πώς πρέπει να είναι ένας νέος κομμουνιστής

Ομιλία στη δεύτερη επέτειο της ενοποίησης
των επαναστατικών οργανώσεων νεολαίας
20 Οκτώβρη 1962

Τον Δεκέμβρη του 1959 το Τμήμα Εκπαίδευσης του Αντάρτικου Στρατού, υπό την ηγεσία του Τσε Γκεβάρα, ίδρυσε μια επαναστατική οργάνωση νεολαίας, τον Σύνδεσμο Νέων Ανταρτών [Asociación de Jóvenes Rebeldes – AJR]. Τον Οκτώβρη του 1960, ο AJR συγχωνεύτηκε με άλλες επαναστατικά σκεπτόμενες ομάδες νέων, φέρνοντας έτσι στις γραμμές του νέους και νέες από τρεις οργανώσεις: το Κίνημα της 26ης Ιούλη, τη νεολαία του Λαϊκού Σοσιαλιστικού Κόμματος [Partido Socialista Popular] και το Επαναστατικό Διευθυντήριο της 13 Μάρτη [Directorio Revolucionario 13 de Marzo]. Τον Απρίλη του 1962, ο AJR υιοθέτησε το όνομα Ένωση Νέων Κομμουνιστών [Unión de Jóvenes Comunistas – UJC].

Ο εορτασμός της δεύτερης επετείου έλαβε χώρα την παραμονή της υποκινούμενης από την Ουάσιγκτον «κρίσης των πυραύλων», τον Οκτώβρη του 1962. Τον Απρίλη του 1961, οι δυνάμεις των Επαναστατικών Ενόπλων Δυνάμεων της Κούβας και της λαϊκής πολιτοφυλακής κατάφεραν να χρεώσουν στην Ουάσιγκτον την πρώτη της στρατιωτική ήττα στην αμερικανική ήπειρο στην Πλάγια Χιρόν, στον Κόλπο των Χοίρων. Οι κυβερνώντες των ΗΠΑ, όμως, συνέχιζαν να πιστεύουν πως μπορούσαν να ανατρέψουν την επαναστατική κυβέρνηση, και προετοιμά-ζονταν για νέες στρατιωτικές επιχειρήσεις ενάντια στην Κούβα, με την άμεση συμμετοχή των στρατιωτικών δυνάμεων των ΗΠΑ. Η Επιχείρηση Mongoose, υπό την άμεση εποπτεία του γενικού εισαγγελέα των ΗΠΑ Ρόμπερτ Κένεντι, στήθηκε από τον Λευκό Οίκο τον Νοέμβρη του 1961 με σκοπό να διεξαγάγει μυστικές επιχειρήσεις ως προετοιμασία για μια εισβολή. Μπροστά στην επιδεινούμενη απειλή, η κυβέρνηση της

Ο Τσε Γκεβάρα (πάνω) και ο Χοέλ Ιγκλέσιας, πρόεδρος της UJC τότε, μιλούν στη συγκέντρωση εορτασμού της δεύτερης επετείου της ενοποίησης των επαναστατικών οργανώσεων νεολαίας, στις 20 Οκτώβρη του 1962.

«Η νεολαία πρέπει να οικοδομήσει ένα μέλλον, όπου η εργασία θα είναι η καλύτερη έκφραση της ανθρώπινης αξιοπρέπειας, ένα κοινωνικό καθήκον, μια απόλαυση, η πιο δημιουργική δραστηριότητα που υπάρχει.»

Κούβας συνήψε αμοιβαία αμυντική συμφωνία με τη Σοβιετική Ένωση, τον Αύγουστο του 1962. Το σύμφωνο συμπεριλάμβανε την εγκατάσταση στο νησί πυραύλων με πυρηνικές κεφαλές, υπό τον έλεγχο των Σοβιετικών.

Στις 22 Οκτώβρη, ο πρόεδρος των ΗΠΑ Κένεντι απαίτησε δημόσια την απομάκρυνση των σοβιετικών πυραύλων. Η Ουάσιγκτον διέταξε τον ναυτικό αποκλεισμό της Κούβας, επιτάχυνε τις προετοιμασίες εισβολής και τοποθέτησε τις στρατιωτικές δυνάμεις των ΗΠΑ σε κατάσταση πυρηνικού συναγερμού. Η αποφασιστικότητα των Κουβανών εργατών και αγροτών –όπου εκατομμύρια άνθρωποι κινητοποιήθηκαν για να υπερασπιστούν την επανάσταση– σταμάτησε την κυβέρνηση Κένεντι. Κάπου 260.000 στρατιώτες της τακτικής δύναμης του στρατού και άλλοι 140.000 με βοηθητικά καθήκοντα πήραν τα όπλα και τη θέση τους στα χαρακώματα. Μαζί τους ήταν και 42.000 Σοβιετικοί στρατιώτες. Ο υπόλοιπος πληθυσμός έλαβε τις προκαθορισμένες θέσεις του στην παραγωγή και στις βασικές υπηρεσίες. Ανώτατοι αξιωματούχοι του Πενταγώνου, του οποίου οι μυστικές υπηρεσίες υποτίμησαν τον αριθμό των κουβανικών και των σοβιετικών στρατευμάτων κατά το ήμισυ, ενημέρωσαν τον Κένεντι να αναμένει έως και 18.000 απώλειες από την πλευρά των ΗΠΑ μόνο τις πρώτες δέκα ημέρες μιας ενδεχόμενης εισβολής. Φοβούμενη τις πολιτικές συνέπειες στο εσωτερικό της χώρας από τέτοιου είδους συντριπτικές απώλειες, η Ουάσιγκτον εγκατέλειψε τα σχέδιά της για μια άμεση εισβολή.

Στις 28 Οκτώβρη, ύστερα από αλλεπάλληλα διαβήματα μεταξύ Ουάσιγκτον και Μόσχας, ο Σοβιετικός πρωθυπουργός Νικίτα Χρουστσόφ, χωρίς να συμβουλευτεί προηγουμένως την κουβανική κυβέρνηση, ανακοίνωσε την απόφασή του να αποσύρει τους πυραύλους. Η επαναστατική κυβέρνηση αντέδρασε με αγανάκτηση για τη συμφωνία αυτή που υιοθετήθηκε χωρίς τη συμμετοχή της και, εκ μέρους του λαού της Κούβας, αντέτεινε μια σειρά μέτρων που θα ήταν απαραίτητα για μια δίκαιη και με βάθος χρόνου εξομάλυνση των σχέσεων μεταξύ Ουάσιγκτον και Αβάνας. Στη συγκέντρωση για τη δεύτερη επέτειο μίλησε επίσης ο Χοέλ Ιγκλέσιας, πρόεδρος της UJC. Ο Ιγκλέσιας εντάχθηκε στον Αντάρτικο Στρατό τον Μάη του 1957, όταν ήταν δεκαπέντε χρονών, και απέκτησε στη συνέχεια τον βαθμό του *comandante* (διοικητή). Ήταν επικεφαλής της επιτροπής η οποία, υπό την καθοδήγηση του Γκεβάρα, εργάστηκε για την προετοιμασία της ίδρυσης του AJR.

❖

Αγαπητοί συναγωνιστές,

Ένα από τα πιο ευχάριστα καθήκοντα ενός επαναστάτη είναι να παρατηρεί πώς, καθώς περνούν τα χρόνια, οι θεσμοί που γεννήθηκαν στην αρχή της επανάστασης διαμορφώνονται, βελτιώνονται και ενισχύονται· πώς μεταβάλλονται σε πραγματικούς θεσμούς με δύναμη, ζωντάνια και κύρος μεταξύ των μαζών. Οι οργανώσεις αυτές που ξεκίνησαν σε μικρή κλίμακα και με πολλές δυσκολίες και δισταγμούς έγιναν, μέσα από την καθημερινή δουλειά και την επαφή με τις μάζες, ισχυρότατοι εκπρόσωποι του σημερινού επαναστατικού κινήματος.

Η Ένωση Νέων Κομμουνιστών, με τις διαφορετικές ονομασίες και τις μορφές οργάνωσης που είχε κατά καιρούς, είναι σχεδόν ίδιας ηλικίας με την επανάστασή μας. Στην αρχή, ξεπήδησε από τον Αντάρτικο Στρατό –ίσως από εκεί πήρε και το αρχικό της όνομα. Ήταν μια οργάνωση συνδεδεμένη με τον στρατό, αλλά με στόχο να εντάξει τη νεολαία της Κούβας στο τεράστιο καθήκον της εθνικής άμυνας που ήταν το πιο επείγον πρόβλημα και αυτό που απαιτούσε την ταχύτερη λύση.

Ο Σύνδεσμος Νέων Ανταρτών και η Επαναστατική Εθνική Πολιτοφυλακή γεννήθηκαν μέσα από αυτό που παλαιότερα ήταν το

Τμήμα Εκπαίδευσης του Αντάρτικου Στρατού. Αργότερα η καθεμία από αυτές τις οργανώσεις απέκτησε δική της ζωή. Η μία διαμορφώθηκε σε έναν πανίσχυρο σχηματισμό του ένοπλου λαού, εκπρόσωπος του ένοπλου λαού, με το δικό της στίγμα, αλλά ενωμένη με τον στρατό μας στα καθήκοντα άμυνας. Η άλλη διαμορφώθηκε σε οργάνωση, σκοπός της οποίας ήταν η πολιτική ανύψωση της κουβανικής νεολαίας.

Αργότερα, όταν η επανάσταση σταθεροποιήθηκε και είχαμε τη δυνατότητα να σχεδιάσουμε τα νέα καθήκοντα που βλέπαμε μπροστά μας, ο συναγωνιστής Φιντέλ πρότεινε την αλλαγή του ονόματος της οργάνωσης, μια αλλαγή ονόματος που είναι έκφραση αρχής. Η Ένωση Νέων Κομμουνιστών [*χειροκροτήματα*] έχει το πρόσωπο στραμμένο στο μέλλον. Συγκροτείται με το βλέμμα της στραμμένο στο φωτεινό μέλλον της σοσιαλιστικής κοινωνίας, αφού διασχίσουμε τον δύσκολο δρόμο που διανύουμε τώρα, της οικοδόμησης μιας νέας κοινωνίας, αφού θα έχει εδραιωθεί πλήρως η ταξική δικτατορία, όπως αυτή εκφράζεται μέσω της σοσιαλιστικής κοινωνίας, και φτάσουμε τελικά σε μια κοινωνία χωρίς τάξεις, την ιδανική κοινωνία, την κοινωνία που θα έχετε την ευθύνη να οικοδομήσετε, να καθοδηγήσετε και να ηγηθείτε στο μέλλον. Όπως αρμόζει σε έναν τέτοιο στόχο, η Ένωση Νέων Κομμουνιστών ανυψώνει ως σύμβολά της τα σύμβολα που αντιπροσωπεύουν όλους τους Κουβανούς –τη μελέτη, τη δουλειά και το τουφέκι. [*Χειροκροτήματα*] Και στο έμβλημά της εμφανίζονται δύο από τις εξοχότερες φυσιογνωμίες της κουβανικής νεολαίας, που και οι δύο τους βρήκαν τραγικό θάνατο, πριν μπορέσουν να δουν το τελικό αποτέλεσμα της μάχης αυτής που διεξάγουμε: ο Χούλιο Αντόνιο Μέγια και ο Καμίλο Σιενφουέγος. [*Χειροκροτήματα*]

Σε αυτή τη δεύτερη επέτειο, σε μια περίοδο πυρετώδους οικοδόμησης και συνεχών προετοιμασιών για την άμυνα της χώρας και την όσο το δυνατόν πιο ταχύρρυθμη τεχνική και τεχνολογική εκπαίδευση, πρέπει να θέτουμε πάντα και πάνω απ' όλα το ερώτημα: Τι είναι η Ένωση Νέων Κομμουνιστών και τι πρέπει να είναι; Η Ένωση Νέων Κομμουνιστών πρέπει να προσδιορίζεται από μία μόνο λέξη: πρωτοπορία. Εσείς, συναγωνιστές, πρέπει να είστε η πρωτοπορία όλων των κινημάτων, οι πρώτοι που είναι έτοιμοι να επωμιστούν τις θυσίες που απαιτεί η επανάσταση, όποια και να είναι η φύση αυτών των θυσιών. Πρέπει να είστε οι πρώτοι στη δουλειά, οι πρώτοι στη μελέτη, οι πρώτοι στην άμυνα της χώρας. Πρέπει να βλέπετε αυτό το καθήκον όχι μόνο ως απόλυτη έκφραση της κουβανικής νεολαίας, όχι μόνο ως καθήκον των οργανωμένων μαζών, αλλά και ως το καθημερινό καθήκον κάθε μέλους της Ένωσης Νέων Κομμουνιστών. Και για να γίνει αυτό, θα πρέπει να βάζετε πραγματικά, συγκεκριμένα καθήκοντα, καθήκοντα στην καθημερινή σας δουλειά που δεν θα επιτρέπουν την παραμικρή χαλαρότητα.

Η οργανωτική δουλειά πρέπει να συνδέεται διαρκώς με κάθε δουλειά που αναλαμβάνει η Ένωση Νέων Κομμουνιστών. Η οργάνωση είναι το κλειδί που σας επιτρέπει να αδράξετε τις πρωτοβουλίες που αναδεικνύουν οι ηγέτες της επανάστασης, τις πρωτοβουλίες που συχνά προτείνονται από τον πρωθυπουργό μας και τις πρωτοβουλίες που προέρχονται από την εργατική τάξη που πρέπει επίσης να μετατρέπονται σε συγκεκριμένες οδηγίες και συγκεκριμένες ιδέες για τη δράση που θα επακολουθήσει. Χωρίς οργάνωση, οι ιδέες, ύστερα από την αρχική ώθηση, αρχίζουν να χάνουν την αποτελεσματικότητά τους. Γίνονται ρουτίνα, ξεπέφτουν στη συμβατικότητα και καταλήγουν να είναι απλά μια ανάμνηση. Κάνω αυτή την προειδοποίηση, επειδή πολύ συχνά, σε αυτή τη μικρή σε διάρκεια αλλά πλούσια σε εμπειρίες περίοδο της επανάστασης, πολλές σημαντικές πρωτοβουλίες έχουν αποτύχει· έχουν λησμονηθεί πια, επειδή έλειπε η οργανωτική δομή που είναι απαραίτητη για να ριζώσουν και να καρποφορήσουν.

Ταυτόχρονα, όλοι μαζί και καθένας ξεχωριστά πρέπει να αναλογιστεί ότι να είναι κανείς Νέος Κομμουνιστής ή να ανήκει στην Ένωση Νέων Κομμουνιστών δεν είναι μια χάρη που σας κάνει κάποιος. Ούτε είναι κάποια χάρη που κάνετε εσείς προς το κράτος ή την επανάσταση. Η ιδιότητα του μέλους της Ένωσης Νέων Κομμουνιστών πρέπει να αποτελεί την ύψιστη τιμή για έναν νέο άνθρωπο στη νέα κοινωνία, μια τιμή για την οποία μάχεται κάθε στιγμή της ζωής του. Επιπρόσθετα, χρειάζεται μια διαρκής προσπάθεια για να έχει κανείς την τιμή να παραμείνει μέλος της Ένωσης Νέων Κομμουνιστών και να διατηρεί μέσα σε αυτήν ένα υψηλό προσωπικό επίπεδο. Έτσι θα προοδεύσουμε ακόμα γρηγορότερα, καθώς συνηθίζουμε να σκεπτόμαστε συλλογικά και να ανταποκρινόμαστε στις μεγάλες πρωτοβουλίες της μάζας των εργαζομένων και των κεντρικών ηγετών μας. Ταυτόχρονα, σε καθετί που κάνουμε ως άτομα, θα πρέπει πάντοτε να είμαστε σίγουροι ότι οι πράξεις μας δεν αμαυρώνουν το όνομά μας ή το όνομα της οργάνωσης στην οποία ανήκουμε.

Τώρα, δύο χρόνια αργότερα, κοιτάζοντας πίσω μπορούμε να παρατηρήσουμε τα αποτελέσματα της δουλειάς μας. Η Ένωση Νέων Κομμουνιστών έχει τεράστια επιτεύγματα να επιδείξει –και η άμυνα είναι από τα πιο σημαντικά και εντυπωσιακά.

Εκείνοι οι νέοι άνθρωποι –ή κάποιοι από αυτούς– που ανέβηκαν πρώτοι στις πέντε κορυφές του Τουρκίνο,[1] άλλοι που κατατάχθηκαν σε μια σειρά στρατιωτικές οργανώσεις, όλοι όσοι πήραν τα όπλα σε στιγμές

---

1. Βλ. στο Γλωσσάριο: Τουρκίνο.

κινδύνου, ήταν πρόθυμοι να υπερασπιστούν την επανάσταση σε κάθε σημείο όπου αναμενόταν η εισβολή ή η εχθρική επιχείρηση. Στους νέους ανθρώπους που βρέθηκαν στην Πλάγια Χιρόν έλαχε η ύψιστη τιμή να υπερασπιστούν εκεί την επανάστασή μας.² [Χειροκροτήματα] Στην Πλάγια Χιρόν είχαν την τιμή να υπερασπιστούν τους θεσμούς που δημιουργήσαμε με θυσίες, να υπερασπιστούν εκεί τα επιτεύγματα του λαού, ύστερα από αγώνες χρόνων. Υπερασπίστηκαν εκεί το σύνολο της επανάστασής μας μέσα σε εβδομήντα δύο ώρες μάχης. Η πρόθεση του εχθρού ήταν να δημιουργήσει ένα αρκετά σημαντικό προγεφύρωμα, που να διαθέτει και αεροδρόμιο, ώστε να εξαπλώσουν τις εχθροπραξίες σε όλη την επικράτεια. Είχαν σκοπό να βομβαρδίσουν ανελέητα, να κάνουν τα εργοστάσιά μας στάχτη και τα μέσα επικοινωνίας μας σκόνη· να καταστρέψουν τη γεωργία μας. Με μία λέξη, να προκαλέσουν χάος σε όλη τη χώρα. Αλλά η αποφασιστική αντίδραση του λαού μας απέκρουσε την τεράστια εκείνη ιμπεριαλιστική επίθεση σε εβδομήντα δύο ώρες. Εκεί νέοι άνθρωποι, πολλοί από αυτούς παιδιά ακόμη, στέφθηκαν με δόξα. Μερικοί από αυτούς βρίσκονται σήμερα εδώ, και αντιπροσωπεύουν το ζωντανό παράδειγμα όλων εκείνων των ηρωικών νέων. Όσο για τους άλλους, μόνο το όνομά τους μας απομένει σαν ανάμνηση, να μας προτρέπει σε νέες μάχες που σίγουρα θα χρειαστεί να δώσουμε, αντιδρώντας ξανά με ηρωισμό μπροστά στις ιμπεριαλιστικές επιθέσεις. [Χειροκροτήματα]

Τη στιγμή που η άμυνα της χώρας ήταν το πιο σημαντικό μας καθήκον, η νεολαία έδωσε το παρόν. Σήμερα, η άμυνα εξακολουθεί να είναι από τις πρωταρχικές μας φροντίδες. Αλλά δεν θα πρέπει να ξεχνάμε

---

2. Βλ. στο Γλωσσάριο: Πλάγια Χιρόν.

ότι το σύνθημα που καθοδηγεί τους Νέους Κομμουνιστές [«Η μελέτη, η δουλειά και το τουφέκι»] είναι ένα ενιαίο σύνολο. Δεν είναι δυνατόν να υπερασπιστούμε τη χώρα μόνο με τα όπλα, μόνο με τη δική μας προετοιμασία και ετοιμότητα. Πρέπει επίσης να υπερασπιστούμε τη χώρα, οικοδομώντας την με τη δουλειά μας και εκπαιδεύοντας τα νέα τεχνικά στελέχη που θα επιταχύνουν ακόμα περισσότερο την ανάπτυξή της στα επόμενα χρόνια. Τα καθήκοντα αυτά αποκτούν τώρα τεράστια σημασία και φτάνουν στο ίδιο επίπεδο με το καθήκον της χρήσης των όπλων καθαυτό. Όταν τέθηκαν τα προβλήματα αυτά, οι νέοι δήλωσαν άλλη μία φορά παρόντες. Μπριγάδες νέων, ανταποκρινόμενες στο κάλεσμα της επανάστασης, εισέβαλαν σε κάθε γωνιά της χώρας. Και έτσι, ύστερα από μερικούς μήνες σκληρής μάχης, στην οποία μάλιστα η επανάστασή μας απέκτησε και νέους μάρτυρες –μάρτυρες για την παιδεία–, ήμασταν πλέον σε θέση να ανακοινώσουμε κάτι καινούριο για τη Λατινική Αμερική, ότι δηλαδή η Κούβα ήταν πλέον μια περιοχή της αμερικανικής ηπείρου απαλλαγμένη από τον αναλφαβητισμό.[3]

[*Χειροκροτήματα*]

Η μελέτη σε όλα τα επίπεδα είναι επίσης ένα καθήκον της σημερινής νεολαίας, μελέτη σε συνδυασμό με τη δουλειά, όπως στην περίπτωση εκείνων των φοιτητών που μαζεύουν καφέ στην επαρχία Οριέντε. [*Χειροκροτήματα*] Οι φοιτητές αυτοί κάνουν χρήση των διακοπών τους για να συλλέξουν αυτόν τον σπόρο που είναι τόσο σημαντικός για τη χώρα, για το εξωτερικό εμπόριο, και για μας τους ίδιους που καταναλώνουμε τεράστιες ποσότητες καφέ καθημερινά. Αυτό το καθήκον είναι παρόμοιο με την εκστρατεία αλφαβητισμού. Είναι

---

3. Βλ. στο Γλωσσάριο: Αλφαβητισμός, εκστρατεία.

καθήκον που απαιτεί θυσίες, που εκτελείται όμως με χαρά, φέρνοντας τους συναγωνιστές φοιτητές ξανά μαζί στα βουνά της χώρας μας, για να μεταφέρουν εκεί το επαναστατικό μήνυμα.

Επιπλέον το καθήκον αυτό είναι πολύ σημαντικό, γιατί η Ένωση Νέων Κομμουνιστών, οι Νέοι Κομμουνιστές δεν δίνουν μόνο, αλλά και παίρνουν. Σε ορισμένες περιπτώσεις, παίρνουν περισσότερα από όσα δίνουν. Αποκτούν νέες εμπειρίες, νέες εμπειρίες στην ανθρώπινη συναναστροφή. Αποκτούν εμπειρίες βλέποντας πώς ζουν οι αγρότες μας, μαθαίνοντας πώς είναι η εργασία και η ζωή στις πιο απομακρυσμένες περιοχές, βλέποντας τα όσα πρέπει να γίνουν ώστε να φτάσουν αυτές οι περιοχές στο ίδιο επίπεδο με τις πόλεις και να γίνει η επαρχία ένα καλύτερο μέρος να ζει κανείς. Αποκτούν, λοιπόν, εμπειρίες και επαναστατική ωριμότητα. Και οι συναγωνιστές που συμμετέχουν στην εκστρατεία εξάλειψης του αναλφαβητισμού ή στη συγκομιδή του καφέ, ερχόμενοι σε άμεση επαφή με τον λαό μας, και συνεισφέροντας ενώ βρίσκονται μακριά από το σπίτι τους, παίρνουν πολύ περισσότερα από όσα δίνουν –εγώ προσωπικά μπορώ να σας το εγγυηθώ αυτό. Και δίνουν πολλά!

Αυτού του είδους η εκπαίδευση είναι που αρμόζει καλύτερα σε μια νεολαία που εκπαιδεύεται για τον κομμουνισμό. Είναι ένα είδος εκπαίδευσης όπου η εργασία παύει να είναι μια εμμονή, όπως είναι στον καπιταλιστικό κόσμο, και γίνεται ένα ευχάριστο κοινωνικό καθήκον που εκτελείται χαρούμενα στον ρυθμό επαναστατικών τραγουδιών, όπου επικρατεί η πιο αδελφική συντροφικότητα και οι ανθρώπινες σχέσεις μάς ανυψώνουν όλους και μας δίνουν νέα ενέργεια.

Επιπρόσθετα, η Ένωση Νέων Κομμουνιστών έχει προχωρήσει πολύ στο οργανωτικό επίπεδο. Υπάρχει μεγάλη διαφορά μεταξύ εκείνου του αδύναμου εμβρύου που σχηματίστηκε σαν παρακλάδι του Αντάρτικου Στρατού και της οργάνωσης που βλέπουμε σήμερα. Υπάρχουν Νέοι Κομμουνιστές παντού, σε κάθε εργασιακό χώρο, σε κάθε διοικητικό σώμα. Οπουδήποτε μπορούν να επιφέρουν κάποιο αποτέλεσμα με τη δράση τους, εκεί βρίσκονται Νέοι Κομμουνιστές και εκεί εργάζονται για την επανάσταση. Η οργανωτική πρόοδος πρέπει επίσης να θεωρηθεί ως σημαντικό επίτευγμα της Ένωσης Νέων Κομμουνιστών.

Παρ' όλα αυτά, συναγωνιστές, είχαμε πολλά προβλήματα σε αυτή την επίπονη διαδρομή, μεγάλες δυσκολίες, τεράστια λάθη, και δεν ήμασταν πάντοτε ικανοί να τα ξεπεράσουμε όλα. Είναι προφανές ότι η Ένωση Νέων Κομμουνιστών, ως νεότερη οργάνωση, ως μικρότερος αδελφός των Ενοποιημένων Επαναστατικών Οργανώσεων [Organizaciones Revolucionarias Integradas – ORI], πρέπει να πιει από τη πηγή της εμπειρίας των συναγωνιστών που έχουν δουλέψει για μεγαλύτερο χρονικό διάστημα σε καθένα από τα καθήκοντα της επανάστασης. Και είναι προφανές ότι πρέπει πάντα να ακούν και να ακούν με σεβασμό τη φωνή αυτής της εμπειρίας. Αλλά οι νέοι πρέπει επίσης να δημιουργούν. Στην πραγματικότητα, νέοι που δεν δημιουργούν αποτελούν ανωμαλία. Και η Ένωση Νέων Κομμουνιστών ήταν ελλειμματική όσον αφορά αυτό το δημιουργικό πνεύμα. Μέσω της ηγεσίας της, έχει επιδείξει υπερβολική υπακοή και υπερβολικό σεβασμό, και ελάχιστη αποφασιστικότητα στην αντιμετώπιση των δικών της προβλημάτων. Αυτό τώρα αρχίζει να σπάει. Ο συναγωνιστής Χοέλ [Ιγκλέσιας] μάς μιλούσε για τις πρωτοβουλίες όσον αφορά την εργασία στα κρατικά αγροκτήματα. Πρόκειται για ένα παράδειγμα που μας δείχνει πώς η ολοκληρωτική εξάρτηση από τη μεγαλύτερη σε ηλικία οργάνωση –η οποία γίνεται παράλογη– αρχίζει να καταρρέει, και πώς οι νέοι αρχίζουν να σκέπτονται αυτόνομα.

Γιατί εμείς, και η νεολαία μαζί με μας, αναρρώνουμε από μια νόσο που ευτυχώς δεν κράτησε πολύ καιρό, αλλά είχε πολλά να κάνει με την καθυστέρηση της ιδεολογικής ανάπτυξης της επανάστασής μας. Όλοι μας συνερχόμαστε από τη νόσο που λέγεται σεχταρισμός.[4] Και σε τι οδήγησε ο σεχταρισμός; Οδήγησε στη μηχανιστική απομίμηση. Οδήγησε σε τυπικές αναλύσεις. Οδήγησε στον διαχωρισμό της ηγεσίας από τις μάζες. Οδήγησε σε αυτές τις πρακτικές ακόμα και στην Εθνική μας Διοίκηση και αυτό είχε άμεση αντανάκλαση εδώ στην Ένωση Νέων Κομμουνιστών.

Αν ήμασταν ανίκανοι –επίσης αποπροσανατολισμένοι από τον σεχταρισμό– να ακούσουμε τη φωνή του λαού, που είναι η σοφότερη φωνή και η φωνή που είναι σε καλύτερη θέση να σε προσανατολίσει, αν ήμασταν ανίκανοι να αισθανθούμε τον παλμό του λαού ώστε να μετατρέψουμε αυτόν τον παλμό σε συγκεκριμένες ιδέες, σε ακριβείς κατευθυντήριες γραμμές, τότε φανταστείτε πόσο ανίκανοι ήμασταν να μεταδώσουμε τις κατευθυντήριες αυτές γραμμές στην Ένωση Νέων Κομμουνιστών. Και μια και η εξάρτηση ήταν απόλυτη και η υπακοή πολύ μεγάλη, η Ένωση Νέων Κομμουνιστών ήταν σαν ένα μικρό ακυβέρνητο σκάφος εξαρτημένο από το μεγάλο καράβι, τις Ενοποιημένες Επαναστατικές Οργανώσεις, που ήταν και αυτές ακυβέρνητες. Έτσι η Ένωση Νέων Κομμουνιστών έπαιρνε μια σειρά

---

4. Στις 26 Μάρτη του 1962, ο Φιντέλ Κάστρο έδωσε μια τηλεοπτική ομιλία που έγινε διεθνώς γνωστή με τον τίτλο: «Ενάντια στη γραφειοκρατία και τον σεχταρισμό». Σε αυτή την ομιλία, επιτέθηκε στις γραφειοκρατικές πρακτικές που οδήγησαν στον σεχταρισμό ως προς την οργάνωση και τη λειτουργία των ORI –στη διαδικασία τότε διαμόρφωσής τους– και που, αν αφηνόταν να συνεχιστεί, θα οδηγούσε στην αποξένωση της μάζας των εργατών και αγροτών. Στην ομιλία αυτή, ο Κάστρο ανακοίνωσε ότι ο Ανίμπαλ Εσκαλάντε, πρώην ηγέτης του Λαϊκού Σοσιαλιστικού Κόμματος και οργανωτικός γραμματέας των ORI, απαλλασσόταν από τα καθήκοντά του. Η διαδικασία αναδιοργάνωσης των ORI άρχιζε.

μικρών πρωτοβουλιών –το μόνο που ήταν σε θέση να κάνει– οι οποίες και αυτές ακόμα ορισμένες φορές μετατρέπονταν σε χοντροκομμένα συνθήματα, σε εκδηλώσεις έλλειψης πολιτικού βάθους.

Ο συναγωνιστής Φιντέλ άσκησε σοβαρή κριτική στις ακρότητες και στη συνθηματολογία που είναι γνωστή σε όλους σας, όπως το «οι ORI είναι φάρος φωτεινός» και «είμαστε σοσιαλιστές, εμπρός, εμπρός, εμπρός...». Όλα αυτά τα πράγματα στα οποία έκανε κριτική ο Φιντέλ, και που σας είναι τόσο γνωστά, ήταν εκδήλωση της νόσου που είχε προσβάλει την επανάστασή μας. Αυτό το στάδιο το έχουμε ξεπεράσει. Το έχουμε εξαλείψει.

Ωστόσο, οι ζωντανοί οργανισμοί πάντοτε προχωρούν με μια καθυστέρηση. Είναι σαν μια αρρώστια που έχει αφήσει κάποιον αναίσθητο. Όταν η ασθένεια υποχωρεί, ο εγκέφαλος αναρρώνει και η νοητική διαύγεια επανέρχεται, αλλά τα χέρια και τα πόδια παραμένουν λίγο ασυντόνιστα. Εκείνες τις πρώτες μέρες που σηκώνεται κανείς από το κρεβάτι, το βάδισμα είναι ασταθές, και μετά λίγο λίγο γίνεται όλο και πιο σταθερό. Αυτός είναι ο δρόμος τον οποίο διανύουμε τώρα. Και πρέπει αντικειμενικά να εκτιμήσουμε και να αναλύσουμε όλες τις οργανώσεις που έχουμε ώστε να μπορέσουμε να συνεχίσουμε το νοικοκύρεμα. Και για να μην πέσουμε, να μην σκοντάψουμε και πέσουμε κάτω, πρέπει να έχουμε συναίσθηση ότι το βάδισμά μας είναι ασταθές. Πρέπει να αντιληφθούμε τις αδυναμίες μας ώστε να τις εξαλείψουμε και να επανακτήσουμε δυνάμεις.

Αυτή η έλλειψη πρωτοβουλίας οφείλεται στην υπάρχουσα από καιρό άγνοια της διαλεκτικής που ωθεί τις μαζικές οργανώσεις· όταν ξεχνάμε ότι μια οργάνωση, όπως η Ένωση Νέων Κομμουνιστών, δεν μπορεί να είναι μόνο ηγετική οργάνωση που απευθύνει διαρκώς οδηγίες προς τη βάση της και δεν ακούει ό,τι έχουν να πουν τα μέλη. Είχε σχηματιστεί η αντίληψη ότι η Ένωση Νέων Κομμουνιστών, ότι όλες οι οργανώσεις της Κούβας είναι μονοδρομημένες, ότι η γραμμή επικοινωνίας είναι μίας κατεύθυνσης, από την ηγεσία προς τα μέλη, χωρίς καμία γραμμή προς την αντίθετη κατεύθυνση, να μεταφέρει μηνύματα από τα μέλη προς την ηγεσία. Ωστόσο, οι πιο σημαντικές κατευθυντήριες γραμμές –εκείνες που θα μπορούσαν να δώσουν κεντρικούς στόχους στη δουλειά της νεολαίας μας– θα έπρεπε να γεννιούνται μέσω μιας συνεχούς, αμφίδρομης ανταλλαγής εμπειριών, ιδεών και οδηγιών, προσδιορίζοντας ταυτόχρονα τις περιοχές αδυναμίας της δουλειάς μας, τις περιοχές όπου χωλαίνουμε.

Βλέπουμε ακόμα σήμερα πως οι νέοι –ήρωες, σχεδόν όπως στα μυθιστορήματα– που μπορούν να δώσουν τις ζωές τους εκατοντάδες φορές για την επανάσταση, που μπορούν να ανταποκριθούν μαζικά όταν τους καλεί κάποιο συγκεκριμένο καθήκον, δεν εμφανίζονται μερικές φορές στη δουλειά τους, γιατί είχαν κάποια συνάντηση της Ένωσης Νέων Κομμουνιστών ή επειδή είχαν ξαγρυπνήσει το προηγούμενο βράδυ, συζητώντας κάποια πρωτοβουλία της νεολαιίστικης οργάνωσης, ή μερικές φορές χωρίς καμιά αιτία, κανένα δικαιολογητικό. Έτσι, όταν κάποιος κοιτάξει τριγύρω σε μια εθελοντική μπριγάδα εργασίας να δει πού είναι οι Νέοι Κομμουνιστές, συχνά τυχαίνει να μην βρίσκει κανέναν, να μην έχει εμφανιστεί κανείς. Ο καθοδηγητής είχε κάποια συνάντηση στην οποία έπρεπε να παραβρεθεί, άλλος ήταν άρρωστος και κάποιος άλλος πάλι δεν ήταν πλήρως ενημερωμένος για τη δουλειά.

Το αποτέλεσμα είναι ότι αυτή η θεμελιακή στάση, η στάση της πρωτοπορίας του λαού, του ζωντανού παραδείγματος που συγκινεί, που δίνει ώθηση και στους υπόλοιπους, όπως έκαναν οι νέοι στην Πλάγια Χιρόν –αυτή η στάση δεν επαναλαμβάνεται και στη δουλειά. Η σοβαρότητα που η σημερινή νεολαία πρέπει να έχει για να εκπληρώσει τις δεσμεύσεις της –και η μεγαλύτερη δέσμευση είναι η οικοδόμηση της σοσιαλιστικής κοινωνίας– δεν αντανακλάται στη χειροπιαστή δουλειά. Υπάρχουν μεγάλες αδυναμίες και πρέπει να δουλέψουμε πάνω σε αυτές, να επεξεργαστούμε τα θέματα οργάνωσης, να δουλέψουμε ώστε να εντοπίσουμε τα σημεία που πονάνε, τις περιοχές όπου έχουμε αδυναμίες που πρέπει να διορθωθούν. Πρέπει επίσης να εργαστούμε ώστε ο καθένας από σας να συνειδητοποιήσει ξεκάθαρα ότι δεν μπορεί να είναι καλός κομμουνιστής εκείνος που σκέπτεται για την επανάσταση μόνο τη στιγμή της αποφασιστικής θυσίας, τη στιγμή της μάχης, της ηρωικής περιπέτειας, σε στιγμές που ξεφεύγουν από το συνηθισμένο, ενώ στη δουλειά του είναι μέτριος ή χειρότερο από μέτριος. Πώς μπορεί να συμβαίνει αυτό;

Ήδη φέρετε το όνομα Νέοι Κομμουνιστές, ένα όνομα που εμείς ως ηγετική οργάνωση, ως ηγετικό κόμμα, δεν έχουμε ακόμη. Πρέπει να οικοδομήσετε ένα μέλλον, όπου η εργασία θα είναι η καλύτερη έκφραση της ανθρώπινης αξιοπρέπειας, ένα κοινωνικό καθήκον, μια απόλαυση, η πιο δημιουργική δραστηριότητα που υπάρχει. Όλοι θα ενδιαφέρονται για τη δουλειά τους και για τη δουλειά των άλλων, για την καθημερινή πρόοδο της κοινωνίας. Πώς είναι δυνατόν, εσείς που σήμερα φέρετε αυτό το όνομα να περιφρονείτε την εργασία; Υπάρχει μια ατέλεια εδώ, ένα ελάττωμα στην οργάνωση, στον προσδιορισμό της έννοιας της εργασίας.

Πρόκειται για ένα φυσικό ανθρώπινο ελάττωμα. Οι άνθρωποι – όλοι μας νομίζω– πρέπει να προτιμούν κάτι που σπάει τη μονοτονία της ζωής, κάτι που μία φορά στις τόσες ξαφνικά μας υπενθυμίζει τη δική μας προσωπική αξία, την αξία μας μέσα στην κοινωνία. Μπορώ να φανταστώ την περηφάνια εκείνων των συναγωνιστών που επάνδρωναν ένα «cuatro bocas»[5], για παράδειγμα, υπερασπιζόμενοι την πατρίδα τους από τα αεροπλάνα των γιάνκηδων. Ξαφνικά, ένας από αυτούς έχει την τύχη να δει τις σφαίρες του να χτυπούν ένα εχθρικό αεροπλάνο. Πρόκειται, καθαρά, για την ευτυχέστερη στιγμή στη ζωή ενός ανθρώπου, κάτι που ποτέ δεν ξεχνιέται. Εκείνοι οι συναγωνιστές που έζησαν την εμπειρία αυτή ποτέ δεν θα τη ξεχάσουν. Αλλά πρέπει να υπερασπιστούμε την επανάστασή μας, την επανάσταση που οικοδομούμε μέρα με τη μέρα. Και για να την υπερασπιστούμε, πρέπει να τη φτιάχνουμε, να τη χτίζουμε, να την ενισχύουμε με την εργασία που στους νέους σήμερα δεν αρέσει –ή που τουλάχιστον τοποθετούν χαμηλά στη λίστα των καθηκόντων τους. Αυτή είναι μια παρωχημένη αντίληψη που προέρχεται από τον καπιταλιστικό κόσμο, όπου η εργασία είναι πράγματι χρέος και ανάγκη, αλλά ένα λυπηρό χρέος και μια λυπηρή ανάγκη.

Γιατί συμβαίνει αυτό; Γιατί ακόμη δεν είμαστε ικανοί να δώσουμε στην εργασία το πραγματικό της περιεχόμενο. Δεν έχουμε μπορέσει να συνενώσουμε τον εργαζόμενο με το αντικείμενο της εργασίας του, και ταυτόχρονα να μεταδώσουμε στον εργαζόμενο μια συνείδηση της σημασίας της δημιουργικής αυτής πράξης που εκτελεί καθημερινά. Ο εργαζόμενος και η μηχανή, ο εργαζόμενος και το αντικείμενο το οποίο κατεργάζεται, παραμένουν ξεχωριστά και ανταγωνιστικά μεταξύ τους πράγματα. Και αυτό πρέπει να αλλάξει, γιατί πρέπει να αρχίσουν να πλάθονται οι νέες γενιές που θα ενδιαφέρονται κυρίως για την εργασία και θα γνωρίζουν να βρίσκουν στην εργασία μια μόνιμη και διαρκώς μεταβαλλόμενη πηγή νέων

---

5. Κυριολεκτικά, «τέσσερα στόματα». Αυτή ήταν μια δημοφιλής ονομασία στην Κούβα για το κινέζικο βαρύ αντιαεροπορικό πολυβόλο ZPU-4 14.5 mm. Το όπλο αυτό είχε τέσσερις κάνες στημένες πάνω σε τετράτροχο όχημα.

ερεθισμάτων. Πρέπει να μετατρέψουν την εργασία σε κάτι δημιουργικό, κάτι καινούριο. Αυτό είναι ίσως το πιο αδύναμο σημείο στην Ένωση Νέων Κομμουνιστών σήμερα και γι' αυτό επιμένω σε αυτό. Γι' αυτό, μέσα στη χαρά του εορτασμού της επετείου σας, φέρνω μια μικρή πικρή σταγόνα για να ακουμπήσω εκείνο το ευαίσθητο σημείο και να καλέσω τη νεολαία να ανταποκριθεί.

Νωρίτερα σήμερα είχαμε μια συνάντηση στο Υπουργείο [Βιομηχανίας] για να συζητήσουμε το ζήτημα της άμιλλας.[6] Πολλοί από εσάς πιθανώς να έχετε ήδη συζητήσει την άμιλλα στους εργασιακούς σας χώρους και να έχετε διαβάσει εκείνη τη μακροσκελή έκθεση για το θέμα αυτό. Αλλά ποιο είναι το πρόβλημα με την άμιλλα, συναγωνιστές; Το πρόβλημα είναι ότι η άμιλλα δεν μπορεί να καθοδηγηθεί με εκθέσεις που περιέχουν πρότυπα ρυθμών παραγωγής και διαταγές και προτείνουν μοντέλα. Τα πρότυπα ρυθμών παραγωγής και τα μοντέλα είναι χρήσιμα αργότερα για να συγκρίνουμε τα αποτελέσματα της εργασίας των ανθρώπων που με ενθουσιασμό συμμετέχουν στην άμιλλα. Όταν δύο

_____

6. Άμιλλα είναι ένας τρόπος συναγωνισμού ανάμεσα σε ομάδες εργαζομένων οι οποίοι συνεργάζονται, –συναγωνισμός ανάμεσα σε συλλογικότητες– για να δουν ποιο εργοστάσιο ή επιχείρηση μπορεί να παραγάγει περισσότερα, με τη μεγαλύτερη παραγωγικότητα και την υψηλότερη ποιότητα. Η άμιλλα είναι το αντίθετο του ανταγωνισμού μεταξύ εξατομικευμένων εργατών –του νόμου της ζούγκλας που διέπει τη ζωή και την εργασία στον καπιταλισμό– και είναι εφικτή μόνον όταν οι εργαζόμενοι παράγουν για δικό τους λογαριασμό και όχι για τους εκμεταλλευτές τους. Προωθήθηκε ακούραστα από τον Τσε Γκεβάρα στα εργοστάσια που ήταν υπό τη διεύθυνσή του, όταν ήταν υπουργός Βιομηχανίας στις αρχές της δεκαετίας του 1960. «Άμιλλα είναι αδελφικός συναγωνισμός. Είναι ένα όπλο για την αύξηση της παραγωγής», δήλωνε το 1963. «Αλλά δεν είναι μόνο αυτό. Είναι επίσης ένα εργαλείο για την εμβάθυνση της συνείδησης των μαζών. Αυτά τα δύο πράγματα πρέπει να πηγαίνουν πάντα μαζί».

συνάδελφοι αρχίζουν να αμιλλώνται, όταν δηλαδή ο καθένας στοχεύει να αποδώσει περισσότερο στη μηχανή του, ύστερα από λίγο ανακαλύπτουν ότι πρέπει να θέσουν κάποιους κανόνες για να μετρήσουν ποιος βγάζει περισσότερα από τη μηχανή του, να ορίσουν την ποιότητα των προϊόντων, τις ώρες που εργάστηκαν, σε ποια κατάσταση είναι οι μηχανές όταν τελειώσουν, πώς τις συντηρούν, μία σειρά πραγμάτων.

Εάν, όμως, αντί να δώσουμε αυτά τα πρότυπα παραγωγής σε αυτούς τους δύο συναδέλφους που αμιλλώνται, τα δώσουμε σε δύο άλλους, οι οποίοι το μόνο που σκέπτονται είναι πότε θα πάνε σπίτι, τότε σε τι ωφελούν; Τι σκοπό εξυπηρετούν; Συχνά θέτουμε στόχους παραγωγής και αναπτύσσουμε μοντέλα για κάτι που δεν υπάρχει. Τα μοντέλα, όμως, πρέπει να έχουν περιεχόμενο. Οι στόχοι παραγωγής πρέπει να οριοθετούν και να προσδιορίζουν μια υπάρχουσα κατάσταση. Πρέπει να είναι το αποτέλεσμα της άμιλλας που ήδη πραγματοποιείται, άναρχα αν θέλετε, ναι, αλλά με ενθουσιασμό, ξεχειλίζοντας σε κάθε εργασιακό χώρο στην Κούβα. Τότε αυτόματα θα παρουσιαστεί η ανάγκη για πρότυπα και στόχους. Αλλά άμιλλα για την εκπλήρωση στόχων παραγωγής, όχι. Πολλά προβλήματα έχουμε αντιμετωπίσει με αυτόν τον τρόπο. Τόσο επιφανειακά τυπικοί υπήρξαμε στην αντιμετώπιση πολλών πραγμάτων.

Ρώτησα σε εκείνη τη συνάντηση γιατί ο γραμματέας των Νέων Κομμουνιστών δεν ήταν εκεί ή πόσες φορές είχε παραβρεθεί. Είπε ότι είχε έρθει μία δύο φορές, και ότι άλλοι Νέοι Κομμουνιστές δεν είχαν παραβρεθεί καθόλου. Κατά τη διάρκεια, όμως, της συνάντησης, καθώς συζητούσαμε αυτό και άλλα προβλήματα, οι Νέοι Κομμουνιστές, η τοπική οργάνωση βάσης του κόμματος, η Ομοσπονδία Γυναικών Κούβας, οι Επιτροπές Υπεράσπισης της Επανάστασης και το σωματείο εργαζομένων, όλοι φυσικά ενθουσιάστηκαν. Ή τουλάχιστον γέμισαν θυμό και πίκρα απέναντι στον εαυτό τους· και εκδήλωσαν την επιθυμία να βελτιωθούν, την επιθυμία να δείξουν ότι μπορούν να κάνουν αυτό που δεν είχε γίνει μέχρι τότε, δηλαδή να κινητοποιήσουν τον κόσμο. Και ξαφνικά όλοι δεσμεύτηκαν ότι σύσσωμο το Υπουργείο θα αφιερωνόταν στην ανάπτυξη της άμιλλας σε όλα τα επίπεδα, ότι θα συζητούσαν τους ρυθμούς παραγωγής αργότερα, αφού είχαν ξεκινήσει την άμιλλα, και ότι μέσα σε δύο εβδομάδες θα μπορούσαν να παρουσιάσουν συγκεκριμένα αποτελέσματα, με όλο το Υπουργείο να απασχολείται ενεργά με την άμιλλα. Αυτό είναι πράγματι κινητοποίηση. Οι άνθρωποι εκεί έχουν ήδη κατανοήσει και αισθανθεί –γιατί καθένας από αυτούς είναι θαυμάσιος συναγωνιστής– ότι υπήρχε μία αδυναμία στη δουλειά τους. Πληγώθηκε η αξιοπρέπειά τους και ανέλαβαν να φροντίσουν για τη λύση του προβλήματος.

Αυτό είναι που χρειάζεται να γίνει, να θυμόμαστε ότι η εργασία είναι το πιο σημαντικό πράγμα. Να με συγχωρείτε που το επαναλαμβάνω για άλλη μία φορά, αλλά η ουσία είναι ότι χωρίς δουλειά δεν υπάρχει τίποτα. Όλα τα πλούτη του κόσμου, όλες οι πανανθρώπινες αξίες δεν είναι τίποτα παρά συσσωρευμένη εργασία. Χωρίς αυτήν, τίποτα δεν μπορεί να υπάρξει. Χωρίς την επιπρόσθετη εργασία που δημιουργεί νέα πλεονάσματα για νέα εργοστάσια και κοινωνικά ιδρύματα, η χώρα είναι αδύνατον να προχωρήσει. Όσο ισχυρά και να είναι τα στρατεύματά μας, θα έχουμε πάντα αργούς ρυθμούς ανάπτυξης. Πρέπει να ξεφύγουμε από αυτό. Πρέπει να απαλλαγούμε από τα παλιά λάθη, να τα κρατήσουμε ψηλά στο φως της μέρας, να τα αναλύσουμε παντοιοτρόπως και μετά να τα διορθώσουμε.

Τώρα, συναγωνιστές, ήθελα να μοιραστώ τη γνώμη μου ως εθνικός ηγέτης των ORI για το πώς θα έπρεπε να είναι ένας Νέος Κομμουνιστής, να δούμε αν όλοι συμφωνούμε. Πιστεύω ότι το πρώτο πράγμα που πρέπει να χαρακτηρίζει έναν Νέο Κομμουνιστή είναι η τιμή που αισθάνεται να είναι Νέος Κομμουνιστής, μια τιμή που τον ωθεί να διαλαλεί στον κόσμο όλο ότι είναι Νέος Κομμουνιστής, κάτι που ούτε κρύβει, ούτε υποβιβάζει σε διατύπωση χωρίς περιεχόμενο. Εκφράζει κάθε στιγμή την τιμή που νιώθει, η οποία πηγάζει από τα βάθη της ψυχής του και αυτό θέλει να το δείξει και στους άλλους γιατί είναι η μεγαλύτερή του περηφάνια. Επιπλέον, θα πρέπει να έχει υψηλή αίσθηση καθήκοντος, ένα αίσθημα χρέους προς την κοινωνία που οικοδομούμε, προς τους συνανθρώπους μας και προς όλη την ανθρωπότητα. Αυτό είναι κάτι που πρέπει να χαρακτηρίζει τον Νέο Κομμουνιστή. Και μαζί με αυτό πρέπει να υπάρχει βαθιά ευαισθησία σε όλα τα προβλήματα, ευαισθησία στην αδικία, ένα πνεύμα που επαναστατεί ενάντια σε κάθε αδικία όποιος και να τη διαπράττει [χειροκροτήματα]· να θέτει ερωτήματα κάθε φορά που δεν καταλαβαίνει κάτι· να συζητάει και να ζητά διευκρινίσεις για οτιδήποτε δεν του είναι ξεκάθαρο· να κηρύσσει πόλεμο σε κάθε είδους φορμαλισμό· να είναι πάντα ανοικτός σε νέες εμπειρίες ώστε να αντλεί από την εμπειρία που έχει αποκτήσει η ανθρωπότητα, η οποία εδώ και πολλά χρόνια βαδίζει προς τον σοσιαλισμό, και να εφαρμόζει την εμπειρία αυτή στις συγκεκριμένες συνθήκες της χώρας μας, στην πραγματικότητα που υπάρχει στην Κούβα. Ο καθένας από σας ξεχωριστά πρέπει να σκέπτεται πώς μπορεί να αλλάξει την πραγματικότητα, πώς να τη βελτιώσει.

Ο Νέος Κομμουνιστής πρέπει πάντα να θέτει ως στόχο να είναι ο καλύτερος σε όλα, να παλεύει να είναι ο καλύτερος, να στενοχωριέται όταν δεν είναι, και να αγωνίζεται να βελτιωθεί, να γίνει ο καλύτερος. Φυσικά, δεν μπορούμε όλοι να είμαστε οι καλύτεροι. Αλλά μπορούμε να είμαστε ανάμεσα στους καλύτερους, στην πρωτοπορία. Μπορούμε να είμαστε το ζωντανό παράδειγμα, ένα πρότυπο για εκείνους τους συναγωνιστές που δεν ανήκουν στους Νέους Κομμουνιστές, ένα παράδειγμα για τους μεγαλύτερους σε ηλικία άνδρες και γυναίκες που έχουν χάσει λίγο από τον νεανικό τους ενθουσιασμό, που έχουν χάσει λίγη από την πίστη τους στη ζωή και που πάντα ανταποκρίνονται θετικά στο καλό παράδειγμα. Αυτό είναι άλλο ένα καθήκον των Νέων Κομμουνιστών.

Μαζί με αυτά, θα πρέπει να υπάρχει μεγάλο πνεύμα αυτοθυσίας, όχι μόνο όταν πρόκειται για ηρωικά εγχειρήματα αλλά κάθε στιγμή, κάνοντας θυσίες για να βοηθήσουμε τον συναγωνιστή που είναι δίπλα μας στα μικρά καθήκοντα ώστε να μπορέσει να ανταποκριθεί στην εργασία του, να κάνει τη δουλειά του στο σχολείο, να μελετήσει, να μπορέσει να βελτιωθεί με κάθε τρόπο.

Πρέπει πάντα να έχει στραμμένη την προσοχή του στην ανθρώπινη μάζα που τον περιστοιχίζει. Κάθε Νέος Κομμουνιστής πρέπει πρωταρχικά να είναι άνθρωπος, τόσο άνθρωπος που να προσεγγίζει όλο και περισσότερο τις υψηλότερες αρετές της ανθρωπότητας. Με τη δουλειά, με τη μελέτη και με τη συνεχή αλληλεγγύη προς τον λαό και όλους τους λαούς του κόσμου, να συμπυκνώνει ό,τι καλύτερο είναι ο άνθρωπος. Να αναπτύσσει στο έπακρο την ευαισθησία του ώστε να αισθάνεται βαθιά ψυχική οδύνη όταν ένας άνθρωπος δολοφονείται σε κάποια γωνιά της γης, και να αισθάνεται ενθουσιασμό όποτε μια νέα σημαία ελευθερίας υψώνεται σε κάποια γωνιά του πλανήτη. [*Χειροκροτήματα*]

Ο Νέος Κομμουνιστής δεν μπορεί να περιορίζεται από εθνικά σύνορα. Ο Νέος Κομμουνιστής πρέπει να κάνει πράξη τον προλεταριακό διεθνισμό και να τον νιώθει σαν κάτι δικό του. Πρέπει να υπενθυμίζει στον εαυτό του και σε όλους μας —τους Νέους Κομμουνιστές και όσους φιλοδοξούν να γίνουν κομμουνιστές εδώ στην Κούβα— ότι αποτελούμε πραγματικό και ζωντανό παράδειγμα για ολόκληρη τη Δική μας Αμερική.

Και όχι μόνο για τη Δική μας Αμερική, αλλά επίσης για τις άλλες χώρες του κόσμου που μάχονται, σε άλλες ηπείρους, για την ελευθερία, κατά της αποικιοκρατίας, κατά της νεοαποικιοκρατίας, κατά του ιμπεριαλισμού και ενάντια σε κάθε μορφή καταπίεσης από άδικα συστήματα. Πρέπει πάντα να θυμάται ότι είμαστε ένας φλεγόμενος πυρσός.

Όπως ο καθένας από μάς ατομικά είναι ένας καθρέπτης για τον λαό της Κούβας, έτσι είμαστε επίσης ένας καθρέπτης όπου οι καταπιεζόμενοι λαοί της Λατινικής Αμερικής και οι καταπιεζόμενοι λαοί του κόσμου που μάχονται για την ελευθερία τους βλέπουν τον εαυτό τους να αντανακλάται. Πρέπει να είμαστε αντάξιο παράδειγμα. Κάθε στιγμή και κάθε ώρα πρέπει να είμαστε άξιοι να αποτελούμε το παράδειγμα αυτό. Έτσι σκεπτόμαστε ότι πρέπει να είναι ένας Νέος Κομμουνιστής. Και σε όποιον λέει πως είμαστε απλά ρομαντικοί, αθεράπευτοι ιδεαλιστές, ότι βάζουμε με τον νου μας το αδύνατο, ότι οι μάζες ενός λαού είναι αδύνατον να γίνουν άνθρωποι που αγγίζουν τα όρια της τελειότητας, θα πρέπει να απαντήσουμε χίλιες και μία φορές: Ναι, γίνεται. Έχουμε δίκιο. Ο λαός ως σύνολο μπορεί να προχωρήσει, εξαλείφοντας όλα εκείνα τα ανθρώπινα μικρο-ελαττώματα όπως έχουμε κάνει εδώ στην Κούβα σε αυτά τα τέσσερα χρόνια επανάστασης. Μπορεί να βελτιωθεί όπως βελτιωνόμαστε εμείς καθημερινά, παραμερίζοντας με αδιαλλαξία όσους μένουν πίσω, όσους δεν μπορούν να βαδίσουν στον ρυθμό της κουβανικής επανάστασης. Έτσι πρέπει να είναι, και έτσι θα είναι, συναγωνιστές. [Χειροκροτήματα]

Έτσι θα είναι, γιατί είστε Νέοι Κομμουνιστές, δημιουργοί της τέλειας κοινωνίας, άνθρωποι προορισμένοι να ζήσουν σε έναν νέο κόσμο όπου καθετί το σαραβαλιασμένο, καθετί το παλιό, καθετί που αντιπρο-σωπεύει την κοινωνία της οποίας τα θεμέλια έχουν μόλις καταστραφεί, θα έχει οριστικά εξαλειφθεί. Για να φτάσουμε στον στόχο αυτό, πρέπει να δουλέψουμε καθημερινά με γνώμονα τη βελτίωσή μας, την απόκτηση γνώσεων και την κατανόηση του κόσμου γύρω μας, την έρευνα, την ανακάλυψη και τη γνώση των αιτιών που τα πράγματα έχουν όπως έχουν και, πάντα, τη θεώρηση των προβλημάτων της ανθρωπότητας ως δικά μας.

Έτσι σε ανύποπτο χρόνο, μία συνηθισμένη μέρα στα χρόνια που έρχονται, ύστερα από πολλές θυσίες –ναι, αφού θα έχουμε δει τον εαυτό μας στο χείλος της καταστροφής, αφού θα έχουμε δει, ίσως, τα εργοστάσιά μας κατεστραμμένα και αφού θα τα έχουμε ξαναφτιάξει, αφού θα έχουμε δει τον θάνατο, τη σφαγή πολλών από εμάς, και αφού θα έχουμε ξαναχτίσει ό,τι έχει καταστραφεί– ύστερα από όλα αυτά, μία κάποια συνηθισμένη μέρα, σχεδόν χωρίς να το προσέξουμε, θα έχουμε δημιουργήσει, μαζί με τους άλλους λαούς του κόσμου, το ιδανικό μας: την κομμουνιστική κοινωνία. [*Χειροκροτήματα*]

Συναγωνιστές, είναι πολύ ευχάριστο καθήκον να μιλάς στη νεολαία. Αισθάνεσαι ότι μπορείς να εκφράσεις ορισμένα πράγματα και ότι η νεολαία τα κατανοεί. Είναι πολύ περισσότερα τα πράγματα που θα ήθελα να σας πω για τις κοινές μας προσπάθειες, τους πόθους μας, για το πώς, παρ' όλα αυτά, τόσες από αυτές θρυμματίζονται μπροστά στην καθημερινή πραγματικότητα και πώς πρέπει να ξαναρχίσουμε από την αρχή· για τις στιγμές αδυναμίας και για το πώς η επαφή με τον λαό, με την αγνότητα και τα ιδανικά του λαού, μας γεμίζει με νέα επαναστατική θέρμη. Υπάρχουν πολλά περισσότερα πράγματα για να συζητήσουμε· πρέπει όμως να εκπληρώσουμε και τα καθήκοντά μας. Παρεμπιπτόντως, θα εκμεταλλευτώ την ευκαιρία αυτή να σας εξηγήσω γιατί σας αποχαιρετώ, με ιδιοτελή κίνητρα ενδεχομένως. [*Γέλια*] Σας αποχαιρετώ, γιατί πηγαίνω να εκπληρώσω το καθήκον μου ως εθελοντής εργάτης σε ένα εργοστάσιο υφαντουργίας. [*Χειροκροτήματα*] Εδώ και κάποιον καιρό εργαζόμαστε στο εργοστάσιο αυτό, σε άμιλλα με τους συναγωνιστές της Ενιαίας Επιχείρησης Κλωστοϋφαντουργίας που δουλεύουν σε άλλη υφαντουργία και με τους συναγωνιστές της Κεντρικής Επιτροπής Προγραμματισμού που επίσης εργάζονται σε μια άλλη υφαντουργία. Θέλω να σας πω ειλικρινά ότι το Υπουργείο Βιομηχανίας είναι στην τελευταία θέση στην άμιλλα αυτή. Πρέπει να καταβάλουμε περισσότερη, δυνατότερη προσπάθεια, συνεχώς, ώστε να προχωρήσουμε μπροστά, να φτάσουμε τον στόχο που εμείς οι ίδιοι θέσαμε, να γίνουμε οι καλύτεροι, να φιλοδοξούμε να είμαστε οι καλύτεροι γιατί μας πληγώνει να είμαστε οι τελευταίοι στη σοσιαλιστική άμιλλα.

Αυτό που συνέβη γενικά είναι απλά αυτό που συνέβη σε πολλούς από εσάς. Η άμιλλα είναι ψυχρή, λιγάκι φτιαχτή, και δεν ξέραμε πώς να έρθουμε σε άμεση επαφή με τη μάζα των εργαζομένων στη βιομηχανία. Έχουμε μια συνέλευση αύριο για να συζητήσουμε τα προβλήματα αυτά και να προσπαθήσουμε να τα επιλύσουμε όλα, να βρούμε κοινό έδαφος, κοινή γλώσσα, να καταφέρουμε εμείς οι εργαζόμενοι του υπουργείου να ταυτιστούμε απόλυτα με τους εργαζόμενους στη βιομηχανία αυτή. Αφού το κάνουμε αυτό, είμαι σίγουρος ότι η παραγωγή μας θα αυξηθεί και θα είμαστε σε θέση να δώσουμε μια καθαρή, τίμια μάχη για την πρώτη θέση. Σε κάθε περίπτωση, στη συνέλευση της επόμενης χρονιάς, θα σας πούμε τα αποτελέσματα. Έτσι, μέχρι τότε σας χαιρετώ.

[*Επευφημίες*]

Η νεολαία πρέπει να βαδίζει στην πρωτοπορία

Από το κλείσιμο του σεμιναρίου που διοργάνωσε το Υπουργείο Βιομηχανίας με τίτλο «Η νεολαία και η επανάσταση» 9 Μάη 1964

Τον Μάη του 1964, τα μέλη της Ένωσης Νέων Κομμουνιστών που εργάζονταν στο Υπουργείο Βιομηχανίας οργάνωσαν σεμινάριο διάρκειας μίας εβδομάδας με θέμα «Η νεολαία και η επανάσταση». Για έξι συνεχόμενα βράδια, συγκεντρώνονταν στην αίθουσα συνεδριάσεων του Υπουργείου μετά τη δουλειά. Ο Ερνέστο Τσε Γκεβάρα, επικεφαλής του Υπουργείου από τότε που δημιουργήθηκε, τον Φλεβάρη του 1961, μίλησε στην τελετή λήξης.

Όταν συγκροτήθηκε το Υπουργείο Βιομηχανίας, υπάχθηκαν στη δικαιοδοσία του 287 επιχειρήσεις που απασχολούσαν περίπου 150 χιλιάδες εργαζομένους. Υπό την καθοδήγηση του Γκεβάρα, το Υπουργείο έθεσε ως στόχο τη δημιουργία μιας συγκεντροποιημένης εθνικής δομής που θα ενσωμάτωνε όλες τις βιομηχανικές μονάδες της χώρας και θα έδινε στην εργατική τάξη μεγαλύτερη δυνατότητα να καθορίζει οικονομικές και κοινωνικές προτεραιότητες. Μέσα από αυτή την προσπάθεια, η επαναστατική κυβέρνηση μπόρεσε να αντιμετωπίσει πολλές από τις καθοριστικές προκλήσεις για την καθοδήγηση της μετάβασης στον σοσιαλισμό.

Στη δουλειά της οργάνωσης, του σχεδιασμού και της διαχείρισης της κουβανικής βιομηχανίας, ο Τσε Γκεβάρα τόνιζε ότι η αύξηση της παραγωγικότητας της εργασίας βρισκόταν πρώτα και κύρια σε συνάρτηση με τον μετασχηματισμό της πολιτικής συνείδησης της εργατικής τάξης, στον βαθμό που οι εργαζόμενοι θα συμμετείχαν στο επαναστατικό έργο της οικοδόμησης του σοσιαλισμού. Καθώς οι εργαζόμενοι θα ανέπτυσσαν τις τεχνικές και διοικητικές τους ικανότητες, συγκροτώντας παράλληλα

Ο Γκεβάρα μιλάει στο σεμινάριο με τίτλο «Η νεολαία και η επανάσταση» στο Υπουργείο Βιομηχανίας στην Αβάνα, 9 Μάη 1964.

«Σήμερα έχουμε ξεκινήσει μια διαδικασία πολιτικοποίησης, αν μπορούμε να την ονομάσουμε έτσι, του Υπουργείου αυτού». Χωρίς αυτό, «είναι ένας πολύ ψυχρός χώρος, ένας πολύ γραφειοκρατικός χώρος, μια φωλιά βαρετών και σχολαστικών γραφειοκρατών, από τον υπουργό και κάτω, που βασανίζονται αδιάκοπα με συγκεκριμένα καθήκοντα προκειμένου να βρουν νέες σχέσεις και νέες συμπεριφορές.»

ομάδες εθελοντικής εργασίας για την ικανοποίηση των επειγουσών κοινωνικών αναγκών, θα υιοθετούσαν μια νέα, κομμουνιστική στάση απέναντι στην εργασία. «Μπορούμε να αναλάβουμε το έργο της δημιουργίας μιας νέας συνείδησης γιατί έχουμε νέες μορφές σχέσεων παραγωγής», έγραφε ο Γκεβάρα τον Φλεβάρη του 1964, λίγους μήνες πριν από το σεμινάριο. Η κληρονομιά της οικονομικής καθυστέρησης, που επιβλήθηκε στην Κούβα από τον ιμπεριαλισμό, δεν αποκλείει αυτόν τον στόχο, επέμενε. «Η ανάπτυξη της συνείδησης μπορεί να υπερφαλαγγίσει το επίπεδο των παραγωγικών δυνάμεων μιας χώρας», εφόσον τα μέσα παραγωγής τελούν υπό κοινωνική ιδιοκτησία και δεν ανήκουν πλέον σε ιδιώτες.

Ο στόχος είναι να πάψει να υπάρχει ο «άνθρωπος-εμπόρευμα», εξηγούσε ο Γκεβάρα στο κείμενο «Ο σοσιαλισμός και ο άνθρωπος στην Κούβα» στις αρχές του 1965. Στη μετάβαση προς τον σοσιαλισμό, ο άνθρωπος «αρχίζει να βλέπει τον εαυτό του μέσα από τον καθρέφτη της εργασίας του και να κατανοεί το ανθρώπινο μεγαλείο του μέσα από το αντικείμενο που έχει δημιουργήσει, μέσα από τη δουλειά που έχει φέρει σε πέρας. Η εργασία δεν ισοδυναμεί πλέον με την παραχώρηση μέρους της ύπαρξής του μέσω της πώλησης της εργατικής του δύναμης, που πια δεν του ανήκει. Αντίθετα αποτελεί μια έκφραση και μια προέκταση του εαυτού του, μια συνεισφορά στην κοινή κοινωνική ύπαρξη στην οποία καθρεφτίζεται και ο ίδιος».

Ο Γκεβάρα συνέβαλε επίσης στην καθοδήγηση της συνεχιζόμενης πολιτικής ανασυγκρότησης των επαναστατικών δυνάμεων της Κούβας. Το 1961, το Κίνημα της 26ης Ιούλη ξεκίνησε μια διαδικασία συγχώνευσης με το Λαϊκό Σοσιαλιστικό Κόμμα [Partido Socialista Popular] και με το Επαναστατικό Διευθυντήριο [Directorio Revolucionario], που είχαν συμμετάσχει στην επαναστατική ανατροπή της δικτατορίας του Μπατίστα. Η διαδικασία αυτή ολοκληρώθηκε τον Οκτώβρη του 1965 με την ίδρυση του Κομμουνιστικού Κόμματος της Κούβας, με τον Φιντέλ Κάστρο ως πρώτο γραμματέα της Κεντρικής του Επιτροπής.

Όπως και στην προηγούμενη ομιλία, η διασαφήνιση από τον Γκεβάρα των κρίσιμων πολιτικών προβλημάτων, συμπεριλαμβανομένων όσων αφορούν τον χαρακτήρα και την ηγεσία μιας επαναστατικής οργάνωσης νέων καθώς και τις δραστηριότητές της, ήταν ένας από τους καθοριστικούς παράγοντες για την ευόδωση αυτής της διαδικασίας συνένωσης.

❖

Συναγωνιστές,

Πριν από καιρό δέχτηκα την πρόσκληση από την οργάνωση της νεολαίας για να κάνω το κλείσιμο ενός κύκλου διαλέξεων και συζητήσεων, με τις οποίες η νεολαία έδινε εμφανή σημεία ζωής στο πλαίσιο της πολιτικής δουλειάς του Υπουργείου.

Ήθελα πολύ να μιλήσω μαζί σας και να εκφράσω ορισμένες απόψεις, καθώς πολλές φορές έχω τηρήσει μια στάση κριτική απέναντι στη νεολαία, όχι στη νεολαία στο σύνολό της, αλλά στην οργάνωσή της. Γενικά, όμως, αυτή μου η στάση δεν συνοδευόταν από την πρόταση πρακτικών λύσεων. Με άλλα λόγια, προσομοίαζε η στάση μου με αυτήν ενός ελεύθερου σκοπευτή, κάτι που δεν συνάδει με όλα τα υπόλοιπα καθήκοντα που έχω, ανάμεσά τους και όσα απορρέουν από τη συμμετοχή μου στην ηγεσία του κόμματος, ως μέλος της γραμματείας του, και ούτω καθ' εξής. Υπήρξαν ορισμένες αντιλήψεις σχετικά με τον χαρακτήρα μιας οργάνωσης νεολαίας, με τις οποίες ποτέ δεν ήμασταν απόλυτα σύμφωνοι. Πάντα βρίσκαμε ότι η νεολαία, ως οργάνωση, είχε μια κάπως μηχανιστική αντίληψη, η οποία, κατά την κρίση μας, την εμπόδιζε να γίνει μια αληθινή πρωτοπορία. Τα θέματα αυτά, βέβαια, συνεχίζουν να συζητιούνται εδώ και πολύ καιρό.

Η οργάνωση νεολαίας στα πρώτα της βήματα –με την αρχική, εμβρυακή της μορφή– αναπτύχθηκε κάτω από τη δική μας άμεση καθοδήγηση, όταν συγκροτήθηκε ο Σύνδεσμος Νέων Ανταρτών, ο οποίος υπαγόταν στο Τμήμα Εκπαίδευσης του Αντάρτικου Στρατού. Στη συνέχεια αποσπάστηκε, αποκτώντας τα δικά της πολιτικά χαρακτηριστικά.

Αν και τηρήσαμε μια κριτική στάση απέναντι στη νεολαία, η κριτική αυτή στάση δεν συνοδεύτηκε πάντα από προτάσεις για συστηματική και συγκεκριμένη δουλειά. Το πρόβλημα αυτό είναι αρκετά σύνθετο γιατί έχει να κάνει με όλα όσα σχετίζονται με την οργάνωση του κόμματος. Υπάρχει μία σειρά ζητημάτων που μας απασχολούν –και όχι μόνο σχετικά με τη νεολαία– τα οποία δεν έχουμε ακόμη πλήρως ξεδιαλύνει από θεωρητική σκοπιά. Ποιος είναι ο ρόλος του κόμματος; Όχι με όρους γενικούς και αόριστους, τους οποίους όλοι μας γνωρίζουμε· αλλά ποια πρέπει να είναι η στάση του κόμματος σε καθένα από τα διαφορετικά μέτωπα στα οποία οφείλει να λειτουργεί; Σε ποιο βαθμό συμμετέχει στη δημόσια διοίκηση; Ποιος είναι ο βαθμός ευθύνης που πρέπει να αναλαμβάνει; Πώς οργανώνονται οι σχέσεις ανάμεσα στο κόμμα, παραδείγματος χάριν, και τα διάφορα επίπεδα της δημόσιας διοίκησης;

Πρόκειται για ζητήματα που δεν έχουν τακτοποιηθεί και που όλοι γνωρίζουμε. Πρόκειται για προβλήματα που προξενούν προστριβές σε διάφορα επίπεδα. Ας πάρουμε το Εθνικό Διευθυντήριο [του κόμματος] και το Υπουργικό Συμβούλιο. Εδώ η αλληλεξάρτηση των δύο σωμάτων είναι εμφανής και τα άτομα που τα απαρτίζουν είναι πολλές φορές τα ίδια. Πέρα από αυτό το επίπεδο, καθένα από αυτά τα σώματα λειτουργεί ανεξάρτητα. Το κάθε σώμα αποκτά τον δικό του τρόπο δουλειάς, καθώς και αντιλήψεις που στην πραγματική ζωή έρχονται σε σύγκρουση και για τις οποίες δεν έχει ακόμη εξευρεθεί μια πρακτική λύση. Αυτό προφανώς έχει να κάνει με το ότι υπάρχουν διαφορετικές θεωρητικές αντιλήψεις, από τις οποίες καμία δεν έχει αποδειχθεί ότι είναι περισσότερο αποτελεσματική ή ανώτερη σε σχέση με τις άλλες. Οι αντιλήψεις αυτές μάλιστα σχετίζονται με την ανάλυση των δυσεπίλυτων προβλημάτων που εμφανίστηκαν στο σοσιαλιστικό στρατόπεδο –από τη στιγμή του θριάμβου της πρώτης σοσιαλιστικής επανάστασης, της Οκτωβριανής Επανάστασης του 1917, μέχρι σήμερα.

Οι αντιλήψεις αυτές πρέπει να αναλυθούν και να εξεταστούν σε βάθος, ιδιαίτερα στο φως των ιδιαίτερων χαρακτηριστικών της δικής μας επανάστασης. Η επανάσταση αυτή ξεκίνησε αρχικά ως ένα μαζικό κίνημα που στήριζε έναν εξεγερσιακό αγώνα, χωρίς τη δημιουργία ενός οργανικού κόμματος του προλεταριάτου. Μετά ήρθε η ένωση με το κόμμα που εκπροσωπούσε το προλεταριάτο, το Λαϊκό Σοσιαλιστικό Κόμμα, το οποίο μέχρι εκείνη τη στιγμή δεν είχε ηγηθεί του αγώνα.

Εξαιτίας των χαρακτηριστικών αυτών, το κίνημά μας είναι διαποτισμένο από τον μικροαστισμό, τόσο από την άποψη των φυσικών προσώπων όσο και από την πολιτική άποψη. Στην πορεία της πάλης και της επανάστασης, ο καθένας από εμάς εξελισσόταν, καθώς η πλειονότητα των ηγετών της επανάστασης ανήκε, όσον αφορά την κοινωνική της προέλευση, στη μικροαστική τάξη ή ακόμα και στην αστική.

Αυτό το φορτίο το κουβαλά κανείς για αρκετό καιρό και είναι δύσκολο να αποκοπεί από τη σκέψη των ανθρώπων από τη μία μέρα στην άλλη –ακόμα και όταν διακηρύσσεται ο σοσιαλιστικός χαρακτήρας της επανάστασης. Μάλιστα, η διακήρυξη αυτή καθυστέρησε σε σχέση με το ίδιο το γεγονός, γιατί υπήρχε ήδη μια σοσιαλιστική επανάσταση αφού είχαμε αναλάβει τον έλεγχο των περισσότερων από τα βασικά μέσα παραγωγής. Από πολιτική άποψη, όμως, δεν συμβαδίζαμε πλήρως με όλες τις κατακτήσεις που σημείωνε η επανάσταση στον οικονομικό τομέα και σε ορισμένες πτυχές του ιδεολογικού.

Αυτή η ιδιαιτερότητα της επανάστασης μας επιβάλλει να είμαστε πολύ προσεκτικοί όταν πρόκειται να χαρακτηρίσουμε το κόμμα μας ως ηγεσία της εργατικής τάξης στο σύνολό της, και ιδιαίτερα σε ό,τι έχει να κάνει με τις συγκεκριμένες σχέσεις που αναπτύσσει με καθεμία από αυτές τις διοικητικές δομές όπως ο στρατός, ο μηχανισμός ασφάλειας κ.λπ. Το κόμμα μας δεν διαθέτει ακόμη καταστατικό, ούτε καν είναι ακόμη οριστικά διαμορφωμένο. Η ερώτηση, λοιπόν, είναι: Γιατί δεν υπάρχει καταστατικό; Εμπειρία υπάρχει μεγάλη και μάλιστα εμπειρία που έχει σχεδόν πενήντα χρόνια πρακτικής εφαρμογής. Τι είναι αυτό που συμβαίνει, άραγε; Υπάρχουν ορισμένα ερωτήματα σχετικά με αυτή την εμπειρία στα οποία προσπαθούμε να απαντήσουμε, ερωτήματα όμως που δεν μπορούμε να απαντήσουμε με τρόπο αυθόρμητο ούτε και με μια ανάλυση επιφανειακή γιατί οι συνέπειες για το μέλλον της επανάστασης είναι καθοριστικές.

Στην Κούβα η ιδεολογία των προηγούμενων κυρίαρχων τάξεων επιβιώνει επειδή αντανακλάται στις συνειδήσεις των ατόμων, όπως περιέγραψα προηγουμένως. Είναι επίσης παρούσα γιατί εισάγεται διαρκώς από τις Ηνωμένες Πολιτείες –το κέντρο συντονισμού της διεθνούς αντίδρασης– οι οποίες εξάγουν συμμορίες, δολιοφθορείς και προπαγανδιστές κάθε λογής, και με τις αδιάκοπες εκπομπές τους ουσιαστικά έχουν πρόσβαση σε ολόκληρη την εθνική επικράτεια, με εξαίρεση την Αβάνα.

Ο λαός της Κούβας βρίσκεται συνεπώς σε συνεχή επαφή με την ιδεολογία των ιμπεριαλιστών. Η ιδεολογία αυτή διαμορφώνεται κατάλληλα εντός της χώρας μέσω μηχανισμών προπαγάνδας επιστημονικά σχεδιασμένων ώστε να προβάλλουν τη σκοτεινή πλευρά ενός συστήματος σαν το δικό μας, το οποίο αναγκαστικά θα έχει και σκοτεινές πλευρές. Αυτό συμβαίνει διότι βρισκόμαστε σε μια μεταβατική περίοδο και επειδή όσοι από εμάς έχουμε ηγηθεί της επανάστασης έως τώρα δεν είμαστε επαγγελματίες οικονομολόγοι και πολιτικοί, με πλούσια εμπειρία και ένα επιτελείο από πίσω από τον καθένα μας.

Την ίδια στιγμή, προβάλλουν τις πιο εκθαμβωτικές και φετιχιστικές όψεις του καπιταλιστικού συστήματος. Όλα αυτά εισάγονται στη χώρα και συχνά επιδρούν στο υποσυνείδητο πολλών ανθρώπων. Φέρνουν επίσης στην επιφάνεια απωθημένα συναισθήματα που δεν είχαν καν αγγιχτεί λόγω της ταχύτητας της διαδικασίας και της μεγάλης συναισθηματικής φόρτισης η οποία απαιτήθηκε για να υπερασπιστούμε την επανάστασή μας –όπου η λέξη «επανάσταση» συνδέθηκε με τη λέξη «πατρίδα», με την υπεράσπιση όλων των συμφερόντων μας. Αυτό είναι ό,τι ιερότερο για τον καθέναν, ανεξάρτητα ακόμα και από την ταξική του προέλευση.

Απέναντι στην απειλή μιας θερμοπυρηνικής επίθεσης, όπως τον Οκτώβρη [του 1962], η συσπείρωση του λαού ήταν αυτόματη. Πολλοί άνθρωποι που ούτε σκοπιά δεν είχαν εμφανιστεί για να φυλάξουν ποτέ τους στις πολιτοφυλακές προσφέρθηκαν να πολεμήσουν. Συντελέστηκε μια μεταμόρφωση κάθε ανθρώπου μπροστά στην κατάφωρη αδικία. Καθένας ήθελε να εκδηλώσει την αποφασιστικότητά του να αγωνιστεί για την πατρίδα του. Και είχε να κάνει επίσης με την απόφαση που παίρνει ένας άνθρωπος όταν βρίσκεται μπροστά σε έναν κίνδυνο από τον οποίον δεν μπορεί να ξεφύγει με κανέναν τρόπο τηρώντας ουδέτερη στάση –γιατί απέναντι στις ατομικές βόμβες δεν υπάρχει ουδετερότητα, ούτε πρεσβείες, ούτε τίποτα· τα εξολοθρεύουν όλα.

Έτσι έχουμε πορευτεί: με άλματα, άλματα ακανόνιστα, όπως προχωρούν όλες οι επαναστάσεις, εμβαθύνοντας όμως την ιδεολογία μας σε συγκεκριμένους τομείς, μαθαίνοντας όλο και πιο πολύ, συγκρο- τώντας σχολές μαρξισμού.

Ταυτόχρονα, ανησυχούμε διαρκώς μήπως, μέσα από αυτή την κριτική στάση απέναντι στα καθήκοντα του κόμματος σε κάθε επίπεδο του κρατικού μηχανισμού, οδηγηθούμε σε στάσεις που θα αδρανοποιήσουν την επανάσταση και θα εισαγάγουν συγκαλυμμένα τις μικροαστικές αντιλήψεις ή την ιδεολογία του ιμπεριαλισμού. Γι' αυτό ακόμη και σήμερα δεν έχουμε οργανώσει κατάλληλα το κόμμα· γι' αυτό δεν έχουμε ακόμη εξασφαλίσει τον αναγκαίο βαθμό θεσμοποίησης στα ανώτερα επίπεδα του κράτους. Μας απασχολούν, όμως, και ορισμένα άλλα ζητήματα. Πρέπει να οικοδομήσουμε κάτι καινούριο που να μπορεί να εκφράζει με σαφήνεια τις σχέσεις που, κατά την κρίση μας, πρέπει να υπάρχουν ανάμεσα στις μάζες και στα άτομα που βρίσκονται σε θέσεις εξουσίας, τόσο άμεσα όσο και μέσω του κόμματος. Έχουν αρχίσει να εφαρμόζονται πιλοτικά διάφορα μοντέλα τοπικής αυτοδιοίκησης: ένα από αυτά βρίσκεται στο Ελ Κάνο, άλλο στο Γκουίνες και ένα άλλο στο Ματάνζας. Μέσα από αυτά τα πιλοτικά προγράμματα, παρατηρούμε διαρκώς τα πλεονεκτήματα και τα μειονεκτήματα όλων αυτών των διαφορετικών συστημάτων –στα οποία ενυπάρχουν σπέρματα ενός ανώτερου τύπου οργάνωσης– και ό,τι αντιπροσωπεύουν για την ανάπτυξη της επανάστασης και, κυρίως, για την ανάπτυξη του κεντρικού σχεδιασμού.

Μέσα σε αυτή την πανσπερμία, μέσα από τις ιδεολογικές αντιπαραθέσεις υποστηρικτών διαφορετικών ιδεών, ακόμη και αν δεν υπήρχαν τάσεις ή ρεύματα καθορισμένα, άρχισε να αναπτύσσεται και το έργο της νεολαίας. Η οργάνωση νεολαίας άρχισε να λειτουργεί αρχικά ως παρακλάδι του Αντάρτικου Στρατού, κατέκτησε ένα μεγαλύτερο ιδεολογικό βάθος στη συνέχεια, και τέλος, εξελίχθηκε στην Ένωση Νέων Κομμουνιστών –σε έναν προθάλαμο θα λέγαμε για να γίνει κανείς μέλος του κόμματος, πράγμα το οποίο προϋποθέτει την υποχρέωση να αποκτήσει μια ανώτερη ιδεολογική κατάρτιση.

Γύρω από αυτά τα ζητήματα δεν έγινε καμία πραγματική συζήτηση, αν και υπήρξαν κάποιες συζητήσεις σχετικά με το ποιος θα πρέπει να είναι ο ρόλος της οργάνωσης νεολαίας από πρακτική άποψη. Θα πρέπει η νεολαία να συναντιέται τρεις, τέσσερις ή πέντε ώρες για να συζητά φιλοσοφικά ζητήματα; Μπορεί να το κάνει, κανείς δεν λέει ότι δεν επιτρέπεται. Είναι απλώς ένα θέμα ισορροπίας και στάσης απέναντι στην επανάσταση, το κόμμα και κυρίως απέναντι στον λαό. Το γεγονός ότι η νεολαία καταπιάνεται με θεωρητικά ζητήματα δείχνει ότι έχει κατακτήσει ένα θεωρητικό βάθος. Όταν όμως το μόνο που κάνει είναι να ασχολείται με θεωρητικά ζητήματα, σημαίνει ότι η νεολαία δεν έχει καταφέρει να ξεπεράσει τη μηχανιστική αντιμετώπιση των πραγμάτων και βρίσκεται σε σύγχυση όσον αφορά τους στόχους της.

Έχει γίνει επίσης λόγος για τον αναγκαίο αυθορμητισμό, για τη χαρά της νιότης. Η νεολαία λοιπόν –αναφέρομαι στο σύνολό της και όχι συγκεκριμένα σε αυτήν την ομάδα του Υπουργείου– οργάνωσε τη χαρά. Και οι ηγέτες της βάλθηκαν να αναλογίζονται τι είναι αυτό που οφείλουν να κάνουν οι νέοι, οι οποίοι εξ ορισμού θα πρέπει να είναι χαρούμενοι. Και αυτό ακριβώς μετέτρεπε τους νέους σε γέρους. Γιατί να πρέπει ένας νέος άνθρωπος να κάτσει να σκεφτεί πώς θα έπρεπε να είναι η νεολαία;

Να κάνει απλά αυτό που σκέπτεται, αυτό θα πρέπει να χαρακτηρίζει τη νεολαία. Όμως συνέβαινε το αντίθετο, γιατί υπήρχε μια μερίδα ηγετών της νεολαίας που ήταν πραγματικά γερασμένη. Τότε είναι που η χαρά και ο αυθορμητισμός της νεολαίας γίνονται κάτι επιφανειακό. Θα πρέπει για μια ακόμα φορά να είμαστε προσεκτικοί σε αυτό το ζήτημα και να μην συγχέουμε τη χαρά, τη ζωντάνια και τον αυθορμητισμό που διακρίνει τη νεολαία όλου του κόσμου –και κυρίως την κουβανική, λόγω των χαρακτηριστικών του κουβανικού λαού– με την επιπολαιότητα. Πρόκειται για δύο εντελώς διαφορετικά πράγματα. Μπορεί κανείς και πρέπει να είναι αυθόρμητος και χαρούμενος, πρέπει όμως την ίδια στιγμή να είναι και σοβαρός. Τίθεται λοιπόν εδώ ένα από τα πλέον δυσεπίλυτα προβλήματα, ως προς τη θεωρητική του διάσταση. Γιατί, με απλά λόγια, αυτό σημαίνει να είναι κανείς Νέος Κομμουνιστής. Δεν θα πρέπει να χρειάζεται να σκεφτείς πώς θα πρέπει να είσαι, είναι κάτι που πρέπει να βγαίνει από μέσα σου.

Δεν ξέρω αν εισχωρώ σε βαθιά ημι-φιλοσοφικά νερά, αναφέρομαι όμως σε ένα από τα θέματα που μας έχουν απασχολήσει περισσότερο από όλα. Ο κύριος τρόπος με τον οποίο η νεολαία θα πρέπει να δείχνει τον δρόμο προς τα εμπρός είναι ακριβώς με το να βρίσκεται στην πρωτοπορία σε καθέναν από τους τομείς εργασίας που συμμετέχει.

Αυτός είναι ο λόγος που πολλές φορές είχαμε διάφορα μικροπροβλήματα με τη νεολαία: γιατί δεν έκοβε όσο ζαχαροκάλαμο όφειλε να κόψει, γιατί δεν συμμετείχε αρκετά στις εθελοντικές εργασίες. Με δυο λόγια, κανείς δεν μπορεί να καθοδηγήσει με τη θεωρία και μόνο, ούτε μπορεί να υπάρξει στρατός αποτελούμενος από στρατηγούς. Ο στρατός μπορεί να έχει έναν στρατηγό, και αν είναι πολύ μεγάλος, μπορεί να έχει περισσότερους στρατηγούς και έναν γενικό διοικητή. Αν όμως δεν υπάρχουν αυτοί που θα πάνε στο πεδίο της μάχης, δεν υπάρχει στρατός. Και αν στο πεδίο της μάχης ο στρατός δεν καθοδηγείται από εκείνους που έχουν πάει και οι ίδιοι στο μέτωπο για να πολεμήσουν, αυτός ο στρατός είναι άχρηστος. Ένα από τα χαρακτηριστικά του δικού μας Αντάρτικου Στρατού ήταν ότι εκείνοι που προάγονταν σε έναν από τους τρεις και μοναδικούς βαθμούς του Αντάρτικου Στρατού –υπολοχαγός, λοχαγός ή διοικητής– ήταν μόνον όσοι είχαν με κάποιον τρόπο διακριθεί στο πεδίο της μάχης χάρη στις ατομικές τους αρετές.

Στους δύο πρώτους βαθμούς –του υπολοχαγού και του λοχαγού–
ανήκαν όσοι διηύθυναν τις επιχειρήσεις των μαχών. Έχουμε ανάγκη
συνεπώς από υπολοχαγούς και λοχαγούς ή όπως αλλιώς θέλετε να τους
ονομάσουμε. Θα μπορούσαμε αν θέλετε να τους αφαιρέσουμε τον
στρατιωτικό τίτλο. Τα άτομα, όμως, που θα βρίσκονται στην ηγεσία
πρέπει να ηγούνται με το παράδειγμα που δίνουν. Το να ακολουθήσεις
κάποιον ή να κάνεις τους άλλους να σε ακολουθήσουν είναι ένα έργο
που ορισμένες φορές μπορεί να γίνει δύσκολο. Είναι όμως απείρως πιο
εύκολο από το να υποχρεώσεις κάποιους άλλους να βαδίσουν σε ένα
μονοπάτι ανεξερεύνητο όπου κανείς δεν έχει ακόμη περπατήσει.

Η νεολαία μένει να αναλάβει τα μεγάλα ζητήματα που έχει προτάξει
η κυβέρνηση, ως ζητήματα που πρέπει να αντιμετωπιστούν από τις λαϊκές
μάζες, να τα μετατρέψει σε δική της υπόθεση και στον δρόμο αυτό να
πορευτεί στην πρωτοπορία. Με την καθοδήγηση και τον προσανατολισμό
του κόμματος, η νεολαία θα πρέπει να βαδίζει στην πρωτοπορία.

Με την απόρριψη όλων των λανθασμένων τρόπων λειτουργίας
της ηγεσίας και την εκλογή ως μελών του κόμματος των παραδειγμα-
τικών εργαζόμενων, των πρωτοπόρων εργαζόμενων οι οποίοι στον χώρο
εργασίας μπορούσαν να μιλήσουν με κύρος, των ίδιων πρωτοπόρων
εργαζομένων που πήγαιναν στο μέτωπο, συντελείται η πρώτη ποιοτική
αλλαγή στο κόμμα μας.[1] Η αλλαγή αυτή, χωρίς να είναι η μοναδική, και
συνοδευόμενη στη συνέχεια από μία σειρά οργανωτικών μέτρων,

---

1. Ως μέρος της αναδιοργάνωσης των Ενοποιημένων Επαναστατικών Οργανώσεων και
της συγκρότησης του Ενωμένου Κόμματος της Σοσιαλιστικής Επανάστασης, το 1962-
1963, καθιερώθηκε μια διαδικασία κατά την οποία οι εργαζόμενοι εκλέγονται από τους
συναδέρφους τους, σε συνελεύσεις που πραγματοποιούνται στους χώρους εργασίας,
για την ομάδα από την οποία το κόμμα εκλέγει τα μέλη του. Αυτή η διαδικασία ισχύει
μέχρι σήμερα στο Κομμουνιστικό Κόμμα της Κούβας.

αποτελεί την πιο σημαντική πτυχή της μετεξέλιξής μας. Έχει επίσης υπάρξει μία σειρά αλλαγών όσον αφορά τη νεολαία.

Η δική μου τώρα επιμονή σε αυτό το σημείο –κάτι που κατ' επανάληψη σας έχω εκφράσει– είναι να μην πάψετε να είστε νέοι, να μην μετατραπείτε σε γέρους θεωρητικούς ή σε θεωρητικολόγους. Να διατηρήσετε τη φρεσκάδα και τον ενθουσιασμό της νιότης. Να είστε ικανοί να αφουγκράζεστε τα μεγάλα κελεύσματα της κυβέρνησης, να τα αφομοιώνετε και να γίνεστε η κινητήρια δύναμη ολόκληρου του μαζικού κινήματος, βαδίζοντας στην πρωτοπορία. Για να γίνει αυτό, θα πρέπει να μπορείτε να κρίνετε ποιοι είναι οι σημαντικοί τομείς στους οποίους η κυβέρνηση δίνει μεγαλύτερη έμφαση –μια κυβέρνηση που εκπροσωπεί τον λαό και είναι την ίδια στιγμή ένα κόμμα.

Ταυτόχρονα, θα πρέπει κανείς να αξιολογεί τα πράγματα και να θέτει προτεραιότητες. Αυτά είναι τα καθήκοντα που πρέπει να εκπληρώσει η οργάνωση νεολαίας.

Μιλήσατε για την τεχνολογική επανάσταση. Είναι ένα από τα πιο σημαντικά πράγματα, ένας από τους πιο συγκεκριμένους στόχους που προσιδιάζει στην ιδιοσυγκρασία των νέων. Δεν μπορεί όμως κανείς να πραγματοποιήσει την τεχνολογική επανάσταση από μόνος του, μια που είναι κάτι που συντελείται σε όλο τον κόσμο, σε κάθε χώρα, σοσιαλιστική και μη σοσιαλιστική –αναφέρομαι στις αναπτυγμένες χώρες, φυσικά.

Στις Ηνωμένες Πολιτείες συντελείται μια τεχνολογική επανάσταση. Στη Γαλλία υπάρχει μια ισχυρή τεχνολογική επανάσταση, όπως και στη Βρετανία και την Ομοσπονδιακή Δημοκρατία της Γερμανίας. Και οι χώρες αυτές σίγουρα δεν είναι σοσιαλιστικές. Η τεχνολογική επανάσταση πρέπει συνεπώς να έχει ένα ταξικό και ένα σοσιαλιστικό περιεχόμενο. Για να υπάρξει αυτό, απαιτείται μια μεταμόρφωση της νεολαίας, ώστε να γίνει μια πραγματική κινητήρια δύναμη. Είναι απαραίτητο να εξαλειφθούν, με άλλα λόγια, όλα τα κατάλοιπα της παλιάς κοινωνίας που έχει πεθάνει. Δεν μπορούμε να δούμε την τεχνολογική επανάσταση ανεξάρτητα από μια κομμουνιστική στάση απέναντι στην εργασία. Αυτό είναι ιδιαίτερα σημαντικό. Αν δεν υπάρχει μια κομμουνιστική στάση απέναντι στην εργασία, δεν μπορεί να γίνει λόγος για μια σοσιαλιστική τεχνολογική επανάσταση.

Πρόκειται απλά για τον αντικατοπτρισμό στο εσωτερικό της Κούβας της τεχνολογικής επανάστασης που συντελείται με μεγάλα βήματα χάρη στις πρόσφατες επιστημονικές εφευρέσεις και ανακαλύψεις. Αυτά είναι γεγονότα που δεν μπορούν να διαχωριστούν το ένα από το άλλο. Η κομμουνιστική στάση απέναντι στην εργασία συνίσταται στις αλλαγές που πραγματοποιούνται στη συνείδηση του κάθε ατόμου, αλλαγές που αναγκαστικά απαιτούν πολύ χρόνο. Δεν μπορεί κανείς να έχει την αξίωση οι αλλαγές αυτές να ολοκληρωθούν σε μια σύντομη χρονική περίοδο, κατά την οποία η εργασία θα εξακολουθεί να έχει τον ίδιο χαρακτήρα που έχει και σήμερα, –θα εξακολουθεί να είναι μια καταναγκαστική κοινωνική υποχρέωση– ώσπου να μετατραπεί σε κοινωνική ανάγκη. Επομένως ο μετασχηματισμός αυτός, η τεχνολογική επανάσταση, θα σας δώσει τη δυνατότητα να προσεγγίσετε αυτό που περισσότερο σας ενδιαφέρει στη ζωή, την εργασία, την έρευνα, τις σπουδές κάθε είδους. Και η στάση του καθενός απέναντι σε αυτήν την εργασία θα είναι μια στάση καθ' όλα νέα. Η εργασία θα γίνει ό,τι είναι οι Κυριακές σήμερα, όχι οι Κυριακές της κοπής του ζαχαροκάλαμου αλλά οι Κυριακές που δεν κόβουμε ζαχαροκάλαμο. Με άλλα λόγια, η δουλειά θα φαίνεται σαν κάτι που νιώθεις την ανάγκη να κάνεις, και όχι κάτι που επιβάλλεται μέσα από κυρώσεις.

Για την πραγματοποίηση αυτού του σκοπού, όμως, θα πρέπει να

διανύσουμε έναν μακρύ δρόμο, και ο δρόμος αυτός περνά μέσα από συνήθειες που αποκτώνται μέσω της εθελοντικής εργασίας. Γιατί επιμένουμε τόσο στην εθελοντική εργασία; Από οικονομικής άποψης δεν προσφέρει σχεδόν τίποτα. Ακόμα και οι εθελοντές που πάνε να κόψουν το ζαχαροκάλαμο –που είναι από οικονομική άποψη η πιο σημαντική εργασία– φέρνουν ελάχιστα αποτελέσματα. Ένας εθελοντής από αυτό το Υπουργείο κόβει τέσσερις ή πέντε φορές λιγότερα ζαχαροκάλαμα από έναν αγρότη που το κάνει αυτό όλη του τη ζωή. Σήμερα, όμως, έχει αποκτήσει οικονομική σημασία λόγω της έλλειψης εργατικών χεριών. Επιπλέον είναι σημαντικό γιατί κάποιος παραχωρεί ένα μέρος της ζωής του στην κοινωνία χωρίς να περιμένει αντάλλαγμα, χωρίς την οποιουδήποτε είδους αμοιβή, εκπληρώνοντας απλά το κοινωνικό του καθήκον. Αυτό είναι το πρώτο βήμα στον μετασχηματισμό της εργασίας σε αυτό που αργότερα τελικά θα γίνει, με την πρόοδο της τεχνολογίας, με την ανάπτυξη της παραγωγής και την ανάπτυξη των σχέσεων παραγωγής: θα φτάσει σε ένα ανώτερο επίπεδο, θα μετατραπεί σε κοινωνική ανάγκη.

Αν σε κάθε μας βήμα συνδυάζουμε την ικανότητα να μεταμορφώνουμε τους εαυτούς μας, γενικεύοντας τη στάση μας απέναντι στη μελέτη της νέας τεχνολογίας, με την ικανότητα να αποδίδουμε στις θέσεις εργασίας μας ως μέλη της πρωτοπορίας, τότε θα προχωρήσουμε. Και αν σταδιακά συνηθίσετε να μετατρέπετε την παραγωγική σας εργασία σε κάτι που με το πέρασμα του χρόνου γίνεται ανάγκη, τότε αυτόματα θα γίνετε η πρωτοπόρα ηγεσία της νεολαίας και δεν θα προβληματιστείτε ξανά για το τι οφείλετε να κάνετε. Θα κάνετε απλά ό,τι τη δεδομένη στιγμή σάς φαίνεται πιο λογικό. Δεν θα χρειάζεται να ψάχνεται να βρείτε τι είναι αυτό που ικανοποιεί τη νεολαία.

Θα είστε συγχρόνως νέοι αλλά και εκπρόσωποι της πρωτοπορίας

της νεολαίας. Όσοι είναι νέοι, προπαντός νέοι στο πνεύμα, δεν χρειάζεται να ανησυχούν για το τι πρέπει να κάνουν για να ευχαριστήσουν τους άλλους. Να κάνετε απλά ό,τι είναι απαραίτητο, ό,τι σας φαίνεται λογικό τη δεδομένη στιγμή. Έτσι η νεολαία θα γίνει ηγεσία.

Σήμερα έχουμε ξεκινήσει μια διαδικασία πολιτικοποίησης, αν μπορούμε να την ονομάσουμε έτσι, του Υπουργείου [Βιομηχανίας]. Το Υπουργείο είναι ένας πολύ ψυχρός χώρος, ένας πολύ γραφειοκρατικός χώρος, μια φωλιά βαρετών και σχολαστικών γραφειοκρατών, από τον υπουργό και κάτω, που βασανίζονται αδιάκοπα με συγκεκριμένα καθήκοντα προκειμένου να βρουν νέες σχέσεις και νέες συμπεριφορές.

Εσείς λοιπόν ως οργάνωση νεολαίας παραπονεθήκατε ότι δεν παρακολούθησαν πολλοί τις εκδηλώσεις που οργανώσατε –ο χώρος ήταν άδειος τις μέρες που δεν ήμουν εγώ– και θα θέλατε να κάνω μια παρατήρηση. Μπορώ να πω κάτι, δεν μπορώ όμως να ζητήσω από κανέναν να έρθει εδώ. Τι ακριβώς συμβαίνει; Το πρόβλημα είναι απλά ότι είτε υπάρχει έλλειψη επικοινωνίας, είτε υπάρχει έλλειψη ενδιαφέροντος, και ότι σε κάθε περίπτωση το θέμα δεν έχει αντιμετωπιστεί από τους ανθρώπους που έχουν επιφορτιστεί να το κάνουν. Και αυτό είναι ένα συγκεκριμένο καθήκον του Υπουργείου. Είναι καθήκον της οργάνωσης νεολαίας, να υπερνικήσει την αδιαφορία που υπάρχει στο Υπουργείο. Αναμφίβολα, πάντα υπάρχει περιθώριο για ανάλυση και αυτοκριτική. Είναι πάντα επίκαιρη η εκτίμηση ότι δεν γίνονται όλα όσα είναι απαραίτητα ώστε να υπάρχει μια διαρκής επικοινωνία με τον κόσμο.

Σωστά. Όταν όμως κάποιος κάνει αυτοκριτική, πρέπει να είναι ολοκληρωμένη. Αυτοκριτική βέβαια δεν σημαίνει αυτομαστίγωση, αλλά έχει να κάνει με την ανάλυση της στάσης του καθενός. Και επιπλέον ο τεράστιος φόρτος εργασίας που κουβαλά ο καθένας στις πλάτες του – όπου στοιβάζονται το ένα πάνω στο άλλο τα καθήκοντα– σημαίνει ότι γίνεται πιο δύσκολο να υπάρξει μια άλλου είδους σχέση, να επιδιώξει κανείς μια σχέση πιο ανθρώπινη, θα μπορούσαμε να πούμε, μια σχέση λιγότερο εγκλωβισμένη στα γραφειοκρατικά κανάλια που σκάβουμε μέσα από το ατελείωτο χαρτομάνι.

Αυτό θα έρθει με τον καιρό, όταν η δουλειά δεν θα είναι τόσο πιεστική, όταν θα μπορεί κανείς να βασιστεί σε έναν επαρκή αριθμό στελεχών, όταν θα εκπληρώνονται πάντα όλα τα καθήκοντα, και όταν θα έχει εκλείψει η δυσπιστία απέναντι στην εργασία που είναι ένα από τα επονείδιστα στοιχεία που χαρακτηρίζουν ολόκληρο αυτό το στάδιο της επανάστασής μας. Σήμερα είναι απαραίτητο να ελέγχει κανείς προσωπικά κάθε έγγραφο, να κάνει ο ίδιος τους υπολογισμούς των στατιστικών στοιχείων, και πάλι ανακύπτουν λάθη. Όταν λοιπόν όλη αυτή η περίοδος παρέλθει –ήδη πλησιάζει προς το τέλος της και σύντομα θα εκλείψει– και όταν όλα τα στελέχη ισχυροποιηθούν, όταν θα έχουμε όλοι μας προοδεύσει λίγο ακόμα, τότε φυσικά θα υπάρχει χρόνος για άλλου είδους σχέσεις. Αυτό δεν σημαίνει ότι ο υπουργός ή ο διευθυντής θα βγαίνει να ρωτάει τον καθένα πώς είναι η οικογένειά του. Σημαίνει ότι θα μπορούμε να οργανώσουμε σχέσεις που να μας επιτρέπουν να εργαζόμαστε καλύτερα και μέσα στο υπουργείο αλλά και έξω από αυτό, έτσι ώστε να γνωριστούμε καλύτερα.

Γιατί στόχος του σοσιαλισμού σήμερα, σε αυτή τη φάση οικοδόμησης του σοσιαλισμού και του κομμουνισμού, δεν είναι απλά η δημιουργία αστραφτερών εργοστασίων. Τα εργοστάσια αυτά φτιάχνονται με στόχο τον ολοκληρωμένο άνθρωπο. Ο άνθρωπος θα πρέπει να μετασχηματίζεται παράλληλα με την ανάπτυξη της παραγωγής. Δεν θα κάναμε τη δουλειά μας αν ήμασταν αποκλειστικά παραγωγοί εμπορευμάτων και πρώτων υλών και δεν ήμασταν ταυτοχρόνως ικανοί να παραγάγουμε ανθρώπους.

Πρόκειται εδώ για μία από τις αποστολές της νεολαίας: να ωθήσει και να καθοδηγήσει, μέσω του παραδείγματός της, τη δημιουργία του μελλοντικού ανθρώπου. Σε αυτό το έργο δημιουργίας και καθοδήγησης συμπεριλαμβάνεται και η συγκρότηση του εαυτού μας, γιατί απέχουμε όλοι από το να είμαστε τέλειοι. Και όλοι θα πρέπει να βελτιωνόμαστε μέσα από τη δουλειά, τις διαπροσωπικές σχέσεις, μέσα από τη σοβαρή μελέτη και τις αντιπαραθέσεις με κριτικό πνεύμα. Όλα αυτά συμβάλλουν στον μετασχηματισμό του ανθρώπου. Αυτό το γνωρίζουμε, μια που έχουν περάσει πέντε ολόκληρα χρόνια από τον θρίαμβο της επανάστασής μας. Επτά χρόνια πέρασαν επίσης από τότε που οι πρώτοι από εμάς αποβιβάστηκαν και ξεκίνησαν τον αγώνα, την τελική φάση του αγώνα. Όποιος κοιτάξει προς τα πίσω και αναλογιστεί πώς ήταν ο ίδιος πριν επτά χρόνια θα αντιληφθεί ότι η απόσταση που έχουμε διανύσει είναι μεγάλη, πολύ μεγάλη, αλλά και ότι απομένει ακόμη αρκετός δρόμος.

Αυτοί είναι οι στόχοι μας. Είναι σημαντικό για τη νεολαία να κατανοήσει ποιος είναι ο ρόλος της και ποια είναι η βασική της αποστολή. Δεν χρειάζεται να παραφουσκώνει τη σημασία του ρόλου αυτού, ούτε να θεωρεί τον εαυτό της ως κέντρο του σοσιαλιστικού σύμπαντος. Θα πρέπει όμως να βλέπει τον εαυτό της ως έναν σημαντικό κρίκο, έναν πολύ σημαντικό κρίκο που μας δείχνει το μέλλον.

Εμείς οδεύουμε προς τη δύση, παρόλο που, κατά μία έννοια γεωγραφική, ανήκουμε ακόμη στη νεολαία. Έχουμε φέρει σε πέρας πολλά δύσκολα καθήκοντα. Είχαμε την ευθύνη της καθοδήγησης μιας χώρας σε στιγμές τρομακτικά δύσκολες και αυτό βέβαια γερνά και φθείρει τους ανθρώπους. Σε μερικά χρόνια το καθήκον όσων από εμάς έχουν απομείνει θα είναι να αποσυρθούμε σε χειμερινά καταλύματα αφήνοντας τους νέους να καταλάβουν τις θέσεις μας. Όπως και να έχουν τα πράγματα, πιστεύω ότι εκπληρώσαμε με αρκετή αξιοπρέπεια μια αποστολή πολύ σημαντική. Δεν θα ήταν, όμως, το έργο μας ολοκληρωμένο αν δεν ξέραμε ποια είναι η κατάλληλη στιγμή να αποσυρθούμε. Συμπληρωματικά, μια άλλη αποστολή σας είναι να διαμορφώσετε τους ανθρώπους που θα μας αντικαταστήσουν, έτσι ώστε το γεγονός ότι εμείς θα καλυφθούμε από τη λήθη, σαν κάτι που ανήκει στο παρελθόν, να αναδειχθεί σε ένα από τα πιο σημαντικά κριτήρια βάσει των οποίων θα αξιολογήσουμε τη δράση ολόκληρης της νεολαίας και ολόκληρου του λαού.

Πάνω: Ο Φιντέλ Κάστρο μιλάει σε τελετή στις 17 Οκτώβρη του 1997 στη Σάντα Κλάρα, όπου ενταφιάστηκε η σωρός του Γκεβάρα και των άλλων μαχητών που πολέμησαν και σκοτώθηκαν στη Βολιβία το 1967. Καθιστοί είναι ο Στρατηγός των Επαναστατικών Ενόπλων Δυνάμεων Ραούλ Κάστρο και ο Κάρλος Λάχε, αντιπρόεδρος του Υπουργικού Συμβουλίου. **Κάτω**: Τμήμα της συγκέντρωσης δεκάδων χιλιάδων ανθρώπων που παρευρέθηκαν για να αποτίσουν φόρο τιμής.

«Ο Τσε ήταν πραγματικά ένας κομμουνιστής και σήμερα είναι παράδειγμα και πρότυπο επαναστάτη και κομμουνιστή.»

Ο Τσε και οι άνδρες του φτάνουν ως ενισχύσεις

Ο Φιντέλ Κάστρο αποτείνει φόρο τιμής
στον Τσε και τους συντρόφους του
17 Οκτώβρη 1997

Το 1965 ο Ερνέστο Τσε Γκεβάρα παραιτήθηκε από τις πολιτικές, στρατιωτικές, και άλλες υποχρεώσεις του. «Άλλες χώρες του κόσμου με καλούν να συνεισφέρω με τις μικρές μου δυνάμεις», έγραψε στο αποχαιρετιστήριο γράμμα του προς τον Φιντέλ Κάστρο. Τον Οκτώβρη του 1967 ο Τσε δολοφονήθηκε στη Βολιβία μαχόμενος να ρίξει την υποστηριζόμενη από την Ουάσιγκτον στρατιωτική δικτατορία στη χώρα εκείνη, καθώς και να δημιουργήσει δεσμούς με τους ανερχόμενους επαναστατικούς αγώνες στην ιδιαίτερη πατρίδα του, την Αργεντινή, και σε άλλα μέρη του Νότιου Κώνου της Λατινικής Αμερικής.

Στη διάρκεια των τριών και πλέον δεκαετιών που πέρασαν από τον θάνατό του στο πεδίο της μάχης, η κομμουνιστική πολιτική κληρονομιά του Γκεβάρα στάθηκε θεμελιώδης για την πορεία της κουβανικής επανάστασης. Το παράδειγμά του εξακολουθεί να εμπνέει εκατομμύρια εργαζόμενους και νέους στην Κούβα και στον υπόλοιπο κόσμο.

Το 1997 ανακαλύφτηκε η σωρός του Γκεβάρα, εκεί όπου τον είχε ενταφιάσει το βολιβιανό καθεστώς με τη μεγαλύτερη μυστικότητα, μαζί με άλλους έξι επαναστάτες μαχητές από τη Βολιβία, την Κούβα και το Περού που αγωνίζονταν στο πλευρό του. Οι πλησιέστεροι συγγενείς των μαχητών ζήτησαν να μεταφερθούν τα οστά τους στην Κούβα. Εκατοντάδες χιλιάδες εργαζόμενοι και νέοι της Κούβας προσήλθαν για να τους αποδώσουν φόρο τιμής και να εκφράσουν τη θέλησή τους να παραμείνουν πιστοί στην επαναστατική πορεία που αντιπροσωπεύουν οι αγωνιστές αυτοί.

Ο Κουβανός πρόεδρος Φιντέλ Κάστρο έδωσε την ακόλουθη ομιλία στις 17 Οκτώβρη, σε μια επίσημη τελετή στη Σάντα Κλάρα, όπου οι σωροί των μαχητών ενταφιάστηκαν σε μνημείο αφιερωμένο στον Ερνέστο Τσε Γκεβάρα.

❖

Συγγενείς των συναγωνιστών που έπεσαν στη μάχη, προσκεκλημένοι, κάτοικοι της Βίγια Κλάρα, συμπατριώτες, [Χειροκροτήματα]

Με βαθιά συγκίνηση ζούμε μία από εκείνες τις στιγμές που δεν επαναλαμβάνονται συχνά.

Δεν ήρθαμε εδώ για να αποχαιρετήσουμε τον Τσε και τους ηρωικούς του συντρόφους. Ήρθαμε να τους υποδεχτούμε.

Βλέπω τον Τσε και τους άνδρες του ως μια ενίσχυση, ως ένα άγημα ανίκητων μαχητών, που αυτή τη φορά περιλαμβάνει όχι μόνο Κουβανούς αλλά επίσης λατινοαμερικανούς που έρχονται να αγωνιστούν μαζί μας και να γράψουν καινούριες σελίδες ιστορίας και δόξας.

Βλέπω, επιπλέον, τον Τσε ως έναν ηθικό γίγαντα που μεγαλώνει κάθε μέρα. Η εικόνα του, η ρώμη του και η επιρροή του έχουν πολλαπλασιαστεί σε όλη τη γη.

Πώς θα μπορούσε να χωρέσει κάτω από μία επιτύμβια πλάκα;

Πώς θα μπορούσε να χωρέσει σε αυτή την πλατεία;

Πώς θα μπορούσε να χωρέσει αποκλειστικά μέσα στο αγαπημένο αλλά μικρό νησί μας;

Μόνο μέσα στον κόσμο τον οποίον ονειρεύτηκε και για τον οποίο έζησε και αγωνίστηκε υπάρχει αρκετός χώρος γι' αυτόν.

Όσο περισσότερο κυριαρχούν στην ανθρώπινη κοινωνία η αδικία, η εκμετάλλευση, η ανισότητα, η ανεργία, η φτώχεια, η πείνα και η μιζέρια, τόσο θα μεγαλώνει το ανάστημα του Τσε.

Όσο εξαπλώνεται η δύναμη του ιμπεριαλισμού, ο ηγεμονισμός,

η κυριαρχία και ο επεμβατισμός, σε βάρος των πιο ιερών δικαιωμάτων των λαών –ιδιαίτερα των αδύναμων, καθυστερημένων και φτωχών λαών που για αιώνες υπήρξαν αποικίες της Δύσης και πηγή υπόδουλου εργατικού δυναμικού– τόσο θα εξυψώνονται οι αξίες που υπερασπίστηκε ο Τσε.

Όσο πληθαίνουν η κακοποίηση, ο ατομικισμός και η αλλοτρίωση· όσο υποφέρουν από τις διακρίσεις σε βάρος τους οι ιθαγενείς, οι εθνικές μειονότητες, οι γυναίκες και οι μετανάστες· όσο όλο και πιο πολλά παιδιά γίνονται αντικείμενο σεξουαλικού εμπορίου ή υποχρεώνονται να εργαστούν και μάλιστα κατά εκατοντάδες εκατομμύρια· όσο επικρατεί η αμάθεια, οι ανθυγιεινές συνθήκες, η ανασφάλεια και η έλλειψη στέγης, τόσο περισσότερο θα αναδεικνύεται το βαθιά ανθρωπιστικό μήνυμα του Τσε.

Όσο περισσότερο επικρατούν παντού διεφθαρμένοι δημαγωγοί και υποκριτές πολιτικοί, τόσο θα εξέχει το παράδειγμα του αγνού επαναστάτη και συνεπή ανθρώπου που έδωσε ο Τσε.

Όσο περισσότεροι δειλοί, καιροσκόποι και προδότες υπάρχουν πάνω στη γη, τόσο πιο πολύ θα θαυμάζεται το προσωπικό θάρρος και η επαναστατική ακεραιότητα του Τσε. Όσο περισσότερο αδυνατούν οι άλλοι να εκτελέσουν τα καθήκοντά τους τόσο περισσότερο θα θαυμάζεται η ατσαλένια θέληση του Τσε. Καθώς περισσότερα άτομα στερούνται και το ελάχιστο του ανθρώπινου αυτοσεβασμού, τόσο θα θαυμάζεται το αίσθημα της τιμής και της αξιοπρέπειας που είχε ο Τσε. Όσο πληθαίνουν οι σκεπτικιστές, τόσο θα θαυμάζεται η πίστη του Τσε στον άνθρωπο. Όσο περισσότεροι απαισιόδοξοι υπάρχουν, τόσο θα θαυμάζεται η αισιοδοξία του Τσε. Όσο αυξάνονται οι διστακτικοί, τόσο περισσότερο θα θαυμάζεται η τόλμη του Τσε. Όσο πληθαίνουν οι αργόσχολοι που σπαταλούν το προϊόν της εργασίας των υπολοίπων, τόσο θα θαυμάζεται η αυστηρότητα, το μελετηρό και εργατικό πνεύμα του Τσε.

Ο Τσε ήταν πραγματικά ένας κομμουνιστής και σήμερα είναι παράδειγμα και πρότυπο επαναστάτη και κομμουνιστή. Ο Τσε υπήρξε δάσκαλος και διαμορφωτής ανθρώπων σαν αυτόν. Συνεπής στις πράξεις του, ποτέ δεν έπαψε να εφαρμόζει τα όσα κήρυττε και να απαιτεί από τον εαυτό του περισσότερα από όσα ζητούσε από τους άλλους.

Όποτε χρειαζόταν ένας εθελοντής για μια δύσκολη αποστολή σε καιρό πολέμου ή ειρήνης, προσφερόταν πρώτος. Πάνω και από τα μεγάλα του όνειρα, έθετε την ετοιμότητά του να δώσει γενναιόδωρα τη ζωή του. Τίποτα γι' αυτόν δεν ήταν αδύνατο, και το αδύνατο ήταν ικανός να το κάνει δυνατό.

Ανάμεσα σε πολλές άλλες πράξεις του, η επίθεση από τη Σιέρα Μαέστρα προς τα δυτικά, διασχίζοντας τις αχανείς πεδιάδες που δεν πρόσφεραν καμία κάλυψη και η κατάληψη της πόλης της Σάντα Κλάρα με ελάχιστους μαχητές μαρτυρά τα κατορθώματα για τα οποία ήταν ικανός.[1]

Οι ιδέες του γύρω από την επανάσταση στη χώρα του και την υπόλοιπη Νότια Αμερική, ανεξάρτητα από τις τεράστιες δυσκολίες που υπήρχαν, μπορούσαν να γίνουν πραγματικότητα. Αν είχαν γίνει πραγματικότητα, ίσως ο κόσμος σήμερα να ήταν διαφορετικός. Το Βιετνάμ απέδειξε ότι μπορούμε να αγωνιστούμε ενάντια στις ιμπεριαλιστικές δυνάμεις επέμβασης και να τις νικήσουμε. Οι Σαντινίστας [στη Νικαράγουα] νίκησαν ένα από τα πιο ισχυρά ανδρείκελα των

1. Βλ. σελίδα 45.

Ηνωμένων Πολιτειών. Οι επαναστάτες του Ελ Σαλβαδόρ έφτασαν στα πρόθυρα της νίκης. Στην Αφρική, το απαρτχάιντ ηττήθηκε αν και διέθετε πυρηνικά όπλα. Η Κίνα, χάρη στον ηρωικό αγώνα των εργατών και αγροτών, είναι σήμερα μία από τις χώρες με τις καλύτερες προοπτικές στον κόσμο. Το Χονγκ Κονγκ επιστράφηκε στην Κίνα ύστερα από 150 χρόνια κατοχής –μιας κατοχής που ξεκίνησε με στόχο να επιβληθεί το εμπόριο ναρκωτικών σε αυτή την τεράστια χώρα.

Δεν απαιτούν τις ίδιες μεθόδους και τις ίδιες τακτικές όλες οι εποχές ούτε όλες οι συνθήκες. Τίποτα, όμως, δεν μπορεί να σταματήσει την πορεία της ιστορίας· οι αντικειμενικοί της νόμοι έχουν διαχρονική αξία. Ο Τσε βασίστηκε σε αυτούς τους νόμους και είχε απόλυτη πίστη στον άνθρωπο. Πολύ συχνά οι μεγάλοι επαναστάτες της ανθρωπότητας, αυτοί που ευθύνονται για τους μεγάλους μετασχηματισμούς, δεν έχουν το προνόμιο να δουν τα όνειρά τους να πραγματοποιούνται τόσο σύντομα όσο περίμεναν ή έλπιζαν· όμως, αργά ή γρήγορα, θριαμβεύουν.

Ένας μαχητής μπορεί να πεθάνει· οι ιδέες του, όμως, όχι.

Τι δουλειά είχε ένας πράκτορας της κυβέρνησης των Ηνωμένων Πολιτειών να βρίσκεται στον τόπο όπου πληγώθηκε και αιχμαλωτίστηκε ο Τσε;[2] Γιατί πίστευαν ότι σκοτώνοντάς τον θα έπαυε να υπάρχει ως μαχητής; Τώρα δεν βρίσκεται στη Λα Ιγκέρα. Βρίσκεται παντού, οπουδήποτε υπάρχει ένας δίκαιος αγώνας να υπερασπιστεί. Εκείνοι που είχαν συμφέρον στην εξουδετέρωση και την εξαφάνισή του ήταν ανίκανοι να καταλάβουν ότι είχε ήδη αφήσει το ανεξίτηλο σημάδι του στην ιστορία· ότι το φωτεινό και προφητικό του όραμα θα μετατρεπόταν σε ένα σύμβολο

---

2. Ένας πράκτορας της CIA, ο Φέλιξ Ροντρίγκεζ, συνόδευσε αυτούς που αιχμαλώτισαν τον Τσε Γκεβάρα και συμμετείχε στην καθοδήγηση της εκτέλεσής του από τα χέρια του βολιβιανού στρατού στο χωριό Λα Ιγκέρα.

για τα εκατομμύρια των φτωχών αυτού του κόσμου. Νέοι, παιδιά, ηλικιωμένοι, άνδρες και γυναίκες που τον γνώρισαν, έντιμοι άνθρωποι όλης της γης, ανεξαρτήτως κοινωνικής καταγωγής, τον θαυμάζουν.

Ο Τσε δίνει και κερδίζει περισσότερες μάχες παρά ποτέ.

Σε ευχαριστούμε Τσε, για την προσωπική σου ιστορία, τη ζωή σου και το παράδειγμά σου.

Σε ευχαριστούμε που ήρθες να μας ενισχύσεις σε αυτό τον δύσκολο αγώνα που διεξάγουμε σήμερα για να σώσουμε τις ιδέες για τις οποίες τόσο αγωνίστηκες, για να σώσουμε την επανάσταση, την πατρίδα και τις κατακτήσεις του σοσιαλισμού, που είναι η υλοποίηση ενός μέρους των μεγάλων ονείρων που τόσο αγάπησες! [*Χειροκροτήματα*] Για να πραγματοποιήσουμε αυτό το τεράστιο κατόρθωμα, για να καταστρέψουμε τα ιμπεριαλιστικά σχέδια ενάντια στην Κούβα, για να αντισταθούμε στον οικονομικό αποκλεισμό, για να επιτύχουμε τη νίκη, υπολογίζουμε σε εσένα. [*Χειροκροτήματα*]

Όπως βλέπεις, αυτή η γη που είναι η γη σου, αυτός ο λαός που είναι ο δικός σου λαός αυτή η επανάσταση που είναι η δική σου επανάσταση, συνεχίζουν να υψώνουν με τιμή και υπερηφάνεια τις σημαίες του σοσιαλισμού. [*Χειροκροτήματα*]

Καλωσήρθατε, ηρωικοί σύντροφοι του αγήματος ενίσχυσης! Τα χαρακώματα των ιδεών και της δικαιοσύνης που θα υπερασπιστείτε, στο πλευρό του λαού μας, ο εχθρός δεν θα μπορέσει να τα κατακτήσει ποτέ! Και μαζί θα συνεχίσουμε να αγωνιζόμαστε για έναν καλύτερο κόσμο!

Hasta la victoria siempre! [*Πάντα μπροστά, ως τη νίκη*]

[*Επευφημίες*]

Ο Τσε Γκεβάρα απευθυνόμενος στο Πρώτο Συνέδριο Λατινοαμερικανικής Νεολαίας στην Αβάνα, 28 Ιούλη 1960.

«Αν αυτή η επανάσταση είναι μαρξιστική, είναι γιατί ανακάλυψε, με τις δικές της μεθόδους, τον δρόμο που υπέδειξε ο Μαρξ.»

JOSEPH HANSEN / MILITANT

OFICINA DE ASUNTOS HISTORICOS DEL CONSEJO DE ESTADO

Ο πρώτος Νόμος Περί Αγροτικής Μεταρρύθμισης απαλλοτρίωσε τις γαιοκτησίες που ξεπερνούσαν τα 3.330 στρέμματα, όπως τις τεράστιες φυτείες τις οποίες είχαν στην ιδιοκτησία τους η Γιουνάιτεντ Φρουτ και άλλες εταιρείες των ΗΠΑ. Κάπου 100.000 αγροτικές οικογένειες έλαβαν τίτλους ιδιοκτησίας για τη γη που καλλιεργούσαν. **Πάνω**: Μέλη της αγροτικής πολιτοφυλακής κάνουν πορεία στην Αβάνα τον Απρίλη του 1960. **Κάτω**: Ο Φιντέλ Κάστρο προετοιμάζεται να υπογράψει τη νομοθετική πράξη της Αγροτικής Μεταρρύθμισης στις 17 Μάη 1959.

«Τι κεφάλαιο απαιτείται για να εγκαινιάσει κανείς μια αγροτική μεταρρύθμιση; Κανένα· το μοναδικό κεφάλαιο που απαιτείται είναι ένας λαός ένοπλος, που έχει συνείδηση των δικαιωμάτων του.»

«Οι μορφές του καπιταλισμού που έχουμε γνωρίσει, μέσα στις οποίες έχουμε ανατραφεί και υποφέρει, ηττώνται σήμερα.»

BOHEMIA

Τον Ιούλη του 1960 η Ουάσιγκτον ανακοίνωσε την απόφασή της να περιορίσει τη ζάχαρη που εισήγαγε, σύμφωνα με προηγούμενες συμφωνίες, από την Κούβα. **Πάνω**: Κουβανοί εργάτες καταλαμβάνουν το διυλιστήριο της Τέξακο και κατεβάζουν τη σημαία των ΗΠΑ. **Κάτω**: Αντιπρόσωποι από το Συνέδριο Λατινοαμερικανικής Νεολαίας συμμετέχουν στην Εβδομάδα Εθνικού Πανηγυρισμού στην Αβάνα, γιορτάζοντας τις εθνικοποιήσεις. Εργαζόμενοι κρατούν φέρετρα που συμβολίζουν εταιρείες των ΗΠΑ, κάνουν πορεία μέχρι την προκυμαία και τα πετούν στη θάλασσα.

Η κουβανική επανάσταση ήταν κομμάτι ενός ανοδικού κύματος αντι-ιμπεριαλιστικών αγώνων. Ενέπνευσε μια νέα γενιά ανθρώπων του μόχθου και τη νεολαία παγκοσμίως, όπως τους αγωνιστές κατά του φυλετικού διαχωρισμού στις ΗΠΑ. **Πάνω**: Αγωνιστές για τα δικαιώματα των Μαύρων αντιστέκονται στις επιθέσεις της αστυνομίας στο Μπέρμινγχαμ της Αλαμπάμα, 1963. **Αριστερά**: Μαθητές στο Παρίσι που κάνουν κατάληψη σε λύκειο χαιρετίζουν μια εργατική διαδήλωση, στη διάρκεια των αντικυβερνητικών δράσεων τον Μάη-Ιούνη 1968. **Επόμενη σελίδα, από πάνω προς τα κάτω**: Διαδήλωση ενάντια στον πόλεμο στο Βιετνάμ, Νέα Υόρκη, 1967· στον Παναμά απαιτούν κυριαρχία της Διώρυγας, Νοέμβρης 1959· Διαδήλωση στο Αλγέρι ενάντια στην αποικιακή κυριαρχία της Γαλλίας, 1960. Ύστερα από οκτώ χρόνια επαναστατικού αγώνα, ο αλγερινός λαός κέρδισε την ανεξαρτησία του το 1962.

BOB ADELMAN

«Είμαστε ένας
καθρέπτης
όπου οι
καταπιεσμένοι
λαοί του κόσμου
που μάχονται
για την
ελευθερία τους
βλέπουν τον
εαυτό τους να
αντανακλάται.»

«Ο Νέος Κομμουνιστής δεν μπορεί
να περιοριστεί από εθνικά σύνορα.
Πρέπει να κάνει πράξη τον
προλεταριακό διεθνισμό και να τον
αισθάνεται σαν κάτι δικό του.»

Από τα πρώτα χρόνια της επανάστασης, Κουβανοί διεθνιστές εθελοντές έχουν συνδράμει αγώνες των εργαζομένων ανά τον κόσμο. **Προηγούμενη σελίδα, πάνω**: Ο Τσε Γκεβάρα (τρίτος από τα δεξιά) και άλλοι Κουβανοί εθελοντές κάνουν γυμνάσια πριν από την αναχώρησή τους για τη Βολιβία, 1966. **Προηγούμενη σελίδα, κάτω**: Κουβανή δασκάλα κοντά στο Πόρτο Καμπέσας, στη Νικαράγουα, 1985. Με τη νίκη της σαντινιστικής επανάστασης στη Νικαράγουα το 1979, η Κούβα έστειλε 2.000 δασκάλους στη Νικαράγουα. Όταν το 1981 δύο δάσκαλοι από την Κούβα δολοφονήθηκαν από τους αντεπαναστάτες, 100.000 Κουβανοί προσφέρθηκαν ως εθελοντές να τους αντικαταστήσουν. **Αυτή η σελίδα, πάνω**: Γυναικεία μονάδα αντιαεροπορικής άμυνας από την Κούβα στην Ανγκόλα, 1988. Η κουβανική βοήθεια ήταν αποφασιστικής σημασίας για την απόκρουση της υποστηριζόμενης από τις ΗΠΑ εισβολής του νοτιοαφρικανικού καθεστώτος του Απαρτχάιντ στην Ανγκόλα, κατά τον πόλεμο του 1975-1988. **Αυτή η σελίδα, κάτω**: Κουβανός εθελοντής γιατρός περνάει έφιππος ένα ποτάμι στη Γουατεμάλα, αμέσως μετά το πέρασμα του τυφώνα Μιτς, που είχε ως αποτέλεσμα τον θάνατο χιλιάδων ανθρώπων στην Κεντρική Αμερική το 1998.

«Ως Νέοι Κομμουνιστές πρέπει να είστε οι πρώτοι στην εργασία, οι πρώτοι στη μελέτη, οι πρώτοι στην άμυνα της χώρας.»

LIBORIO NOVAL

JUVENTUD REBELDE

Προηγούμενη σελίδα: Λίγο πριν από την εισβολή στον Κόλπο των Χοίρων, κουβανική αντιαεροπορική μονάδα εκπαιδεύεται στην αναγνώριση των αεροσκαφών των ΗΠΑ. **Αυτή η σελίδα, πάνω**: Στην Αβάνα η «διαδήλωση των μολυβιών» γιορτάζει την πετυχημένη λήξη, στις 22 Δεκέμβρη του 1961, της εκστρατείας αλφαβητισμού, η οποία είχε διαρκέσει έναν χρόνο. Εκατό χιλιάδες περίπου νέοι και νέες διασκορπίστηκαν σε κάθε γωνιά της Κούβας για να διδάξουν ανάγνωση και γραφή σε ένα εκατομμύριο εργάτες και χωρικούς, εξαλείφοντας πρακτικά τον αναλφαβητισμό. **Αυτή η σελίδα, κάτω**: Μέλη της Ένωσης Νέων Κομμουνιστών συμμετέχουν σε μπριγάδα εθελοντικής εργασίας, επισκευάζοντας σπίτια, το 1992.

WILFREDO OJEDA / BOHEMIA

DAG TIRSEN / MILITANT

Αυτή η σελίδα, πάνω: Νέοι Κουβανοί διαδηλώνουν στις 26 Αυγούστου 1994 στην παραλία της Αβάνας για να στηρίξουν την επανάσταση, απαντώντας σε αντικοινωνικές πράξεις και απαγωγές πλοίων οι οποίες στόχευαν στη μετανάστευση προς τις ΗΠΑ με παράνομα μέσα, πράγμα το οποίο ενθαρρύνει η Ουάσιγκτον. **Αυτή η σελίδα, κάτω**: Φοιτητές στη Στοκχόλμη της Σουηδίας διαμαρτύρονται για τις επιθέσεις κατά της παιδείας τον Φλεβάρη του 1995. Στην πινακίδα γράφει, «Θέλουμε τη δυνατότητα να συνεχίσουμε τις σπουδές μας και σε πανεπιστημιακό επίπεδο. Είμαστε το μέλλον». **Επόμενη σελίδα, πάνω**: Συγκέντρωση και διαδήλωση υπέρ της ανεξαρτησίας του Πουέρτο Ρίκο, στη Γουάνικα του Πουέρτο Ρίκο, 25 Ιούλη 1998. **Επόμενη σελίδα, κάτω**: Απεργοί στις ΗΠΑ κάνουν πικετοφορία έξω από εργοστάσιο πουλερικών στο Κόριντον της πολιτείας Ιντιάνα, 1999.

«να μην συγχέουμε τη χαρά, τη ζωντάνια και τον αυθορμητισμό που διακρίνει τη νεολαία όλου του κόσμου με την επιπολαιότητα.»

Πάνω: Αντιπρόσωποι που συμμετέχουν στη Συνάντηση Ανταλλαγής ΗΠΑ-Κούβας το 1996 συζητούν για τους κοινούς τους αγώνες σε συζήτηση που έλαβε χώρα στο Γουαντάναμο. **Κάτω**:Η Κένια Σεράνο (δεξιά), που τότε ήταν γραμματέας διεθνών σχέσεων της Ομοσπονδίας Φοιτητών της Κούβας, συνομιλεί με απεργούς μεταλλεργάτες μπροστά στο εργοστάσιο της Κατερπιλάρ στο Γιορκ της Πενσιλβάνιας, στη διάρκεια περιοδείας στις ΗΠΑ που έκανε η Σεράνο το 1995.

«Η νεολαία μας πρέπει πάντα να είναι ελεύθερη, να συζητά και να ανταλλάσσει ιδέες, να ενδιαφέρεται πάντα για τα όσα γίνονται σε ολόκληρο τον κόσμο.»

ΓΛΩΣΣΑΡΙΟ

Αγροτική μεταρρύθμιση, νόμος για την: Θεσπίστηκε από την επαναστατική κυβέρνηση στις 17 Μάη του 1959. Όριζε ως μέγιστη δυνατή ιδιοκτησία τις τριάντα *caballerias* γης (περίπου 3.330 στρέμματα). Με την εφαρμογή του νόμου αυτού, κατασχέθηκαν τεράστιες αγροτικές εκτάσεις στην Κούβα, πολλές από τις οποίες ανήκαν σε πλούσιες οικογένειες και εταιρείες των ΗΠΑ. Η γη που κατασχέθηκε πέρασε στα χέρια της νέας κυβέρνησης. Σύμφωνα επίσης με τον νόμο, δόθηκαν τίτλοι ιδιοκτησίας σε επίμορτους καλλιεργητές, αγρομισθωτές καλλιεργητές και σε ακτήμονες που καλλιεργούσαν παράνομα γη στην οποία είχαν κάνει κατάληψη. Κάπου 100.000 αγροτικές οικογένειες έλαβαν τίτλους ιδιοκτησίας γης.

Σύμφωνα με ένα άρθρο του νόμου αυτού, δημιουργήθηκε το Εθνικό Ίδρυμα Αγροτικής Μεταρρύθμισης (INRA) ως εργαλείο για την εφαρμογή της μεταρρύθμισης. Στο INRA παραχωρήθηκαν εκτεταμένες εξουσίες σχεδόν για κάθε πτυχή της οικονομίας. Υπό την ηγεσία των στελεχών του Αντάρτικου Στρατού και του Κινήματος της 26ης Ιούλη, το INRA έγινε το κεντρικό σώμα της κυβέρνησης που κινητοποιούσε τους εργάτες και τους αγρότες για την υπεράσπιση των συμφερόντων τους.

Το 1963, μια δεύτερη αγροτική μεταρρύθμιση έθεσε ως ανώτατο όριο ιδιοκτησίας τα 660 περίπου στρέμματα. Έτσι, κατασχέθηκαν αγροτικές εκτάσεις που υπερέβαιναν το όριο αυτό, πράγμα που αφορούσε 10.000 καπιταλιστές αγρότες, οι οποίοι μέχρι τότε εξακολουθούσαν να έχουν στην ιδιοκτησία τους το 20% της καλλιεργήσιμης γης της Κούβας. Με την εφαρμογή της μεταρρύθμισης αυτής, ευθυγραμμίστηκαν οι ιδιοκτησιακές σχέσεις στη γη με εκείνες που ήδη είχαν εγκαθιδρυθεί μέσα από τις εθνικοποιήσεις στη βιομηχανία από τον Αύγουστο έως τον Οκτώβρη του 1960.

Αλμπίσου Κάμπος, Πέδρο [Albizu Campos, Pedro] (1891-1965): Ηγέτης του Πορτορικανικού Εθνικιστικού Κόμματος [Partido Nacionalista de Puerto Rico]. Επί σχεδόν ένα τέταρτο του αιώνα, το 1937-1947, το 1950-1953 και το 1954-1964, ο Κάμπος είτε βρισκόταν φυλακή είτε σε κατ᾿ οίκον περιορισμό από την κυβέρνηση των ΗΠΑ, λόγω των δραστηριοτήτων του υπέρ της ανεξαρτησίας του Πουέρτο Ρίκο. Το 1956, ύστερα από ένα ισχυρό εγκεφαλικό επεισόδιο, έμεινε παράλυτος. Αποφυλακίστηκε λίγο πριν πεθάνει.

Αλφαβητισμός, εκστρατεία του: Από τα τέλη του 1960 και ολόκληρο το 1961, η επαναστατική κυβέρνηση οργάνωσε μια εκστρατεία αλφαβητισμού ώστε να μάθουν ένα εκατομμύριο Κουβανοί να γράφουν και να διαβάζουν. Κεντρικό ρόλο σε αυτή την προσπάθεια έπαιξε η κινητοποίηση 100.000 νέων, οι οποίοι πήγαιναν στην ύπαιθρο και ζούσαν μαζί με τους ίδιους τους αγρότες και τους εργάτες τους οποίους δίδασκαν. Ως αποτέλεσμα αυτής της εκστρατείας, η Κούβα εξάλειψε σχεδόν εντελώς τον αναλφαβητισμό. Κατά τη διάρκεια της εκστρατείας αλφαβητισμού, εννέα εθελοντές −μαθητές και δάσκαλοι− δολοφονήθηκαν από αντεπαναστάτες, τους οποίους είχε οργανώσει, οπλίσει και χρηματοδοτήσει η Ουάσιγκτον.

Αντάρτικος Στρατός: Ξεκίνησε τις στρατιωτικές επιχειρήσεις στις 2 Δεκέμβρη του 1956 κατά του καθεστώτος Μπατίστα, μετά την αποβίβαση του *Γκράνμα* στην επαρχία Οριέντε. Οι νίκες του κατά των στρατιωτικών δυνάμεων του Μπατίστα σε πολυάριθμες αποφασιστικές μάχες, ιδιαίτερα από τον Ιούλη του 1958 και μετά, πυροδότησαν τον επαναστατικό ξεσηκωμό σε όλη την επικράτεια της Κούβας, και προδιέγραψαν την τελική πτώση της δικτατορίας. Τα στελέχη του Αντάρτικου Στρατού αποτέλεσαν τη ραχοκοκαλιά των νέων θεσμών που αναδύθηκαν μέσα από την επαναστατική διαδικασία: των Επαναστατικών Ένοπλων Δυνάμεων, του Εθνικού Ιδρύματος Αγροτικής Μεταρρύθμισης, των πολιτοφυλακών, της αστυνομίας, του Συνδέσμου Νέων Ανταρτών. Από τις τάξεις του, μετά τον Οκτώβρη του 1959, προερχόταν η πλειονότητα των υπουργών της κυβέρνησης.

Άρμπενζ, Χακόμπο [Arbenz, Jacobo] (1914-1971): Το 1951 εξελέγη πρόεδρος της Γουατεμάλας. Ανατράπηκε το 1954 με πραξικόπημα που στήριζαν οι ΗΠΑ.

Γκιγιέν, Νικολάς [Guillén, Nicolás] (1902-1989): Κουβανός ποιητής και μέλος της Εθνικής Επιτροπής του Λαϊκού Σοσιαλιστικού Κόμματος πριν την επανάσταση. Καταδιώχτηκε από τη δικτατορία, έζησε στην εξορία κατά τη διάρκεια του επαναστατικού πολέμου και επέστρεψε στην Κούβα το 1959. Το 1961 έγινε πρόεδρος της Ένωσης Συγγραφέων και Καλλιτεχνών και ήταν μέλος της Κεντρικής Επιτροπής του Κομμουνιστικού Κόμματος μέχρι τον θάνατό του, το 1989.

Γκράνμα: Το μικρό σκάφος με το οποίο απέπλευσαν από το λιμάνι Τουσπάν του Μεξικού οι ογδόντα δύο επαναστάτες μαχητές με κατεύθυνση την Κούβα, όπου, υπό τη διοίκηση του Φιντέλ

Κάστρο, ξεκίνησαν τον επαναστατικό πόλεμο κατά του υποστη-
ριζόμενου από τις ΗΠΑ καθεστώτος του Φουλχένσιο Μπατίστα.
Το εκστρατευτικό σώμα έφτασε στα παράλια της νοτιοανατολικής
Κούβας στις 2 Δεκέμβρη του 1956. Από το 1965, η καθημερινή
εφημερίδα του Κομμουνιστικού Κόμματος της Κούβας
ονομάζεται *Γκράνμα*.

Γουατεμάλα, πραξικόπημα, 1954: Μισθοφορικές δυνάμεις, υποστηρι-
ζόμενες από την Ουάσιγκτον, εισβάλλουν στη Γουατεμάλα το
1954. Στόχος τους ήταν να συντρίψουν τους διευρυνόμενους
πολιτικούς και κοινωνικούς αγώνες σε αυτή τη χώρα, οι οποίοι
αναπτύσσονταν ταυτόχρονα με την αγροτική μεταρρύθμιση που
είχε αρχίσει να εφαρμόζει το καθεστώς του Χακόμπο Άρμπενζ.
Η μεταρρύθμιση αυτή έθιγε τα συμφέροντα της Γιουνάιτεντ
Φρουτ και άλλων εταιρειών των ΗΠΑ που είχαν στην ιδιοκτησία
τους μεγάλες αγροτικές εκτάσεις. Ο Άρμπενζ αρνήθηκε να δώσει
όπλα σε όσους ήταν έτοιμοι να αντισταθούν στην εισβολή και
παραιτήθηκε. Μια δεξιά στρατιωτική δικτατορία εγκαταστάθηκε
στη χώρα. Ανάμεσα σε εκείνους που προσφέρθηκαν να
πολεμήσουν κατά της οργανωμένης από τον ιμπεριαλισμό
επίθεσης ήταν και ο Ερνέστο Γκεβάρα, ένας νεαρός γιατρός που
τον είχε προσελκύσει η Γουατεμάλα, λόγω των αγώνων που
εξελίσσονταν εκεί και τους οποίους υποστήριζε.

Επαναστατικό Διευθυντήριο της 13ης Μάρτη [Directorio Revolu-
cionario 13 de Marzo]: Οργάνωση που σχηματίστηκε το 1955 με
πρωτοβουλία του Χοσέ Αντόνιο Ετσεβερία και άλλων ηγετών
της Ομοσπονδίας Φοιτητών στον αγώνα κατά του Μπατίστα. Στις
13 Μάρτη 1957, οργάνωσε επίθεση στο Προεδρικό Μέγαρο του
Μπατίστα, κατά την οποία σκοτώθηκαν αρκετοί από τους

κεντρικούς ηγέτες της, ένας από τους οποίους ήταν και ο Ετσεβερία. Οργάνωσε μια αντάρτικη φάλαγγα στα βουνά Εσκαμπρέι στην επαρχία Λας Βίγιας το Φλεβάρη 1958, επικεφαλής της οποίας ήταν ο Φάουρε Τσομόν [Faure Chomón]. Κατά τους τελευταίους μήνες του επαναστατικού πολέμου, η φάλαγγα αυτή πολέμησε υπό τη διοίκηση του Τσε Γκεβάρα. Το 1961 συγχωνεύτηκε με το Κίνημα της 26ης Ιούλη και το Λαϊκό Σοσιαλιστικό Κόμμα, σε μια διαδικασία που οδήγησε το 1965 στην ίδρυση του Κομμουνιστικού Κόμματος της Κούβας.

Επιτροπές Υπεράσπισης της Επανάστασης [Comités de Defensa de la Revolución – CDR]: Δημιουργήθηκαν τον Σεπτέμβρη του 1960 σε κάθε γειτονιά ως όργανα επαγρύπνησης και κινητοποίησης του κουβανικού λαού ενάντια στις δραστηριότητες της αντεπανάστασης. Στα επόμενα χρόνια χρησιμοποιήθηκαν επίσης για την οργάνωση της συμμετοχής σε μαζικές διαδηλώσεις, τη συμμετοχή σε εκστρατείες εμβολιασμού και άλλες καμπάνιες δημόσιας υγείας, την πολιτική άμυνα, στον αγώνα κατά του μικρού εγκλήματος, και για άλλα πολιτικά καθήκοντα.

Ένωση Νέων Κομμουνιστών [Unión de Jovenes Coministas – UJC]: Δημιουργήθηκε μέσα από τους κόλπους του Συνδέσμου Νέων Ανταρτών (AJR), ο οποίος ιδρύθηκε από το Τμήμα Εκπαίδευσης του Αντάρτικου Στρατού το Δεκέμβρη 1959. Μετά τη συγχώνευση των νεολαιίστικων οργανώσεων που στήριζαν την επανάσταση τον Οκτώβρη 1960, το AJR συμπεριλάμβανε στις γραμμές του νέους από το Κίνημα 26ης Ιούλη, το Επαναστατικό Διευθυντήριο της 13ης του Μάρτη, και από τη Σοσιαλιστική Νεολαία του Λαϊκού Σοσιαλιστικού Κόμματος. Στις 4 Απρίλη 1962 υιοθέτησε το όνομα Ένωση Νέων Κομμουνιστών.

Επαναστατικό Κίνημα της 26ης Ιούλη [Movimiento Revolucionario 26 de Julio]: Ιδρύθηκε τον Ιούνη του 1955 από τον Φιντέλ Κάστρο και άλλους αγωνιστές που συμμετείχαν στην επίθεση στο στρατόπεδο της Μονκάδα στο Σαντιάγο ντε Κούβα και στο στρατόπεδο Κάρλος Μανουέλ ντε Σέσπεδες στο Μπαγιαμό, από νέους ακτιβιστές της αριστερής πτέρυγας του Ορθόδοξου Κόμματος και άλλες επαναστατικές δυνάμεις. Τον Μάρτη του 1956 αποσχίστηκε από το Ορθόδοξο Κόμμα. Κατά τη διάρκεια του επαναστατικού πολέμου, απαρτιζόταν από τον Αντάρτικο Στρατό στα βουνά (*Siera*) και το παράνομο δίκτυο στις πόλεις (*Llano*), καθώς επίσης από επαναστάτες που βρίσκονταν στην εξορία. Τον Μάη του 1958, ο Φιντέλ Κάστρο έγινε γενικός γραμματέας του. Εξέδιδε, αρχικά παράνομα, την εφημερίδα *Revolución*. Το 1961, με πρωτοβουλία του Επαναστατικού Κινήματος της 26ης Ιούλη, ξεκίνησε μια διαδικασία συγχώνευσης με το Λαϊκό Σοσιαλιστικό Κόμμα και το Επαναστατικό Διευθυντήριο της 13ης Μάρτη. Η διαδικασία αυτή οδήγησε στην ίδρυση του Κομμουνιστικού Κόμματος της Κούβας το 1965. Ο Φιντέλ Κάστρο εκλέχθηκε πρώτος γραμματέας του.

Ιγκλέσιας, Χοέλ [Iglesias, Joel]: Γεννήθηκε το 1941. Γόνος αγροτικής οικογένειας από τα περίχωρα της επαρχίας Σαντιάγο ντε Κούβα, εντάσσεται στον Αντάρτικο Στρατό το 1957 και υπηρετεί στην 4η και 8η Φάλαγγα, υπό τη διοίκηση του Τσε Γκεβάρα. Στο τέλος του επαναστατικού πολέμου προάγεται στον βαθμό του *comandante* (διοικητή). Πρώτος πρόεδρος του Συνδέσμου Νέων Ανταρτών που δημιουργήθηκε από το Τμήμα Εκπαίδευσης του Αντάρτικου Στρατού το 1960, και γενικός γραμματέας της Ένωσης Νέων Κομμουνιστών το 1962. Από το 1965 ως το1975 ήταν μέλος της Κεντρικής Επιτροπής του Κομμουνιστικού Κόμματος.

Ιδίγορας, Μιγκέλ [Ydígoras, Miguel] (1895-1982): Πρόεδρος της Γουατεμάλας από το 1958 μέχρι το 1963, όταν ανατράπηκε με πραξικόπημα. Δεδηλωμένος εχθρός της κουβανικής επανάστασης.

INRA: Βλ. Αγροτική Μεταρρύθμιση.

Καστίγιο Άρμας, Κάρλος [Castillo Armas, Carlos] (1914-1957): Συνταγματάρχης των ένοπλων δυνάμεων της Γουατεμάλας, ανέλαβε την εξουσία ως δικτάτορας ύστερα από ένα πραξικόπημα που υποκίνησαν οι ΗΠΑ, το οποίο ανέτρεψε την κυβέρνηση του Χακόμπο Άρμπενζ το 1954. Δολοφονήθηκε το 1957.

Κάστρο Ρουζ, Φιντέλ [Castro Ruz, Fidel]: Γεννήθηκε το 1926 και μεγάλωσε στην επαρχία Οριέντε της ανατολικής Κούβας. Το 1945 ήταν ηγέτης των φοιτητών στο Πανεπιστήμιο της Αβάνας. Ήταν ιδρυτικό μέλος του Ορθόδοξου Κόμματος το 1947 και κεντρικός οργανωτής της επαναστατικά σκεπτόμενης νεολαίας του. Υπήρξε ένας από τους υποψήφιους του κόμματος αυτού στις εκλογές του 1952 για τη Βουλή των Αντιπροσώπων, οι οποίες ακυρώθηκαν μετά το πραξικόπημα του Μπατίστα. Ο Κάστρο ηγήθηκε της επίθεσης στα στρατόπεδα Μονκάδα και Μπαγιαμό στις 26 Ιούλη 1953, που σήμανε την έναρξη του επαναστατικού αγώνα κατά της δικτατορίας, και καταδικάστηκε σε δεκαπέντε χρόνια φυλάκιση. Η ομιλία που εκφώνησε μπροστά στο δικαστήριο είχε τον τίτλο «Η Ιστορία θα με δικαιώσει». Το κείμενο αυτό γράφτηκε, φυγαδεύτηκε από τη φυλακή, και μετέπειτα τυπώθηκε σε δεκάδες χιλιάδες αντίτυπα που διανεμήθηκαν από τη μία άκρη της Κούβας στην άλλη. Η ομιλία αποτέλεσε το πρόγραμμα του επαναστατικού κινήματος για την ανατροπή του καθεστώτος Μπατίστα. Ο Κάστρο αποφυλακίστηκε ύστερα από μια μαζική εκστρατεία για αμνηστία τον Μάη του 1955 και λίγες εβδομάδες αργότερα πρωτοστάτησε στην ίδρυση του Επαναστατικού Κινήματος της 26ης Ιούλη.

Στο Μεξικό, ο Κάστρο προετοίμασε τις εκστρατευτικές δυνάμεις, οι οποίες επέστρεψαν στην Κούβα τον Δεκέμβρη του 1956 με το μικρό σκάφος *Γκράνμα*. Διοίκησε τον Αντάρτικο Στρατό κατά τη διάρκεια του επαναστατικού πολέμου το 1956-1958, από τα βουνά της Σιέρα Μαέστρα. Τον Μάη του 1958 έγινε γενικός γραμματέας του Κινήματος της 26ης Ιούλη.

Ο Κάστρο ήταν πρωθυπουργός της Κούβας από τον Φλεβάρη του 1959 μέχρι το 1976, όταν εκλέχθηκε πρόεδρος του Κρατικού Συμβουλίου και του Συμβουλίου Υπουργών. Είναι γενικός διοικητής των ενόπλων δυνάμεων και πρώτος γραμματέας του Κομμουνιστικού Κόμματος της Κούβας από την ίδρυσή του το 1965.

Κάστρο Ρουζ, Ραούλ [Castro Ruz, Raúl]: Γεννήθηκε το 1931 και μεγάλωσε στην επαρχία Οριέντε της ανατολικής Κούβας. Ηγέτης των φοιτητών στο Πανεπιστήμιο της Αβάνας, το 1953 συμμετείχε στην επίθεση στο στρατόπεδο Μονκάδα και καταδικάστηκε σε δεκατρία χρόνια φυλάκιση. Αποφυλακίστηκε το Μάη του 1955 ύστερα από μια εθνική εκστρατεία για αμνηστία. Ήταν ιδρυτικό μέλος του Κινήματος της 26ης Ιούλη και συμμετείχε στην εκστρατεία του *Γκράνμα*. Τον Φλεβάρη 1958 αναδείχτηκε σε *comandante* (διοικητή) του Αντάρτικου Στρατού και επικεφαλής του Δεύτερου Ανατολικού Μετώπου.

Από τον Οκτώβρη του 1959 είναι υπουργός των Επαναστατικών Ενόπλων Δυνάμεων. Υπήρξε αντιπρόεδρος της κυβέρνησης από το 1959 μέχρι το 1976, όταν εκλέχθηκε αντιπρόεδρος του Κρατικού Συμβουλίου και του Συμβουλίου Υπουργών. Από το 1965 είναι δεύτερος γραμματέας του Κομμουνιστικού Κόμματος της Κούβας. Στον στρατό έχει τη θέση του στρατηγού, ο δεύτερος υψηλότερος αξιωματικός των Επαναστατικών Ενόπλων Δυνάμεων μετά τον γενικό διοικητή Φιντέλ Κάστρο.

Κεβέδο, Άνχελ [Quevedo, Angel]: Υπολοχαγός της στρατιωτικής φάλαγγας του Επαναστατικού Διευθυντηρίου κατά τη διάρκεια του αγώνα κατά του Μπατίστα. Το 1959 αναδείχθηκε σε *comandante* (διοικητή) του Αντάρτικου Στρατού. Εκείνη τη χρονιά ήταν φοιτητής στο Πανεπιστήμιο της Αβάνας και πρόεδρος της Επιτροπής για την Πλήρη Μεταρρύθμιση του Πανεπιστημίου. Αργότερα, έγινε γενικός γραμματέας της Ομοσπονδίας Φοιτητών.

Κεβέδο, Μιγκέλ Άνχελ [Quevedo, Miguel Angel] (;-1969): Συντάκτης του περιοδικού *Bohemia*, πριν τη διαφυγή του στις ΗΠΑ στις 18 Ιούλη 1960.

Κόλπος των Χοίρων: Στις 17 Απρίλη του 1961, ένα εκστρατευτικό σώμα 1.500 Κουβανών μισθοφόρων εισέβαλε στην Κούβα από τον Κόλπο των Χοίρων στη νότια ακτή του νησιού. Οι αντεπαναστάτες, οργανωμένοι και πληρωμένοι από την Ουάσιγκτον, είχαν στόχο να δημιουργήσουν ένα προγεφύρωμα και να το κρατήσουν για αρκετό χρονικό διάστημα ώστε να στήσουν σε κουβανικό έδαφος μια προσωρινή κυβέρνηση που ήδη είχε σχηματιστεί στις ΗΠΑ. Η κυβέρνηση αυτή θα έκανε έκκληση στην Ουάσιγκτον για υποστήριξη και άμεση στρατιωτική επέμβαση. Οι μισθοφόροι, όμως, ηττήθηκαν μέσα σε εβδομήντα δύο ώρες από την πολιτοφυλακή και τις Επαναστατικές Ένοπλες Δυνάμεις της

Κούβας. Στις 19 Απρίλη οι τελευταίοι εισβολείς πιάστηκαν αιχμάλωτοι στην Πλάγια Χιρόν. Οι Κουβανοί χρησιμοποιούν το τοπωνύμιο αυτό, όταν αναφέρονται στη συγκεκριμένη μάχη.

Κομμουνιστικό Κόμμα της Κούβας: Το 1961, το Επαναστατικό Κίνημα της 26ης Ιούλη πήρε την πρωτοβουλία να συγχωνευθεί με το Λαϊκό Σοσιαλιστικό Κόμμα και το Επαναστατικό Διευθυντήριο. Καθώς βάθαινε η επανάσταση, υπήρξαν αποστασίες και από τις τρεις οργανώσεις οι οποίες περνούσαν μέσα από μια διαδικασία ανασυγκρότησης των δυνάμεών τους. Τον Μάρτη του 1962 δημιουργείται η Εθνική Διοίκηση των Ενοποιημένων Επαναστατικών Οργανώσεων (ORI). Το 1963 σχηματίζεται το Ενιαίο Κόμμα της Σοσιαλιστικής Επανάστασης (PURS) και τον Οκτώβρη 1965 ιδρύεται το Κομμουνιστικό Κόμμα της Κούβας με τον Φιντέλ Κάστρο ως πρώτο γραμματέα της Κεντρικής Επιτροπής.

Λαϊκό Σοσιαλιστικό Κόμμα [Partido Socialista Popular – PSP]: Το όνομα που πήρε το 1944 το Κομμουνιστικό Κόμμα της Κούβας, το οποίο ιδρύθηκε το 1925. Το PSP αντιτάχθηκε ενεργά στο πραξικόπημα και στη δικτατορία που επέβαλε ο Μπατίστα το 1952, αλλά απέρριψε την πολιτική προοπτική της επίθεσης στο στρατόπεδο Μονκάδα, όπως και την προοπτική του Κινήματος της 26ης Ιούλη και του Αντάρτικου Στρατού να ξεκινήσουν τον επαναστατικό πόλεμο το 1956-1957. Το PSP συμμετείχε στην εκστρατεία για την απελευθέρωση του Φιντέλ Κάστρο και των άλλων μαχητών που επέζησαν της επίθεσης στη Μονκάδα, και πήρε μέρος στην πανκουβανική καμπάνια για αμνηστία, που τελικά κέρδισε την αποφυλάκισή τους. Το PSP συνεργαζόταν με τον Αντάρτικο Στρατό, και το 1958 συμμετείχε στην ένοπλη εξέγερση για την ανατροπή της δικτατορίας του Μπατίστα. Μετά τη νίκη του 1959, και καθώς βάθαινε η επανάσταση, το PSP, όπως και το Κίνημα της 26ης Ιούλη και το Επαναστατικό Διευθυντήριο, πέρασε μέσα από μια διαδικασία πολιτικής διαφοροποίησης. Στα μέσα του 1961, σχηματίστηκαν οι Ενοποιημένες Επαναστατικές Οργανώσεις (ORI) με τη συγχώνευση των τριών ομάδων, ξεκινώντας έτσι τη διαδικασία που οδήγησε στην ίδρυση του Κομμουνιστικού Κόμματος της Κούβας το 1965.

Λένιν, Β. Ι. (1870-1924): Συνεχιστής της θεωρίας και της πράξης του Καρλ Μαρξ και του Φρίντριχ Ένγκελς στην εποχή του ιμπεριαλισμού. Υπήρξε κεντρικός ηγέτης της Οκτωβριανής Επανάστασης του 1917 στη Ρωσία, ιδρυτής του Μπολσεβικικού Κόμματος, πρόεδρος του Συμβουλίου Λαϊκών Αντιπροσώπων (της Σοβιετικής κυβέρνησης) το 1917-1924 και μέλος της Εκτελεστικής Επιτροπής της Κομμουνιστικής Διεθνούς.

Λουμούμπα, Πατρίς [Lumumba, Patrice] (1925-1961): Ηγέτης του αγώνα για την ανεξαρτησία του Κονγκό και πρωθυπουργός της χώρας αυτής μετά την ανεξαρτησία της, τον Ιούνη του 1960, από το Βέλγιο. Τον Σεπτέμβρη 1960, η κυβέρνησή του ανατράπηκε με ένα υποστηριζόμενο από τις ΗΠΑ πραξικόπημα, μετά την έκκληση του Λουμούμπα προς τα Ηνωμένα Έθνη να στείλουν στρατεύματα ώστε να αντιμετωπίσει τις επιθέσεις των οργανωμένων από το Βέλγιο μισθοφόρων. Τα στρατεύματα του ΟΗΕ, που υποτίθεται ότι προστάτευαν τον Λουμούμπα, παρέμειναν αδρανή όταν τον Γενάρη του 1961, κονγκολέζικες δυνάμεις που συνεργάζονταν με την Ουάσιγκτον τον συνέλαβαν, τον φυλάκισαν και τον δολοφόνησαν. Το 1975, επιτροπή έρευνας της Γερουσίας των ΗΠΑ ανακοίνωσε τα αποτελέσματά της, σύμφωνα με τα οποία ο αρχηγός της CIA Άλεν Ντάλες διέταξε τη δολοφονία. Επιπλέον, σύμφωνα με την επιτροπή, το «λογικό συμπέρασμα» ήταν ότι η διαταγή προήλθε από τον Πρόεδρο των ΗΠΑ, Ντουάιτ Ντ. Αϊζενχάουερ.

Μάλκολμ Χ [Malcolm X] (1925-1965): Ένας από τους εξέχοντες προλεταριακούς επαναστάτες στην ιστορία των ΗΠΑ. Γόνος εργατικής οικογένειας, φυλακίστηκε σε νεαρή ηλικία. Προσπαθώντας να σταθεί και πάλι στα πόδια του, στη φυλακή έγινε μέλος του Έθνους του Ισλάμ [Nation of Islam – NOI] και μετά την αποφυλάκισή του το 1952, αναδείχθηκε ηγέτης αυτής της οργάνωσης. Ως υποστηρικτής της κουβανικής επανάστασης και ηγέτης του NOI στο Χάρλεμ, ο Μάλκολμ καλωσόρισε τον Φιντέλ Κάστρο τον Σεπτέμβρη 1960, όταν ο Κάστρο επισκέφτηκε τη Νέα Υόρκη για να μιλήσει στα Ηνωμένα Έθνη. Η αποκάλυψη της διεφθαρμένης και υποκριτικής πολιτικής συμπεριφοράς των υψηλών αξιωματούχων της οργάνωσης του Έθνους του Ισλάμ τον εξόργισε και τον οδήγησε στην απόφαση να αποχωρήσει από το NOI στις αρχές του 1964. Αργότερα τον ίδιο χρόνο, ίδρυσε την Οργάνωση Αφρο-Αμερικανικής Ενότητας, η οποία ήταν ανοικτή σε όλους τους Μαύρους που αναζητούσαν να προωθήσουν έναν ενωμένο αγώνα κατά της ρατσιστικής ανισότητας και της κοινωνικής αδικίας καθώς και να συνάψουν συμμαχίες με όλους όσους ήταν αφοσιωμένοι στους επαναστατικούς διεθνιστικούς στόχους που προωθούσε ο Μάλκολμ. Κατά τη διάρκεια του τελευταίου χρόνου της ζωής του, ανέπτυξε αντικαπιταλιστικές και φιλο-σοσιαλιστικές απόψεις. Δολοφονήθηκε στις 21 Φλεβάρη του 1965, στη Νέα Υόρκη.

Μάο Τσε-Τουνγκ (1893-1976): Πρόεδρος του Κομμουνιστικού Κόμματος της Κίνας από το 1935. Κεντρικός ηγέτης της Τρίτης

Κινεζικής Επανάστασης και επικεφαλής της Λαϊκής Δημοκρατίας της Κίνας από το 1949 μέχρι τον θάνατό του.

Μαριάτεγκι, Χοσέ Κάρλος [Mariátegui, José Carlos] (1895-1930): Περουβιανός συγγραφέας, επηρεασμένος από τη Ρωσική Επανάσταση, προσελκύστηκε στον μαρξισμό όταν ζούσε στην Ευρώπη το 1919-1923. Όταν επέστρεψε στο Περού, εξέδωσε το περιοδικό *Amauta*. Το 1928, ο Μαριάτεγκι συνέβαλε στην ίδρυση του Σοσιαλιστικού Κόμματος του Περού, το οποίο διατηρούσε σχέσεις με την Κομμουνιστική Διεθνή, αλλά δεν ζήτησε επίσημα να γίνει μέλος της. Ο Μαριάτεγκι έγινε γενικός γραμματέας του κόμματος αυτού. Τον ίδιο χρόνο, έβαλε τα θεμέλια για την ίδρυση της πρώτης συνδικαλιστικής ομοσπονδίας της χώρας, τη Γενική Συνομοσπονδία Περουβιανών Εργαζομένων. Το 1929, η αντιπροσωπεία του Σοσιαλιστικού Κόμματος στην Πρώτη Συνδιάσκεψη των Κομμουνιστικών Κομμάτων Λατινικής Αμερικής της Κομμουνιστικής Διεθνούς, η οποία έγινε στο Μπουένος Άιρες, δέχθηκε σφοδρή κριτική από αντιπροσώπους της Κομμουνιστικής Διεθνούς και ηγέτες Κομμουνιστικών Κομμάτων της Λατινικής Αμερικής, επειδή, ανάμεσα σε άλλα, δεν αποκαλούνταν Κομμουνιστές και δεν δέχονταν να πειθαρχήσουν στην Κομιντέρν. Ο Μαριάτεγκι πέθανε, πριν να δοθεί κάποια λύση σε αυτό το ζήτημα. Η δραστηριότητα και τα γραπτά του Μαριάτεγκι, όπως και του συγχρόνου του Κουβανού Χούλιο Αντόνιο Μέγια, επηρέασαν το επαναστατικό κίνημα στη Λατινική Αμερική, πέρα από τα σύνορα της χώρας του.

Μαρξ, Καρλ (1818-1883): Ιδρυτής, μαζί με τον Φρίντριχ Ένγκελς (1820-1895), του σύγχρονου κομμουνιστικού εργατικού κινήματος. Δημιουργός των θεωρητικών του βάσεων.

Μαρτί, Χοσέ [Martí, José] (1853-1895): Διακεκριμένος επαναστάτης, ποιητής, συγγραφέας, ομιλητής και δημοσιογράφος, εθνικός ήρωας της Κούβας. Το 1892, ίδρυσε το Κουβανικό Επαναστατικό Κόμμα με σκοπό να αγωνιστεί κατά της ισπανικής κυριαρχίας και να αντισταθεί στα σχέδια που προετοίμαζαν οι ΗΠΑ κατά της Κούβας. Οργάνωσε τον πόλεμο της ανεξαρτησίας του 1895 και σκοτώθηκε στη μάχη του Ντος Ρίος στην επαρχία Οριέντε. Το επαναστατικό και αντι-ιμπεριαλιστικό του πρόγραμμα είναι μέρος των διεθνιστικών παραδόσεων και της πολιτικής κληρονομιάς της κουβανικής επανάστασης.

Μάτος, Ούμπερ [Matos, Huber]: Γεννήθηκε το 1919. Μικρός γαιοκτήμονας στην επαρχία Οριέντε. Κατατάχθηκε στον Αντάρτικο Στρατό τον Μάρτη του 1958, και αναδείχθηκε διοικητής της 9ης Φάλαγγας του Τρίτου Μετώπου, υπό την ηγεσία του Χουάν Αλμέιδα. Ως στρατιωτικός διοικητής στην επαρχία Καμαγουέι τον Οκτώβρη του 1959, συνελήφθη για απόπειρα αντεπαναστατικής στάσης και παρέμεινε στη φυλακή μέχρι το 1979. Σήμερα ζει στις Ηνωμένες Πολιτείες και είναι αρχηγός της αντεπαναστατικής οργάνωσης Κούβα Ανεξάρτητη και Δημοκρατική.

Μέγια, Χούλιο Αντόνιο [Mella, Julio Antonio] (1903-1929): Πρόεδρος της Ομοσπονδίας Φοιτητών (FEU) και ηγέτης του κινήματος για την εκπαιδευτική μεταρρύθμιση στην Κούβα το 1923. Το 1925, ήταν ιδρυτής και ηγέτης του Κομμουνιστικού Κόμματος. Συνελήφθη από την αστυνομία της δικτατορίας του Ματσάδο, απέδρασε και κατέφυγε στο Μεξικό το 1926. Εκεί συνέβαλε στην οργάνωση του αγώνα κατά της δικτατορίας και συμμετείχε στις διεθνείς εκστρατείες υπεράσπισης των Σάκο και Βανζέτι, του Αουγούστο Σέζαρ Σαντίνο και άλλων. Το 1927, συμμετείχε στο συνέδριο της

Αντι-ιμπεριαλιστικής Ένωσης στις Βρυξέλλες και στη συνέχεια επισκέφτηκε τη Μόσχα. Κυνηγημένος από πράκτορες του Ματσάδο, δολοφονήθηκε σε έναν δρόμο της Πόλης του Μεξικού, τον Γενάρη του 1929. Ο Μέγια, ο Καμίλο Σιενφουέγος και ο Ερνέστο Τσε Γκεβάρα είναι σήμερα τα τρία πρότυπα της κουβανικής νεολαίας, οι οποίοι απεικονίζονται στο έμβλημα της Ένωσης Νέων Κομμουνιστών στην Κούβα.

Μεντράνο, Ουμπέρτο [Medrano, Humberto]: Υποδιευθυντής της εφημερίδας *Prensa Libre* το 1949-1960 στην Αβάνα. Αντιτάχθηκε στα μέτρα της επαναστατικής κυβέρνησης και έφυγε από την Κούβα διαμέσου της πρεσβείας του Παναμά τον Μάη του 1960. Για πολλά χρόνια εργαζόταν στο Ράδιο και TV Μαρτί της κυβέρνησης των ΗΠΑ.

Μικογιάν, Αναστάς [Mikoyan, Anastas] (1895-1978): Το 1915 έγινε μέλος του Μπολσεβικικού Κόμματος. Διακεκριμένος αξιωματούχος του Σοβιετικού Κομμουνιστικού Κόμματος υπό τον Στάλιν. Ήταν πρώτος αντιπρόεδρος της Σοβιετικής κυβέρνησης από το 1955 μέχρι και το 1964, υπεύθυνος για τις εξωτερικές εμπορικές συναλλαγές της χώρας.

Μιρό Καρντόνα, Χοσέ [Miró Cardona, José] (1902-1974): Ηγέτης της αστικής αντιπολίτευσης κατά του Μπατίστα και πρόεδρος του Κουβανικού Δικηγορικού Συλλόγου. Υπήρξε πρωθυπουργός της Κούβας από τον Γενάρη ως τον Φλεβάρη του 1959, οπότε τον αντικατέστησε ο Φιντέλ Κάστρο. Το 1960, έφυγε από την Κούβα για τις Ηνωμένες Πολιτείες, όπου έγινε πρόεδρος μιας αντεπαναστατικής οργάνωσης, γνωστής ως Επαναστατικό Δημοκρατικό Μέτωπο, και αργότερα του Κουβανικού Επαναστατικού Συμβουλίου στην εξορία. Αργότερα μετακόμισε στο Πουέρτο Ρίκο.

Μονκάδα, στρατόπεδο: Στις 26 Ιούλη 1953, κάπου 160 μαχητές, στην πλειονότητά τους νέοι, υπό τη διοίκηση του Φιντέλ Κάστρο, εξαπέλυσαν μια εξεγερσιακή επίθεση στο στρατόπεδο της Μονκάδα στην επαρχία Σαντιάγο ντε Κούβα και ταυτόχρονα επίθεση στο στρατόπεδο του Μπαγιαμό. Οι επιθέσεις αυτές σήμαναν την έναρξη του επαναστατικού ένοπλου αγώνα κατά της δικτατορίας του Μπατίστα. Μετά την αποτυχία της επίθεσης, οι δυνάμεις του Μπατίστα δολοφόνησαν πάνω από πενήντα από τους συλληφθέντες επαναστάτες. Ο Φιντέλ Κάστρο και είκοσι επτά άλλοι, ανάμεσά τους ο Ραούλ Κάστρο και ο Χουάν Αλμέιδα, καταδικάστηκαν σε φυλάκιση έως και δεκαπέντε ετών. Αποφυλακίστηκαν στις 15 Μάη 1955, όταν μια δημόσια εκστρατεία υπεράσπισής τους ανάγκασε τον Μπατίστα να τους δώσει αμνηστία.

Μπατίστα, Φουλχένσιο [Batista, Fulgencio] (1901-1973): Ως αποτέλεσμα της λαϊκής επανάστασης που ανέτρεψε τη δικτατορία του Χεράρδο Ματσάδο τον Αύγουστο του 1933, αναπτύχθηκε μέσα στον στρατό της Κούβας ένα κίνημα υπαξιωματικών και στρατιωτών ενάντια στο σώμα των παλιών αξιωματικών του καθεστώτος Ματσάδο. Ο Φουλχένσιο Μπατίστα, λοχίας και στενογράφος, ήταν ένας από τους ηγέτες αυτού του κινήματος. Ο Μπατίστα έγινε διοικητής του στρατού και με την υποστήριξη της πρεσβείας των ΗΠΑ, έγινε ο ισχυρός άνδρας του καθεστώτος, εξαπολύοντας τρομοκρατικές επιθέσεις ενάντια στις λαϊκές οργανώσεις. Ο επαναστατικός ξεσηκωμός κατεστάλη και ο Μπατίστα παρέμεινε στην εξουσία μέχρι το 1944. Αν και παραιτήθηκε από τη θέση του, διατήρησε την επιρροή του ανάμεσα στους αξιωματικούς του στρατού.

Στις 10 Μάρτη 1952, ο Μπατίστα οργάνωσε ένα στρατιωτικό πραξικόπημα κατά της κυβέρνησης του Κάρλος Πρίο, ηγέτη του Αυθεντικού Κόμματος, και ακύρωσε τις εκλογές που είχαν προγραμματιστεί. Ο Μπατίστα, με την υποστήριξη των ΗΠΑ, επέβαλε μια στρατιωτική δικτατορία που γινόταν όλο και πιο κτηνώδης, η οποία κράτησε μέχρι την 1 Γενάρη του 1959. Εκείνη την ημέρα, ο Μπατίστα διέφυγε από τη χώρα καθώς οι στρατιωτικές και αστυνομικές του δυνάμεις είχαν αρχίσει να παραδίνονται στον νικηφόρο Αντάρτικο Στρατό, ο οποίος προέλαυνε υπό τη διοίκηση του Φιντέλ Κάστρο, και ταυτόχρονα εξαπλωνόταν μια γενική απεργία και μια λαϊκή εξέγερση.

Μπεν Μπέλα, Άχμεντ [Ben Bella, Ahmed]: Γεννήθηκε το 1918. Ηγέτης του Εθνικού Απελευθερωτικού Μετώπου (FLN) της Αλγερίας, το οποίο κινητοποίησε τον αλγερινό λαό στον αγώνα της ανεξαρτησίας του 1954-1962 κατά της Γαλλίας. Ο Μπεν Μπέλα ήταν πρόεδρος της εργατοαγροτικής κυβέρνησης, η οποία ανέλαβε την εξουσία μετά τη νίκη το 1962 ενάντια στις δυνάμεις του Παρισιού. Ο Μπεν Μπέλα είχε στενή συνεργασία με την κυβέρνηση της Κούβας με σκοπό την προώθηση των αντιιμπεριαλιστικών αγώνων στην Αφρική και στη Λατινική Αμερική. Ανατράπηκε τον Ιούνη του 1965 από ένα πραξικόπημα, επικεφαλής του οποίου ήταν ο συνταγματάρχης Χουαρί Μπουμεντιέν [Houari Boumedienne].

Μπετανκούρ, Ρόμουλο [Betancourt, Rómulo] (1908-1981): Πρόεδρος της Βενεζουέλας το 1945-1948 και το 1958-1964 και ηγέτης του κόμματος Δημοκρατική Δράση [Acción Democrática].

Μπλεστ, Κλοτάριο [Blest, Clotario] (1899-1990): Για πολλά χρόνια ηγέτης του εργατικού κινήματος στη Χιλή, πρόεδρος της Ενιαίας Ομοσπονδίας

Εργαζόμενων της Χιλής [Central Unica de Trabajadores de Chile – CUTCH] και υποστηρικτής της κουβανικής επανάστασης.

Μπολίβαρ, Σιμόν [Bolívar, Simón] (1783-1830): Γνωστός ως ο Απελευθερωτής. Λατινοαμερικανός πατριώτης, γεννήθηκε στο Καράκας. Ηγέτης μιας ένοπλης εξέγερσης, η οποία συνέβαλε στην κατάκτηση της ανεξαρτησίας από την Ισπανία αρκετών χωρών της Λατινικής Αμερικής.

Μπότι, Ρεχίνο Τζούνιορ [Boti, Regino, Jr.] (1923-1999): Γεννήθηκε στο Γουαντάναμο της Κούβας. Σπούδασε πρώτα στο Πανεπιστήμιο της Αβάνας, όπου αποφοίτησε με πτυχίο στο αστικό δίκαιο, και μετά στο Πανεπιστήμιο του Χάρβαρντ, στις ΗΠΑ, όπου απέκτησε πτυχίο στις οικονομικές επιστήμες. Αργότερα εργάστηκε στην Οικονομική Επιτροπή των Ηνωμένων Εθνών για τη Λατινική Αμερική. Κατά τη διάρκεια του επαναστατικού πολέμου της Κούβας, συνεργάστηκε με το Κίνημα της 26ης Ιούλη. Από το 1959 μέχρι το 1964, ήταν υπουργός Οικονομικών της Κούβας.

Diario de la Marina: Μια αντιδραστική καθημερινή εφημερίδα που εκδιδόταν στην Κούβα το 1832. Διατηρούσε στενές σχέσεις με την ισπανική αποικιοκρατία και με την ιεραρχία της καθολικής εκκλησίας. Διαμορφώθηκε σε κέντρο οργάνωσης της αντεπανάστασης και έκλεισε οριστικά στις 13 Μάη 1960, με απόφαση της επαναστατικής κυβέρνησης.

Ντίαζ Λανζ, Πέδρο Λουίς [Díaz Lanz, Pedro Luis]: Διοικητής της κουβανικής αεροπορίας από τον Γενάρη ως τον Ιούνη του 1959. Κατέφυγε στις ΗΠΑ στις 29 Ιούνη του 1959. Διηύθυνε αεροπορική επίθεση κατά της Αβάνας στις 21 Οκτώβρη του 1959.

Ντορτικός, Οσβάλτο [Dorticós, Osvaldo] (1919-1983): Συντονιστής του Κινήματος της 26ης Ιούλη στην περιφέρεια του Σιενφουέγος και κοσμήτωρ της νομικής σχολής του Σιενφουέγος, εξορίστηκε τον Δεκέμβρη του 1958. Τον Ιούλη του 1959 έγινε πρόεδρος της Κούβας και διατήρησε τη θέση αυτή μέχρι το 1976. Όταν πέθανε το 1983, ήταν μέλος της Κεντρικής Επιτροπής και του Πολιτικού Γραφείου του Κομμουνιστικού Κόμματος.

Ντάλες, Άλεν [Dulles, Allen] (1893-1969): Διευθυντής της Κεντρικής Υπηρεσίας Πληροφοριών (CIA) των ΗΠΑ, το 1953-1961. Διηύθυνε τις μυστικές επιχειρήσεις της Ουάσιγκτον, μεταξύ των οποίων ήταν και μεγάλης κλίμακας τρομοκρατικές δράσεις, δολοφονίες, πραξικοπήματα και απόπειρες πραξικοπημάτων, στη Γουατεμάλα, το Ιράν, το Κονγκό, την Κούβα και άλλες χώρες. Παραιτήθηκε ακριβώς μετά το φιάσκο της κυβέρνησης των ΗΠΑ στον Κόλπο των Χοίρων. Ήταν αδελφός του Τζον Φόστερ Ντάλες.

Ντάλες, Τζον Φόστερ [Dulles, John Foster] (1888-1959): Υπουργός Εσωτερικών το 1953-1959 στην κυβέρνηση του Ντουέιτ Ντ. Αϊζενχάουερ. Για πολλά χρόνια, δικηγόρος και μέτοχος της Γιουνάιτεντ Φρουτ Κόμπανι [United Fruit Company], της σημερινής Γιουνάιτεντ Μπραντς [United Brands].

Οργανισμός Αμερικανικών Κρατών (OAS): Δημιουργήθηκε το 1948 υπό την κηδεμονία της κυβέρνησης των ΗΠΑ. Το σώμα αυτό, το οποίο συγκροτούν οι περισσότερες χώρες της αμερικανικής ηπείρου, αποτελεί εργαλείο προώθησης των συμφερόντων της Ουάσιγκτον. Το 1961, σε μια συνάντηση υπουργών του OAS στο Πούντα ντελ Έστε της Ουρουγουάης, η Ουάσιγκτον παρουσίασε ένα σχέδιο για «οικονομική βοήθεια» των ΗΠΑ προς τη Λατινική Αμερική με τίτλο Συμμαχία για την Πρόοδο. Ο Ερνέστο Τσε Γκεβάρα, εκπρόσωπος της Κούβας σε αυτή τη συνάντηση, αποκάλυψε τον εκμεταλλευτικό χαρακτήρα του προτεινόμενου προγράμματος και το στόχο του να χρησιμεύσει ως όπλο καταπολέμησης της επιρροής της κουβανικής επανάστασης σε εκατομμύρια ανθρώπους του μόχθου σε όλη την αμερικανική ήπειρο. Το 1962, ο OAS αποφάσισε την αποπομπή της Κούβας, ισχυριζόμενος ότι η Κούβα προωθούσε την «ανατροπή της υπάρχουσας τάξης πραγμάτων» σε ολόκληρη τη Λατινική Αμερική. Σύντομα, ο Οργανισμός αυτός θα υποστηρίξει τα οικονομικά μέτρα της Ουάσιγκτον, στην προσπάθειά της να καταπνίξει την Κούβα, καθώς και άλλες επιθετικές δραστηριότητες των ΗΠΑ κατά της επανάστασης.

ORI (Ενοποιημένες Επαναστατικές Οργανώσεις): Βλ. Κομμουνιστικό Κόμμα της Κούβας.

Παΐς, Φρανκ [País, Frank] (1934-1957): Αντιπρόεδρος της Ομοσπονδίας Φοιτητών στην επαρχία Οριέντε. Κεντρικός ηγέτης της Επαναστατικής Δράσης του Οριέντε, οργάνωση η οποία αργότερα μετονομάστηκε Επαναστατική Εθνική Δράση και συγχωνεύτηκε με τους βετεράνους της Μονκάδα και άλλες δυνάμεις, σχηματίζοντας έτσι το 1955 το Κίνημα της 26ης Ιούλη. Ήταν κεντρικός ηγέτης του Κινήματος της 26ης Ιούλη στην επαρχία Οριέντε, συντονιστής των δραστηριοτήτων του Κινήματος της 26ης Ιούλη σε εθνικό επίπεδο, και επικεφαλής των πολιτοφυλακών στα αστικά κέντρα της Κούβας. Δολοφονήθηκε στις 30 Ιούλη του 1957 από τις δικτατορικές δυνάμεις.

Πέρεζ Χιμένεζ, Μάρκος [Pérez Jiménez, Marcos]: Γεννήθηκε το 1914. Αρχηγός του γενικού επιτελείου στρατού της Βενεζουέλας. Το 1948, υπήρξε επικεφαλής στρατιωτικού πραξικοπήματος που εγκατέστησε στην εξουσία μια τριμελή χούντα. Το 1952, αναγόρευσε τον εαυτό του πρόεδρο και το 1958 ανατράπηκε από μια λαϊκή εξέγερση.

Πλατ, Τροπολογία: Πήρε το όνομα του γερουσιαστή των ΗΠΑ, Όρβιλ Πλατ. Η Τροπολογία Πλατ επιβλήθηκε στην κουβανική κυβέρνηση, η οποία είχε εγκαθιδρυθεί κατά τη διάρκεια της στρατιωτικής κατοχής της Κούβας από τις ΗΠΑ μετά το 1898. Η Τροπολογία αυτή ενσωματώθηκε στο νέο σύνταγμα της Κούβας και έδινε το «δικαίωμα» στην Ουάσιγκτον να επεμβαίνει, όποτε ήθελε, στις εσωτερικές υποθέσεις της Κούβας και να εγκαθιδρύει στρατιωτικές βάσεις στο έδαφος της Κούβας. Η Τροπολογία Πλατ διαγράφτηκε από το σύνταγμα της Κούβας μετά τον επαναστατικό ξεσηκωμό του 1933-1934, αλλά η Ουάσιγκτον διατηρούσε τη ναυτική βάση της στο Γουαντάναμο που της είχε παραχωρηθεί εις το διηνεκές από την εποχή που οι ΗΠΑ κατείχαν στρατιωτικά την Κούβα. Εκτός από τη ναυτική βάση στο Γουαντάναμο, η Ουάσιγκτον διατηρούσε και άλλες μορφές πολιτικής και οικονομικής κυριαρχίας, όπως για παράδειγμα τη συνθήκη «αμοιβαίου εμπορίου».

Πλάγια Χιρόν [Playa Girón]: Βλ. Κόλπο των Χοίρων.

Prensa Libre: Καπιταλιστική εφημερίδα που δημοσιευόταν στην Αβάνα. Την έκλεισε η επαναστατική κυβέρνηση στις 16 Μάη του 1960 γιατί ήταν ένα από τα κέντρα από όπου οργανωνόταν η αντεπανάσταση.

Ριβέρο, Χοσέ Ιγνάσιο «Πεπίν» [Rivero, José Ignacio "Pepin"]: Γεννήθηκε το 1920. Διευθυντής της δεξιάς εφημερίδας *Diario de la Marina* το 1947-1960. Αντιτάχθηκε στην κουβανική επανάσταση και ζήτησε άσυλο στα γραφεία του Βατικανού στην Κούβα, στις 10 Μάη 1960.

Σανγκίλι, Μανουέλ [Sanguily, Manuel] (1848-1925): Βετεράνος του πολέμου της ανεξαρτησίας της Κούβας του 1868-1878. Συμμετείχε στην ελεγχόμενη από τις ΗΠΑ κουβανική κυβέρνηση, και αντιτάχθηκε στην Τροπολογία Πλατ και στα άλλα σχέδια της Ουάσιγκτον εναντίον της Κούβας.

Σιενφουέγος, Καμίλο [Cienfuegos, Camilo] (1932-1959): Συμμετείχε στο εκστρατευτικό σώμα του *Γκράνμα* και το 1958 έγινε διοικητής του Αντάρτικου Στρατού. Από τον Αύγουστο μέχρι τον Οκτώβρη του 1958, ήταν επικεφαλής φάλαγγας που προχώρησε από τα βουνά της Σιέρα Μαέστρα δυτικά προς την επαρχία Πινάρ ντελ Ρίο. Μέχρι το τέλος του πολέμου, η φάλαγγά του ανέπτυξε τις επιχειρήσεις της στα βόρεια της επαρχίας Λας Βίγιας, σε στενή συνεργασία με τη φάλαγγα που είχε τη βάση της στα νότια της επαρχίας, επικεφαλής της οποίας ήταν ο Τσε Γκεβάρα. Τον Γενάρη του 1959 απέκτησε τον τίτλο του αρχηγού του Αντάρτικου Στρατού, μετά τη νίκη κατά του Μπατίστα. Τον Οκτώβρη του 1959, το μικρό του αεροπλάνο, *Cessna 310*, πέφτει και χάνεται στη θάλασσα καθώς επέστρεφε από αποστολή στην επαρχία Καμαγουέι, όπου είχε πάει για να καταστείλει την αντεπαναστατική αντάρσια, ηγέτης της οποίας ήταν ο Ούμπερ Μάτος.

Σιέρα Μαέστρα: Η υψηλότερη οροσειρά στην Κούβα, που βρίσκεται στα νοτιοανατολικά του νησιού. Κατά τη διάρκεια του επαναστατικού πολέμου, το 1956-1958, αποτέλεσε τη βάση του Αντάρτικου Στρατού, υπό τη διοίκηση του Φιντέλ Κάστρο.

Σύνδεσμος Νέων Ανταρτών [Asociación de Jóvenes Rebeldes – AJR]: Βλ. Ένωση Νέων Κομμουνιστών.

Τουρκίνο: Το υψηλότερο βουνό στην Κούβα, που βρίσκεται στη Σιέρα Μαέστρα.

Φιέρρο, Μαρτίν [Fierro, Martín]: Πρωταγωνιστής ενός επικού ποιήματος του Αργεντινού συγγραφέα Χοσέ Χερνάντεζ στα τέλη του 19ου αιώνα το οποίο περιγράφει τη ζωή των *gauchos* (γελαδάρηδων) στις στέπες της Αργεντινής και καταγγέλλει την εκμετάλλευση στην οποία υπόκεινто και τις διακρίσεις σε βάρος τους.

Χαρτ, Αρμάντο [Hart, Armando]: Γεννήθηκε το 1930. Έγινε μέλος της Ορθόδοξης Νεολαίας το 1947 στην Αβάνα. Ήταν ηγέτης του Επαναστατικού Εθνικού Κινήματος μετά το πραξικόπημα του Μπατίστα. Το 1955 υπήρξε ιδρυτικό μέλος του Κινήματος της 26ης Ιούλη και ηγέτης της παράνομης οργάνωσής του στις πόλεις. Το 1957 φυλακίζεται για μικρό χρονικό διάστημα, αλλά κατορθώνει να αποδράσει. Ήταν εθνικός συντονιστής του Κινήματος της 26ης Ιούλη από τις αρχές του 1957 μέχρι τον Γενάρη του 1958, όταν συλλαμβάνεται και φυλακίζεται στο νησί Λος Πίνιος μέχρι την 1η Γενάρη του 1959. Υπήρξε υπουργός Παιδείας το 1959-1965, οργανωτικός γραμματέας του Κομμουνιστικού Κόμματος το 1965-1970 και υπουργός Πολιτισμού το 1976-1997. Από το 1965 είναι μέλος της Κεντρικής Επιτροπής του Κομμουνιστικού Κόμματος και μέλος του Πολιτικού Γραφείου το 1965-1986.

ΠΡΟΤΕΙΝΟΜΕΝΗ ΒΙΒΛΙΟΓΡΑΦΙΑ

Σε όλα τα κείμενα του βιβλίου Ο Τσε Γκεβάρα μιλάει στους νέους, οι αναγνώστες θα παρατηρήσουν ότι υπάρχουν αναφορές σε ιστορικά γεγονότα, σε ομιλίες και σε άτομα που ίσως είναι άγνωστα. Στη συνέχεια, ακολουθεί μια βιβλιογραφία που προτείνουμε για περαιτέρω ανάγνωση.

Κάστρο, Φιντέλ, «Η υπόθεση της Κούβας είναι υπόθεση όλων των υποανάπτυκτων χωρών», ομιλία στη γενική συνέλευση του Οργανισμού Ηνωμένων Εθνών, 26 Σεπτέμβρη 1960. Στο Κάστρο, *Η επανάσταση της Κούβας* (Εκδόσεις Ψυχάλου).

Κάστρο, Φιντέλ, «Η ιστορία θα με δικαιώσει», ομιλία του Κάστρο προς το δικαστήριο το 1953 στην οποία εξηγεί τους πολιτικούς και κοινωνικούς στόχους του επαναστατικού αγώνα στην Κούβα που ξεκίνησε με την επίθεση στο στρατόπεδο Μονκάδα. Στο Κάστρο, *Η επανάσταση της Κούβας* (Εκδόσεις Ψυχάλου).

Κάστρο, Φιντέλ, «Ενάντια στη γραφειοκρατία και τον σεκταρισμό», 26 Μάρτη 1962, ομιλία που μεταδόθηκε από την τηλεόραση στην οποία εξηγεί την αλλαγή στους τρόπους λειτουργίας των Ενοποιημένων Επαναστατικών Οργανώσεων (ORI), τρόποι που εάν συνεχίζονταν θα οδηγούσαν στην απομάκρυνση ευρείων στρωμάτων αγροτών και εργατών από το κόμμα. Στο *Selected Speeches of Fidel Castro* (Pathfinder, 1996).

Κάστρο, Φιντέλ, «Η δυναμική της κουβανικής επανάστασης». Στο

Μέρι-Άλις Γουότερς, *Από το 1848 μέχρι σήμερα: ο αγώνας για μια λαϊκή επαναστατική κυβέρνηση* (Διεθνές Βήμα, 2000).

Γκεβάρα, Ερνέστο Τσε, «Ο σοσιαλισμός και ο άνθρωπος στην Κούβα». Στο Ερνέστο Τσε Γκεβάρα, *Κείμενα* (Σύγχρονη Εποχή, 1988).

Γκεβάρα, Ερνέστο Τσε, *Episodes of the Cuban Revolutionary War, 1956-1958* (Pathfinder, 1996).

Γκεβάρα, Ερνέστο Τσε, «Στην αφροασιατική συνδιάσκεψη», 24 Φλεβάρη 1965, ομιλία στη συνάντηση της Οργάνωσης Αφροασιατικής Αλληλεγγύης στο Αλγέρι. Στο *Che Guevara Speaks* (Pathfinder, 1967).

Γκεβάρα, Ερνέστο Τσε, «Η εθελοντική εργασία είναι σχολή για την ανάπτυξη κομμουνιστικής συνείδησης», ομιλία που δόθηκε στις 15 Αυγούστου 1964, στο *Che Guevara and the Cuban Revolution: Writings and Speeches of Ernesto Che Guevara* (Pathfinder, 1987). Επίσης, «Σχεδιασμός και συνείδηση στη μετάβαση στον σοσιαλισμό ('Περίληψη ιδεών σχετικά με το προϋπολογιστικό σύστημα χρηματοδότησης')», στο *Κείμενα* (Σύγχρονη Εποχή, 1988).

Γκεβάρα, Ερνέστο Τσε, «Σχετικά με τον νόμο της αξίας» και «Η σημασία του σοσιαλιστικού σχεδιασμού». Στο *New International* τχ. 8.

Λένιν, Β. Ι., κείμενα και ομιλίες σχετικά με το εθνικό και αποικιακό ζήτημα. Στο *Workers of the World and Oppressed Peoples, Unite! Proceedings and Documents of the Second Congress of the Communist International, 1920* (Pathfinder, 1991), και στο *To See the Dawn, Baku 1920: First Congress of the Peoples of the East* (Pathfinder, 1993).

Λένιν, Β. Ι., *Lenin's Final Fight: Speeches and Writings, 1922-1923* (Pathfinder, 1995).

Μαρξ, Καρλ, *Κριτική του Προγράμματος της Γκότα* (Σύγχρονη Εποχή, 1994).

Μαρξ, Καρλ, «Θέσεις για τον Φόυερμπαχ», και Ένγκελς, **Φρίντριχ,** Στο *Ο Λουδοβίκος Φόυερμπαχ και το τέλος της κλασικής γερμανικής φιλοσοφίας* (Σύγχρονη Εποχή, 2003).

Η Δεύτερη Διακήρυξη της Αβάνας *μαζί με την* Πρώτη Διακήρυξη της Αβάνας. Η Πρώτη Διακήρυξη της Αβάνας κυκλοφόρησε τον Σεπτέμβρη του 1960 ως απάντηση στη Διακήρυξη του Σαν Χοσέ της Κόστα Ρίκα, η οποία ήταν μια σχεδιασμένη από την κυβέρνηση των ΗΠΑ καταδίκη της επαναστατικής Κούβας από τον Οργανισμό Αμερικανικών Κρατών. Η Δεύτερη Διακήρυξη της Αβάνας, τον Φλεβάρη του 1962, είναι ένα κάλεσμα για επαναστατικό αγώνα που απευθύνεται στους εργάτες και αγρότες ολόκληρης της αμερικανικής ηπείρου. Και οι δύο αυτές διακηρύξεις υιοθετήθηκαν διά βοής σε συλλαλητήρια στην Αβάνα στα οποία συμμετείχαν πάνω από ένα εκατομμύριο άνθρωποι (Διεθνές Βήμα, 1997).

ΕΥΡΕΤΗΡΙΟ

Αγροτική μεταρρύθμιση, 35, 46-48, 83, 203· ως προϋπόθεση για την ανάπτυξη, 48, 103, 110· δεύτερη (1963), 125, 203
Αγρότες, 69-70, 150· και αγροτική μεταρρύθμιση, 35, 46-48, 203· πριν την επανάσταση, 65-66· Βλέπε επίσης Χωρικοί και Αγροτική μεταρρύθμιση
Αϊζενχάουερ, Ντουάιτ Ντ., 35
Αϊτή, 55
Αλγερία, 79-80, 85, 88, 219
Αλληλεγγύη: σε αντίθεση με τη φιλανθρωπία, 71· με την κουβανική επανάσταση, 33, 36, 38, 54-55, 56, 61, 88· ως όπλο 76
Αλμπίσου Κάμπος, Πέδρο, 38, 204
Αλφαβητισμός, εκστρατεία, 97, 149, 204
«Αμερική, η δική μας», 15, 17, 113, 162
Άμιλλα, 157-159, 164
Άνθρωποι, μετασχηματισμός τους, 14, 20, 65, 66, 162, 181-182
Ανθρώπινη φύση, 25, 89
Αντάρτικος Στρατός, 65, 205· γιατροί στον, 75-76· στη διάρκεια του επαναστατικού πολέμου, 9, 41-45, 70· η ηγεσία στον, 175-176· στη νέα κυβέρνηση, 46· προλεταριοποίηση του, 25-26, 41-42, 70
Αντεπαναστατική τρομοκρατία, 109, 131
Απαγόρευση ταξιδιών από τις ΗΠΑ στην Κούβα, 123
Αργεντινή, 52, 82
Άρμπενζ, Χακόμπο, 9, 37-38, 56, 63, 205
Αρχιτέκτονες. Βλέπε ελεύθεροι επαγγελματίες και τεχνικοί

Αρχιτεκτονική, συνάντηση φοιτητών, 123, 125-126
Άτομο: ο ρόλος του στην κοινωνία, 64, 67, 69, 76, 94, 122· στο σοσιαλισμό, 67
Ατομικισμός, αστικός, 21, 62-67, 93, 94, 122, 135
Αυτοκριτική, 180-181

Βέλγιο, 11, 109
Βενεζουέλα, 50, 52-54, 82
Βιετνάμ, 188
Βολιβία, 11, 82
Βραζιλία, 52, 55, 82
Βρετανία, 178

Γαλλία, 88, 178
Γερμανία(ς), Ομοσπονδιακή Δημοκρατία της, 178
Γιατροί. Βλέπε Επαγγελματίες και τεχνικοί
Γιουνάιτεντ Φρουτ Κόμπανι, 36, 63, 206
Γκεβάρα, Ερνέστο Τσε, 9, 11, 105-106, 120, 185· ομιλία στο Αλγέρι (24/2/1965), 16, 228· στη Βολιβία, 11, 185· ως παράδειγμα, 13-14, 17, 23, 185, 186-187· και η ίδρυση νεολαιίστικης οργάνωσης, 141, 144, 145, 169· θέσεις στην κυβέρνηση, 10, 100, 105· και ο Μαρξισμός, 15-16, 19, 20, 21-22· ως ηγέτης του κόμματος, 159-160, 168-169· η πολιτική εξέλιξη του, 9, 21-22, 62-65, 106, 120· ως πολιτικός, 126,· ως διοικητής του Αντάρτικου, 9, 45, 101, 105-106

231

Γκιγιέν, Νικολάς, 72-73, 205
Γκράνμα, 9, 41, 205
Γουατεμάλα(ς), 9, 63, 206 διδάγματα της, 37-38, 56
Γραφειοκρατικοί μέθοδοι, 27, 151-154
CIA (Κεντρική Υπηρεσία Πληροφοριών), 9, 10, 221
COPEI (Ανεξάρτητη Πολιτική Εκλογική Επιτροπή – Βενεζουέλα), 55
Cuatro bocas αντιαεροπορικό όπλο, 156

Δημοκρατική Ρεπουμπλικανική Ένωση, URD – (Βενεζουέλα), 54
Διαδικασία επανόρθωσης των λαθών, 23
Διακήρυξη της Αβάνας, Πρώτη, 61, 229
Διεθνές Νομισματικό Ταμείο, 51
Δικτατορία του προλεταριάτου, 24, 130
Δομινικανή Δημοκρατία, 55
Diario de la Marina, 46, 220

Εβδομάδα Εθνικού Πανηγυρισμού, 36
Εθελοντική εργασία, 163· και ο μετασχηματισμός της συνείδησης, 27-28, 167, 179· και το UJC, 149, 154. Βλέπε επίσης Άμιλλα
Εθνικοποιήσεις, 35, 36, 59, 61, 63-64
Ειδική Περίοδος, 23
Εκβιομηχάνιση, 83, 103-104· αγροτική μεταρρύθμιση και, 48, 103
Εκπαίδευση: στον καπιταλισμό, 97, 135· και οικονομική ανάπτυξη, 97, 114-120· και επανάσταση, 89, 114-115· ως δικαίωμα, 105-106. Βλέπε επίσης Πανεπιστήμια
Εκτελέσεις, των μπράβων του Μπατίστα, 45, 50
Ελ Σαλβαδόρ, 189
Εμπόριο, εξωτερικό, 82-83, 107, 110-111, 113-114
Ένγκελς, Φρίντριχ, 15, 23, 215
Ενότητα αντι-ιμπεριαλιστική, 73, 84-85, 86· προσπάθειες τορπιλισμού της, 49, 84

Ένωση Νέων Κομμουνιστών (UJC). Βλέπε Νεολαιίστικη οργάνωση, κομμουνιστική
Επαγγελματίες και τεχνικοί(ούς): αστική ιδεολογία ανάμεσα στους, 69, 134-135· δεν είναι δυνατόν να είναι απολιτικοί, 27, 132, 133· υπό τον καπιταλισμό, 128, 131· τα ταξικά συμφέροντά τους, 127· αντεπανάσταση και, 130, 131· η ανάγκη της Κούβας για, 115-120 η μετανάστευσή τους, 57, 128· ατομική κλίση και, 120-121, 128· ενσωμάτωσή τους στην επανάσταση, 66, 116-117, 127, 128, 120-130· και οι ανάγκες της κοινωνίας, 104, 118-119· προλεταριακοί, 68-69· στη δικτατορία του προλεταριάτου, 128-131
Επανάσταση(ς): η αναγκαιότητα παγκόσμιας, 86, 87, 134, 138-139· ως ο μόνος δρόμος, 37-38, 42, 52-53, 55, 81-86, 134
Επαναστατικό Διευθυντήριο, 10, 141, 167, 206
Επιστήμη, 66, 120-121
Επιτροπές Υπεράσπισης της Επανάστασης (CDR), 80, 131, 158, 207
Εργασία: στον καπιταλισμό, 150, 156, 167· νέα στάση απέναντι στην, 156-157, 165-167, 178, 179· στον σοσιαλισμό και στον κομμουνισμό, 150, 155, 167, 178· ως πηγή ικανοποίησης, 74, 156-157, 179· ως πηγή πλούτου της ανθρωπότητας, 159. Βλέπε επίσης Εθελοντική εργασία
Εργατική τάξη: κάτω από τον καπιταλισμό, 93· το Κομμουνιστικό Κόμμα και η, 170, 176-177· και η εκπαίδευση, 101, 106· ο Αντάρτικος Στρατός και η, 42· ως άρχουσα τάξη, 57. Βλέπε επίσης δικτατορία του προλεταριάτου
Εργατο-αγροτική συμμαχία, 123-124
Εσκαλάντε, Ανίμπαλ, 152, 227

Ζάχαρη(ς), βιομηχανία, 35· και η ιμπεριαλιστική κυριαρχία, 107, 111, 113· και οι αγορές της Σοβιετικής Ένωσης, 49, 109, 113-114· η ποσόστωση των ΗΠΑ και η, 35, 107, 113-114

«Η Ιστορία θα με δικαιώσει» (Κάστρο), 35, 209, 227

Ηγεσία(ς), επαναστατική(ς), 26· γραφειοκρατικοί μέθοδοι της, 151-154, 176· ταξική σύνθεση της, 70, 170· στα καθημερινά καθήκοντα, 27, 154-155· αποδιοργάνωση της, 56, 91-92, 180-181· έλλειψη εμπειρίας της, 104-105· ο διεθνισμός της, 123· η αναγκαιότητα της οργάνωσης στην, 146· στον Αντάρτικο Στρατό, 176· η σχέση της με το λαό, 89, 153-154, 173· η διαδικασία μετάβασης στην, 182-183. *Βλέπε επίσης* Κομμουνιστικό Κόμμα Κούβας· Νεολαιίστικη Οργάνωση, κομμουνιστική

Ημι-αποικιοκρατούμενες και αποικιοκρατούμενες χώρες: ιμπεριαλιστική εκμετάλλευσή τους, 51, 82, 83, 107, 110-111· η ανάγκη να ενωθούν, 84· οικονομίες μονοκαλλιέργειας στις, 84, 107

Ηνωμένα Έθνη, 10, 89· Φιντέλ Κάστρο στα, 79, 227

ΗΠΑ, ιμπεριαλισμός των: και η αγροτική μεταρρύθμιση, 35· επιθέσεις στην Κούβα, 33, 49, 52-53, 55, 59, 107, 112, 123, 135-136· και ο Κόλπος των Χοίρων, 141, 148, 154, 223· πιάστηκε στον ύπνο στην Κούβα, 86· ως εχθρός της Κούβας, 29, 33, 40, 52-53, 54, 112, 138· και η Λατινική Αμερική, 51, 73, 82-83· και οι εθνικοποιήσεις της Κούβας, 35-36· και η κρίση των «πυραύλων» του Οκτώβρη 1962, 141-143· η μάχη της επανάστασης ενάντια στον, 112, 135-36, 137-38· σπέρνει διχόνοιες, 45, 49, 83-84, 94· και η υποστήριξη στον Μπατίστα, 33, 41, 42. *Βλέπε επίσης* Ιμπεριαλισμός

«Θέσεις για τον Φόυερμπαχ» (Μαρξ), 25, 229

Ιατρική περίθαλψη, 61-64· και κουβανική επανάσταση,61, 99· στη Λατινική Αμερική, 62-63, 69, 71-72· νέα αντίληψη για την, 66-67

Ιγκλέσιας, Χοέλ, 90, 144, 151, 228-29

Ιδίγορας, Μιγκέλ, 55, 224

Ιδιοκτησία, 70, 93-94

Ιδιοτέλεια, 94

Ιμπεριαλισμό(ς): η καταστροφή του, 86· εκμετάλλευση του Τρίτου Κόσμου κάτω από τον, 52, 82-83, 84, 107, 111-12· και οικονομία μονοκαλλιέργειας, 82-83, 107. *Βλέπε επίσης* ιμπεριαλισμός των ΗΠΑ

INRA (Εθνικό Ίδρυμα Αγροτικής Μεταρρύθμισης), 203

Καπιταλισμό(ς), 67, 70, 93, 103-04· η νοοτροπία του ατομικιστικού αλληλοσπαραγμού κάτω από τον, 93-94, 155· η ιδεολογία του, 127,171,173· ελεύθεροι επαγγελματίες και τεχνικοί κάτω από τον, 129, 131-32· ως απειλή προς την ανθρωπότητα, 19. *Βλέπε επίσης* Ιμπεριαλισμός

Καστίγιο Άρμας, Κάρλος, 63, 209

Κάστρο, Φιντέλ, 10, 23, 35, 45, 46, 54, 100, 109, 136, 145, 168, 209-210· για τη γραφειοκρατία και τον σεκταρισμό, 152-53, 227· για το ενισχυτικό απόσπασμα του Τσε, 20, 185-90, 227· η εμπιστοσύνη του κουβανικού λαού σε αυτόν, 57· στον κουβανικό επαναστατικό αγώνα, 9, 209· ως σύμβολο του επαναστατικού αγώνα, 112· στα Ηνωμένα Έθνη, 79-80, 89, 227

Κάστρο, Ραούλ, 9, 43, 210-11

Κεβέδο, Ανχέλ, 116, 211

Κεβέδο, Μιγκέλ Ανχέλ, 53, 211
Κένεντι, Τζον Φ., 123, 141-43
Κένεντι, Ρόμπερτ, 141
Κεφάλαιο (Μαρξ), 15
Κίνα, 36, 88, 189· βοήθεια στην Κούβα από
την, 49, 61· επανάσταση στην, 44, 214
Κίνημα της 26ης Ιούλη, 9, 10, 141, 167,
208· στην επαναστατική κυβέρνηση,
46, 47. Βλέπε επίσης Κομμουνιστικό
Κόμμα Κούβας
Κόλπος των Χοίρων, 141, 148, 154, 211
Κολομβία, 55
Κόμμα Δημοκρατικής Δράσης (Βενε-
ζουέλα), 54
Κομμουνισμός, 140, 145, 150, 163, 177-78
Κομμουνιστικό Κόμμα της Κούβας, 10,
155, 167, 170-71· χωρίς καταστατικό,
170-71· ο ρόλος του, 169-71· οι
εργαζόμενοι σε αυτό, 176. Βλέπε
επίσης ORI (Ενοποιημένες Επαναστα-
τικές Οργανώσεις)
Κομμουνιστικό Κόμμα Βενεζουέλας, 54-55
Κόμπα, Αντρές, 50, 52
Κονγκό, 11, 80, 213-14
Κόστα Ρίκα, 59
Κούβα(ς): αστική ιδεολογία στην, 171-72·
αστική αντιπολίτευση στην, 45-46·
ιμπεριαλιστική εκμετάλλευση της, 82-
83, 107, 111-12
Κουβανική(ς) Επανάσταση(ς): αρχικά
κοινωνικά μέτρα της, 97· ως παρά-
δειγμα, 21, 29, 33, 52, 56-58, 59, 82,
111-12, 128, 161, 162· ειλικρίνεια της,
51· και «ανθρώπινη φύση», 25, 89·
ιμπεριαλιστικές επιθέσεις στην, 33, 49,
52-53, 55, 60-61, 109, 112, 136· μίσος
ιμπεριαλιστών προς την, 29, 40, 54,
138· και ο μαρξισμός, 19, 40, 43·
πόλεμος του 1956-1958, 9-10, 40-45·
ως ο μόνος δρόμος για τους ανθρώπους
του μόχθου, 37, 38, 52-53, 56, 83-85·
οργανωτικές ελλείψεις της, 56, 91-92,

104-05, 180-81· λαϊκή υποστήριξη προς
την, 56-57, 64, 81, 89-90, 101, 172·
προλεταριακός χαρακτήρας της, 56-57,
89-90· σοσιαλιστικός χαρακτήρας της,
170· ως κοινωνική επανάσταση, 72·
αλληλεγγύη στις ΗΠΑ προς την, 38-39·
υπερασπίζοντας τον σοσιαλισμό, 90· ως
διεθνή πρωτοπορία, 67, 138, 139. Βλέπε
επίσης Ηγεσία, επαναστατική
Κρίση των «πυραύλων», Οκτώβρης 1962,
141-42, 172

Λαϊκό Σοσιαλιστικό Κόμμα (PSP), 73,
141, 152, 167, 170, 212-13
Λατινική(ς) Αμερική(ς), 15, 17· αστικές
κυβερνήσεις στη, 49, 53-54, 59-61, 85·
το παράδειγμα της Κούβας για τη, 33,
52, 112-13, 138, 161-62· ο ιμπεριαλι-
σμός και η, 50-51, 82-83· η αναγκαι-
ότητα της αγροτικής μεταρρύθμισης
στη, 47-48· η αλληλεγγύη προς την
Κούβα στη, 36, 54, 61· η Ουάσιγκτον
ως εχθρός της, 73
Λένιν, Β. Ι., 16, 23, 137, 213, 228
Λουμούμπα, Πατρίς, 11, 80, 213
La Coubre, 109

Ματσάδο, Χεράρδο, 218
Ματσάδο, Χοσέ Ραμόν, 59
Μάλκολμ Χ, 80, 214
Mongoose, επιχείρηση, 141
Μάο Τσε-Τουνγκ, 44, 214
Μαριάτεγκι, Χοσέ Κάρλος, 14, 214-15
Μαρτί, Χοσέ, 15, 17, 77, 113, 139, 216· η
βεβήλωση του μνημείου του, 136
Μαρξ, Καρλ, 15, 17, 21, 23, 25, 40, 140, 215
Μαρξισμός, 19, 21, 23, 40, 43, 172
Μάτος, Ούμπερ, 53, 216
Μέγια, Χούλιο Αντόνιο, 145, 216-17
Μεντράνο, Ουμπέρτο, 46, 217
Μεξικό, 52, 56, 82
Μικογιάν, Αναστάς, 40, 217

Μικροαστική τάξη, 93, 170
Μιρό Καρντόνα, Χοσέ, 46, 53, 217
Μονκάδα, επίθεση στην, 33, 218
Μπατίστα, Φουλχένσιο, 9, 45, 218-19· υποστήριξή του από τις ΗΠΑ, 33, 41, 43, 218
Μπεν Μπέλα, Άχμεντ, 79, 219
Μπετανκούρ, Ρόμουλο, 52-53, 219
Μπλέστ, Κλοτάριο, 36, 219
Μπολίβαρ, Σιμόν, 15, 17, 220
Μπότι, Ρεχίνο, 116, 220
Μπουμεντιέν, Χουαρί, 219

Νεολαία: και η υπεράσπιση της επανάστασης, 136-37, 148-49· η ταξική σύνθεσή της, 70, 127-28· το παράδειγμα του Τσε για τη, 13-14, 17, 21· ο διεθνισμός της, 139, 161-62· στην εκστρατεία αλφαβητισμού, 149· η επαναστατική συνείδηση ανάμεσα στη, 127-28, 136· οι θυσίες που απαιτούνται από τη, 137-38· ο αυθορμητισμός της, 20, 174, 177, 179
Νεολαιίστικη οργάνωση, κομμουνιστική, 207· ενάντια στους γραφειοκρατικούς μεθόδους στη, 27, 151-54, 180· ενάντια στη μηχανιστική απομίμηση του κόμματος, 152-53· το δημιουργικό πνεύμα στη, 151· ως παράδειγμα για μεγαλύτερους στην ηλικία στελέχη, 26, 161· φορμαλισμός και η, 160· η ιδιότητα του μέλους στη, 147, 160· ανάγκη για συγκεκριμένα καθήκοντα, 146, 169· η ανάγκη του «να μείνεις νέος», 28, 174-75, 177· η οργανωτική δουλειά της, 146, 150-51· και η ιδιότητα του μέλους του κόμματος, 173· προλεταριακός διεθνισμός της, 161-62· η σημασία του ονόματος UJC, 145· ως πρωτοπορία, 26, 28, 146, 160, 168, 175-76, 177, 179· και εθελοντική εργασία, 149-50, 154, 158, 175. *Βλέπε επίσης* Σύνδεσμος

Νέων Ανταρτών (AJR)
Νέος άνθρωπος. *Βλέπε* Άνθρωποι, μετασχηματισμός τους
Νικαράγουα, 55· επανάσταση στην, 188
Νότια Αφρική, 188
Ντίαζ Λανζ, Πέδρο Λουίς, 53, 220
Ντορτικός, Οσβάλντο, 46, 54, 220-21
Ντουβαλιέ, Φρανσουά, 55
Ντάλες, Άλεν, 213, 221
Ντάλες, Τζον Φόστερ, 63, 221

Οικονομία(ς), Κούβας, 72, 73, 115· πριν την επανάσταση, 82, 107, 110· σχέδιο ανάπτυξης της, 92-93, 110· διαφοροποίηση της, 83, 114· εξωτερικό εμπόριο, 107-09, 111, 114· εκβιομηχάνιση της, 48, 83, 103· εθελοντική εργασία και, 149, 179. *Βλέπε επίσης* Αγροτική μεταρρύθμιση; Ζάχαρη(ς), βιομηχανία
Ομορφιά: ως ταξικό ζήτημα, 24, 133
Ομοσπονδία Γυναικών Κούβας (FMC), 158
Ομοσπονδία Φοιτητών (FEU), 136, 216
Οργανισμός Αμερικανικών Κρατών (OAS), 10, 56, 59, 87, 221-22
Ουρούτια, Μανουέλ, 46
ORI (Ενοποιημένες Επαναστατικές Οργανώσεις), 151-52, 176. *Βλέπε επίσης* Κομμουνιστικό Κόμμα της Κούβας

Παῖς, Φρανκ, 43, 222 Πανεπιστήμια: η ταξική σύνθεσή τους, 99, 101-02, 106· η ανάγκη να μετασχηματιστούν, 69, 101, 105-06, 116-21. *Βλέπε επίσης* Εκπαίδευση
Παραγουάη, 52
Πέρεζ Χιμένεζ, Μάρκος, 54, 222
Πετρέλαιο, έλεγχός του από την Κούβα, 35-36, 115
Πλάγια Χιρόν. *Βλέπε* Κόλπος των Χοίρων
Πλατ, τροπολογία, 112, 223

Πολιτισμό(ς), 15, 94, 132-33· η πολιτική της επανάστασης για τον, 130
Πολιτοφυλακές, Εθνικές Επαναστατικές, 36, 56, 64, 76, 144
Πουέρτο Ρίκο, 38, 80, 204
Πρίο, Κάρλος, 219
Προλεταριακός διεθνισμός, 23, 161-62
Prensa Libre, 46, 223

Ριβέρο, Πεπίν, 46, 223
Ροντρίγκεζ, Φέλιξ, 189
Ρωσική Επανάσταση, 20, 170, 213

Σανγκίλι, Μανουέλ, 111, 223-24
Σάντα Κλάρα, μχη στη, 10
Σεκταρισμός, 152-54
Σιενφουέγος, Καμίλο, 45, 145, 224
Σιέρα Μαέστρα, 9, 41, 42, 54, 56, 65, 70, 79, 224
Σοβιετική Ένωση: βοήθεια προς την Κούβα από τη, 49, 61, 143· κατάρρευσή της, 23· και κρίση των «πυραύλων», 143· αγορά της κουβανικής ζάχαρης από τη, 49
Σοσιαλισμό(ς): ο στόχος του, 181· και η κουβανική επανάσταση, 170· και το άτομο, 67· η φύση της εργασίας κάτω από τον, 150, 154, 167, 178. Βλέπε επίσης Κομμουνισμός
«Σοσιαλισμός και ο άνθρωπος στην Κούβα», 167
Σομόζα, Αναστάσιο, 55
Σύνδεσμος Νέων Ανταρτών (AJR), 90, 141, 144, 169, 173. Βλέπε επίσης Νεολαιίστικη οργάνωση, κομμουνιστική
Συνέδριο Λατινοαμερικανικής Νεολαίας, Πρώτο, 33, 36
Συνείδηση, μετασχηματισμός της, 156, 165-67, 177, 178

Συνεταιρισμοί, 35, 47-48
Σχεδιασμός, 92-93, 103, 173

Ταξική πάλη, 131
Τεχνικοί. Βλέπε Επαγγελματίες και τεχνικοί
Τεχνολογία, ως όπλο, 23-25, 132-34, 138-39, 177-78
Τμήμα Εκβιομηχάνισης (INRA), 100
Τμήμα Εκπαίδευσης, Αντάρτικου Στρατού, 141, 169
Τουρκίνο, 147, 224
Τρουχίγιο, Ραφαέλ Λεόνιδας, 55
Τσανγκ Κάι-σεκ, 44

Υλισμός, 25
Υπεράσπιση της επανάστασης: λαϊκή αποφασιστικότητα, 64, 80, 172-73· διάθεση πόρων για την, 75· νεολαία και η, 136-37, 147· Βλέπε επίσης, Πολιτοφυλακή, Επαναστατική Εθνική· Αντάρτικος Στρατός
Υπουργείο(υ) Βιομηχανίας: και άμιλλα, 157, 159, 164· αναγκαιότητα πολιτικοποίησης του, 27, 180· τα καθήκοντά του, 165
Υπουργείο Δημόσιας Υγείας, 61, 67-68

Φιέρρο, Μαρτίν, 84, 224
Φοιτητές: η ταξική θέση τους, 126-129· στην κουβανική επανάσταση, 127, 135. Βλέπε επίσης Νεολαία
Φυλετική διάκριση, 36, 88, 97-100

Χάρλεμ, 80
Χαρτ, Αρμάντο, 13-17, 21, 24, 225
Χερνάντεζ, Χοσέ, 224
Χιλή, 37, 52, 82
Χρουστσόφ, Νικίτα, 143
Χωρικοί, 25, 41-42, 70. Βλέπε επίσης, Αγρότες και Αγροτική Μεταρρύθμιση

Η Δεύτερη Διακήρυξη της Αβάνας
μαζί με την Πρώτη Διακήρυξη

Δύο μανιφέστα του κουβανικού λαού προς τους καταπιεζόμενους και εκμεταλλευόμενους ανθρώπους ανά την αμερικανική ήπειρο. Η πρώτη διακήρυξη, που εξαγγέλθηκε το Σεπτέμβρη του 1960, καλεί για «το δικαίωμα των φτωχών αγροτών στη γη, το δικαίωμα των εργαζομένων στους καρπούς του μόχθου τους, και το δικαίωμα των εθνών να εθνικοποιούν τα ιμπεριαλιστικά μονοπώλια». Η δεύτερη διακήρυξη, του Φλεβάρη 1962, ρωτά: «Τι διδάσκει η κουβανική επανάσταση; Ότι η επανάσταση είναι εφικτή».

Από το 1848 μέχρι σήμερα: ο κομμουνισμός και ο αγώνας για μια λαϊκή επαναστατική κυβέρνηση
Μέρι-Άλις Γουότερς
μαζί με το Η δυναμική της κουβανικής επανάστασης
Φιντέλ Κάστρο

Καμία από τις μεγάλες εξεγέρσεις των εκμεταλλευόμενων εργατών και αγροτών στην πρόσφατη ιστορία δεν περιορίστηκε σε προσπάθειες βελτίωσης των συνθηκών εκμετάλλευσης για τους ανθρώπους του μόχθου. Αντίθετα ήρθαν αντιμέτωπες με την ανάγκη διάλυσης του οικονομικού συστήματος που βασίζεται στο ατομικό κέρδος — τον καπιταλισμό. Για να το καταφέρουν, χρειάστηκε να καταπιαστούν με το ζήτημα της αναγκαιότητας μιας επαναστατικής κυβέρνησης, στα χέρια των ίδιων των ανθρώπων του μόχθου.

Η πορεία του ιμπεριαλισμού
προς το φασισμό και τον πόλεμο
Τζακ Μπαρνς

Το διεθνές χρηματιστηριακό κραχ του 1987 — Η κατάρρευση των αντεπαναστατικών καθεστώτων στην Ανατολική Ευρώπη και τη Σοβ. Ένωση — Ο πόλεμος κατά του Ιράκ το 1990-91 που αντί για νίκη μιας νέας παγκόσμιας τάξης πραγμάτων καταλήγει στην όξυνση της διαμάχης ανάμεσα στις ίδιες τις δυνάμεις που αποτελούν το ΝΑΤΟ — Ο παγκόσμιος καπιταλισμός έχει βυθιστεί σε οικονομική κάμψη, όπου αυξάνεται η πόλωση μεταξύ φτώχειας και πλούτου και ακροδεξιές δυνάμεις κερδίζουν έδαφος — Οι εργαζόμενοι της Κούβας συνεχίζουν την πάλη για τη διατήρηση των προλεταριακών κοινωνικών σχέσεων που κατέκτησαν με την επανάστασή τους: μερικά από τα γεγονότα που αναλύονται εδώ.

ΑΠΟ ΤΙΣ ΕΚΔΟΣΕΙΣ *Διεθνές Βήμα*

Aldabonazo!
Inside the Cuban Revolutionary
Underground 1952-58
Armando Hart

An account of the revolutionary struggle against the U.S.-backed dictatorship of Fulgencio Batista by one of the central organizers of the July 26 Movement's urban underground. Hart tells the story of the men and women in cities across Cuba who risked their lives in dangerous clandestine actions supporting the Rebel Army in the mountains led by Fidel Castro. Armando Hart has been a leader of the revolutionary government, serving as minister of education and minister of culture, as well as a member of the Political Bureau of the Communist Party of Cuba.

Episodes of the Cuban
Revolutionary War 1956-58
Ernesto Che Guevara

A first hand account of the military campaigns and political events that culminated in the January 1959 popular insurrection that overthrew the Batista dictatorship. With clarity and humor, Guevara describes his own political education. He explains how the struggle transformed the men and women of the Rebel Army and the July 26 Movement led by Fidel Castro.
Available in Spanish from Editora Politica.

Che Guevara and the Imperialist Reality
Mary-Alice Waters

"The world of capitalist disorder-the imperialist reality of the 21st century- would not be strange to Che," Waters explains. "Far from being dismayed by the odds we face, he would have examined the world with scientific precision and charted a course to win."

Lenin's Final Fight
Speeches and Writtings 1922-23
V.I. Lenin

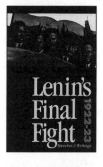

In the early 1920s Lenin waged a political battle in the leadership of the Communist Party of the USSR to maintain the course that had enabled workers and peasants to overthrow the tsarist empire, carry out the first socialist revolution, and begin building a world communist movement. The issues posed in his political fight remain central to world politics today.

Available in English and Spanish from
Pathfinder Press

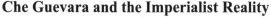

New International #12
Capitalism's Long Hot Winter Has Begun
Jack Barnes

"None of the underlying contradictions of world capitalism that are pushing toward depression and war began with 9/11 and its consequences. Some were accelerated by those events, but all have their roots in the downward turn in the curve of capitalist development a quarter century ago and the interrelated collapse of the Stalinist apparatuses in the Soviet Union and Eastern Europe at the beginning of the 1990s."

One of capitalism's infrequent, long winters has begun, Jack Barnes explains. "Now, with the acceleration of imperialism's drive toward war, it's going to be a long, hot winter. More importantly, slowly but surely and explosively, it will breed a scope and depth of resistance not previously seen by revolutionary-minded militants in today's world."

Also in NI # 12: **Their Transformation and Ours,** *Socialist Workers Party National Committee Statement*

Crisis, Boom, and Revolution, *1921 Reports by V.I. Lenin & Leon Trotsky*

New International # 13
Our Politics Start With The World
Jack Barnes

"Our job is to make a revolution in the country where we live and work. To do so we must understand-and understand thoroughly-politics and the class struggle within these national boundaries. But we can do that only as part of an international class that has no homeland-the working class. As part of an international alliance with the exploited and oppressed toilers throughout the world. That's not a slogan. That's not the result of an act of will. It is the class reality of life in the imperialist epoch."

Also in NI # 13: Farming, Science, and the Working Classes, *Steve Clark*

Capitalism, Labor, and Nature: An Exchange, *Richard Levins, Steve Clark*